CIENCIA

Manuel Lozano Leyva, uno de los físicos nucleares españoles más importantes, es catedrático de la Universidad de Sevilla, donde dirige el departamento de Física Atómica, Molecular y Nuclear. Tras realizar su tesis doctoral en Oxford, trabajó en el Instituto Niels Bohr de Copenhague, en la Universidad de Padua, en la Universidad de Munich y en el CERN (Centro Europeo para la Investigación Nuclear). Es autor de más de un centenar de publicaciones sobre su especialidad. Ha sido vicerrector de investigación de su universidad, miembro de la Junta Directiva de la Real Sociedad de Física y representante de España en el Comité Europeo de Física Nuclear. Gran divulgador científico, ha publicado *El cosmos en la palma de la mano, De Arquímedes a Einstein, Los hilos de Ariadna* y *Nucleares, ¿por qué no?*

Manuel Lozano Leyva

El cosmos en la palma de la mano

Del Big Bang a nuestro origen
en el polvo de estrellas

DEBOLSILLO

El cosmos en la palma de la mano

Primera edición en Debolsillo en España: noviembre, 2009
Primera edición en Debolsillo en México: enero, 2010

D. R. © 2002, Manuel Lozano Leyva

D. R. © 2002, Random House Mondadori, S. A.
    Travessera de Gràcia, 47-49. 08021 Barcelona

D. R. © 2010, derechos de edición en España, Latinoamérica
    y Europa en lengua castellana:
    Random House Mondadori, S. A. de C. V.
    Av. Homero núm. 544, col. Chapultepec Morales,
    Delegación Miguel Hidalgo, 11570, México, D. F.

www.rhmx.com.mx

Comentarios sobre la edición y el contenido de este libro a:
literaria@rhmx.com.mx

ISBN 978-607-429-749-2

Impreso en México / *Printed in Mexico*

Índice

Agradecimientos

Escribir unos cientos de páginas de infinidad de procesos y fenómenos físicos y astronómicos siendo experto sólo en unos pocos de ellos supone, además de una osadía, correr el riesgo de cometer errores. He cometido muchos pero, afortunadamente, el lector percibirá pocos. Ello ha sido posible gracias a Jesús Cabrera Caño (astrofísico), José Rodríguez Quintero (físico de partículas y cosmólogo), José Manuel Quesada Molina (físico nuclear), Enrique Cerdá Olmedo (genético) y María Josefa Guerrero León (bióloga). Esos errores que se descubran serán achacables sólo a mí, porque ellos han sido extraordinariamente perspicaces. Cristóbal Pera (filólogo) no sólo hizo la corrección de estilo, sino que sirvió como conejo de Indias dejando que ensayara con él, único «de letras», el nivel divulgativo de los contenidos.

A todos les agradezco profundamente su interés y paciencia.

1

Justificación

No conozco una forma mejor de vivir que dedicarse a conocer la naturaleza.

NAPOLEÓN BONAPARTE, 1800

En el Departamento de Física Atómica, Molecular y Nuclear (y Teórica y Astronomía y Astrofísica, pues aquello es un totum revolutum muy simpático) de la Universidad de Sevilla organizamos desde hace infinidad de años escuelas de verano de física nuclear. Son internacionales y a un nivel de doctorado, o sea, muy complicadas desde el punto de vista de los no especialistas. Uno de los temas que se han desarrollado en esas escuelas y que recuerdo muy gratamente, fue de astrofísica nuclear. Tuvo lugar en 1988. Tras recibir una propuesta del astrónomo más veterano del departamento, Jesús Cabrera Caño, tomé el libro correspondiente y repasé todo lo que allí se dijo. La idea del «astrólogo» (así le decimos a Jesús para zaherirlo) consistía en organizar un curso de Astronomía, astrofísica y cosmología de libre configuración, es decir, una asignatura en la que se pudieran matricular alumnos de cualquier carrera de la universidad. Él impartiría la parte de astronomía y yo las de astrofísica y cosmología. Ahí es nada, porque lo que yo soy de verdad es físico nuclear. «Y qué —decía Jesús para convencerme—, una estrella no es más que un sistema nuclear y el comienzo del Universo está más relacionado con la física de las

13

partículas nucleares elementales que con cualquier otra cosa. Además, tú has aplicado a menudo los métodos de esas disciplinas, bien que colateralmente, a las galaxias y al universo primitivo.»

Repasando el libro antedicho, llegué al convencimiento de que aquello era muy, pero que muy difícil. Porque con fórmulas matemáticas es fácil explicar muchas cosas si se tiene experiencia y el público al que uno se dirige entiende ese lenguaje, pero dar a entender cuestiones científicas de astrofísica a estudiantes de primer ciclo de carreras como filosofía, periodismo, medicina, historia, psicología y cosas así, espanta al más desaforado optimista.

Nuestro astrónomo es persistente y astuto, así que cuando vio que sus argumentos iniciales no hacían mella en mí, apeló arteramente a mi responsabilidad como director del departamento: debía colaborar al desarrollo del área de conocimiento más desvalida de todas las que conforman el departamento. Así pues, llevamos ya cuatro años impartiendo el dichoso curso al que cada vez se apunta más gente de procedencias exóticas desde el punto de vista de una facultad de física. La asignatura parece ser tan llamativa que en ocasiones me han sugerido que escribiera un libro sobre muchas cosas de las que contaba en el aula.

El producto material y principal del trabajo de todos mis colegas científicos de las más diversas especialidades suele ser un artículo escrito en inglés, con sus tablas, gráficos y referencias, publicado en una revista internacional después de haber sido sometido el manuscrito a una estricta censura por parte de otro u otros colegas anónimos elegidos por el editor. La repercusión de esos artículos puede ser enorme o irrelevante; la utilidad personal que tienen estas publicaciones es la simple satisfacción o, por acumulación, para encontrar una ansiada posición permanente y vitalicia en una universidad o instituto de investigación; también sirve para muchas otras cosas publicar en buenas revistas artículos breves cargados de fórmulas y siguiendo un patrón estricto en forma y fondo. Por ejemplo, es la única manera de mostrar objetivamente a los poderes públicos que la comunidad científica que financia está en forma y preparada para afrontar productivamente cualquier resultado importante que se produzca en cualquier lugar del mundo.

Pero lo cierto e irrefutable es que el número de lectores de la inmensa mayoría de nuestros artículos es extraordinariamente pequeño. El título lo lee la mayoría del conjunto de profesionales del tema de investigación al que se refiera. El resumen obligatorio, unas diez líneas, lo leen completo no muchos más que los especialistas en el tema. El artículo en su totalidad lo lee un porcentaje ínfimo de aquellos, en concreto los que han trabajado o trabajan en un problema similar. Los que lo hacen con detenimiento y tratando de extraer todos los intríngulis a los que se refiere el escrito, sus fórmulas y sus representaciones gráficas, empiezan ya a contarse con los dedos de las manos. Así funciona la ciencia y funciona bien. Así he funcionado yo toda mi vida académica, publicando unos pocos artículos cada año y disfrutando infinitamente de ello.

¿No es un derroche el esfuerzo que significa desarrollar un trabajo de vanguardia para que luego se interesen por él tres o cuatro personas? No, porque aparte de lo dicho, ello conlleva otras cosas entre las cuales una de las más gratas es conocer a las pocas docenas de colegas en el mundo que hacen más o menos lo mismo que uno. Pero, en cualquier caso, ¿no es tentador escribir algo que transmita de alguna manera ese placer y conocimiento a un número mayor de personas?

La posibilidad de escribir un libro de divulgación es una buena idea, pero bien pensado… ¡qué horror! He leído algunos libros de éstos y hojeado un montón. Sobre todo de autores anglosajones. Nadie piense que los considero fútiles y frívolos, porque confieso que muchos me parece que están muy bien escritos y algunos hacen derroche de ingenio. El pánico me vino de algo más… digamos ideológico. Sospecho que el efecto que producen muchos de esos libros en un lector normal es más el asombro, incluso la estupefacción, que el aumento neto de los conocimientos. Incluso recordé a un físico francés muy comprometido con la izquierda revolucionaria de los sesenta que venía a decir que lo que provocaban los libros de divulgación, por descontado que sin intención por parte del autor, era el miedo en el público. Ahí es nada. Y ese miedo o sobrecogimiento conllevaba el sometimiento al poder de manera que fuera sumisa la aceptación por parte de la gente de los fondos destinados a la investigación, así como de la aplicación de los resultados de ésta. ¡Santa Madre de Dios! El colega se llama Jean-Marc Levy-Leblond y sostengo que no sólo es un buen físico, sino un magnífico profesor y seguramente una buena persona.

Quizá, sin perder la intención de sorprender y, por supuesto, evitando tanto la farragosidad como la mentira (cosa que he descubierto que ocurre en la divulgación cuando se baja excesivamente el nivel de algún tema tan difícil que sólo se puede aprender con matemáticas profundas), se podría elaborar un texto ameno. Quedaba por dilucidar cuál podría ser el contenido concreto.

Mientras lo intentaba, recordé a Pepe el Máquina. En la Facultad de Física de la Universidad de Sevilla, desde hace una década o así, se puso de moda el epíteto *máquina* como sinónimo de empollón. Así, un buen estudiante puede ser para sus compañeros algo máquina, muy máquina o, el súmmum, el Máquina. Hace unos años, en mi curso de física nuclear de quinto año de la carrera le di clase a un individuo al que llamaban Pepe el Máquina. Cuando se licenció me dijo que deseaba hacer la tesis doctoral conmigo. Lo acepté aunque con una condición, la misma que le pongo a todos los licenciados que desean trabajar conmigo: no le daría un tema de tesis doctoral hasta que no consiguiera una beca de investigación del ministerio o de la Junta de Andalucía.

Por aquella época colaboraba yo en unas investigaciones con una magistral física española, Belén Gavela Legazpi, y con un francés encantador y físico profundo llamado Olivier Pène. Lo hacíamos fundamentalmente en la división de teoría del CERN, el Centro Europeo de Investigaciones Nucleares, que es el mayor laboratorio de física de partículas del mundo. El problema al que nos dedicábamos era tremendamente complejo desde el punto de vista matemático y conceptualmente ambicioso. Se trataba de aplicar el modelo estándar de la física de partículas a las condiciones físicas extremas que se dieron inmediatamente después de la creación del Universo. Dicho así suena como muy romántico y transcendental, quizá lo sea, pero en lo que se traduce toda esa mística es en unos desarrollos matemáticos espeluznantes y bastante tediosos.

Para descongestionarse uno cuando está enfrascado en algo duro no hay nada como pasar buenos ratos en la biblioteca del centro donde esté trabajando y entretenerse con temas alejados del que te tiene absorbidas las meninges. Mi debilidad en ese sentido desde la escuela que organizó mi departamento en 1988 ha sido hojear las revistas *The Astrophysical Journal* y *Astronomy and Astrophysics*.

Para que Pepe se entrenara mientras esperaba su beca sin estorbar mi faena, le propuse hacer un modelito teórico que explicara unos resultados obtenidos por varios observatorios astronómicos del mundo que me habían intrigado cuando los vi juntos en un artículo de la primera revista mencionada. Parecían mostrar que la abundancia de elementos pesados en una galaxia decrecía paulatinamente desde el centro hacia el borde. Eso se sabía desde hacía ya algún tiempo, pero aquellos datos eran los mejores de todos los publicados hasta la fecha. Eso me motivó una pregunta aún más prosaica. ¿De dónde viene el oro que hay en la Tierra? El oro y todo lo demás. Del Sol primitivo. ¿Y al Sol primitivo cómo llegó? Porque allí no se pudo generar y en su momento se verá por qué. Vino de las estrellas grandes y viejas que, al morir, dan tal traquido que expulsan todos los elementos pesados que se han cocinado en su interior. Estos vagan por el espacio interestelar hasta que se dan las condiciones para que se genere un sol. De éste se desgajan planetas que ya contienen los elementos pesados que llegaron de la inmensa oscuridad galáctica. Esa es la idea general, ¿pero lo que sabemos de nuestra galaxia, de explosiones de supernovas, que así se llaman aquellos traquidos, y de la formación de estrellas concuerda con los datos de abundancia de los elementos?

Una mañana le expliqué a Pepe el problema y le esbocé las líneas maestras del modelo matemático que yo intuía que podría explicar el asunto. Me escuchó absorto. Después le di fotocopias de los artículos que yo había coleccionado en el CERN sobre el tema y, cuando se fue, suspiré aliviado pensando que me lo había quitado de encima los cuatro o cinco meses que tardaría en resolverse la convocatoria de becas de investigación del ministerio del ramo. Listo.

A la semana o poco más apareció el joven en mi despacho y me mostró una sarta de ecuaciones, con letra horrible pero delicioso contenido, que planteaban un modelo mucho más realista, profundo y bello que el que yo había pergeñado. ¡Qué tío! Antes de que le dieran la beca ya habíamos pulido el elegante modelo desarrollado por Pepe y, no mucho después, enviamos el manuscrito de un artículo para su publicación en *Astronomy and Astrophysics* titulado «Heavy-Element Abundances in Normal Spiral Galaxies» (volumen 309, páginas 743-748, del año 1996). Introduje al joven becario en nuestro quehacer y con la ayuda de Belén y sobre todo de Olivier, hizo una de las tesis doctorales más brillantes que han pasado por mis manos.

Se pueden formular varias moralejas de esta historia personal, pero una que me interesa resaltar es que el sistema de ciencia y tecnología está en gran medida basado en la actividad de jóvenes lúcidos que ganan salarios tan irrisorios que da pudor llamarlos salarios. Porque aquellos datos observacionales de abundancias de elementos pesados en las galaxias en los que se basaba nuestro modelo matemático, sin duda los obtuvieron jóvenes astrónomos guiados más o menos por algún que otro veterano de mi calaña. A los visitantes de un observatorio astronómico moderno, y en España tenemos varios punteros que organizan visitas al público, lo primero que les sorprende es la nutrida chavalería que está al cargo del más sofisticado equipamiento tecnológico.

Así pues, si quería escribir un libro de divulgación científica sobre aquello que había hecho con Pepe el Máquina (se llama José Rodríguez Quintero y si lo he denominado por su mote es porque sé que no le importa; además, si le importa, estoy seguro de que está resignado porque en el mundillo de la física todo el mundo lo llama así desde hace ya bastantes años), tendría que explicar lo que es el átomo y el núcleo atómico pero con un objetivo: que el lector aprenda no sólo cómo son, sino cómo han llegado a formar parte de nosotros mismos, o sea, de nuestro cuerpo. Para ello habrá que explicar lo que son las estrellas, cómo nacen, viven y mueren así como lo que ocurre en una galaxia, como por ejemplo nuestra Vía Láctea. Además, lo haré tratando de que el lector termine tan complacido que desee asomarse al Universo literalmente hablando.

La idea global es la siguiente. Empezaré dando una idea del Universo en general yendo de lo más familiar a lo más remoto, del sistema solar a las galaxias y los grupos de éstas. O sea, nada original. Pero lo haré siguiendo la idea contenida en el memorable comienzo del poema lírico «Augurios de inocencia» del inmortal poeta (y pintor, y visionario, y grabador) de la Albión de los siglos XVIII y XIX, William Blake. Dice así: «*To see a World in a Grain of Sand/ and a Heaven in a Wild Flower/ Hold Infinity in the palm of your hand/ and eternity in an hour*». Que yo, así por libre, traduciría:

> *Para ver un mundo en un grano de arena*
> *Y un cielo en una flor silvestre,*
> *Coloca el infinito en la palma de tu mano*
> *Y la eternidad en una hora.*

Por tanto, para que el lector no se sobrecoja al principio del libro pero se haga una idea clara de cómo es el Universo en que vivimos y qué tiene que ver lo que sucede en él con la materia de la que estamos hechos, lo invitaré a jugar con los números. Cuando uno, por ejemplo yo hace años, lee que nuestra galaxia es un conjunto de doscientos mil millones de soles, que un núcleo atómico es tan pequeño que en un vaso de vino hay casi un cuatrillón de ellos y cosas así, le entra el vértigo. Si para colmo le hablan de espacios curvos en cuatro dimensiones, distribuciones espaciales de probabilidad, ubicuidad simultánea, etc., se queda turulato. En ese estado, lo mejor que se puede hacer es beberse el vino, soltar el libro y encender la tele. Y esto nos pasa, digo yo, por venir de donde venimos, o sea, del mono, dicho esto sin ofender porque, al menos yo, lo tengo a mucha honra por varias razones que considero muy importantes.

Sucede que nuestro cerebro se ha conformado a partir de experiencias cotidianas. El deambular por entre las ramas de los árboles, que al parecer era lo que hacían nuestros primeros ancestros, y la adaptación posterior a las sabanas con todas las aventuras que conllevaba tratar de sobrevivir y demás, fueron haciéndole caminar erguido a la vez que se le abultaba la cabeza.

Un buen día le dio por afilar una piedra con la intención de cazar mejor. Así empezó la tecnología. Esto le proporcionó un poco de ocio y, estando tumbado a la bartola, pensó sobre cuáles serían las causas de la lluvia, la aparición del sol cada mañana, y cosas de esas. Así comenzó la ciencia. Cuando desfallecía porque no entendía nada, inventó la religión, pero ese es otro asunto que mejor lo dejamos.

Tengo para mí (que Dios y los paleontólogos me perdonen) que cuando el hombre se hizo listo de verdad fue cuando uno, al regresar a su cueva después de andar todo el día de correrías tras los animales, se encontró a su mujer quien, alborozada, le dijo que había descubierto que al frotar una determinada piedra contra otra, salían chispas. El hombre, por supuesto displicentemente, le dijo que muy bien, pero para qué servía aquello. Ella se encogió de hombros mientras le respondía que no lo sabía. Pero a la mujer no se le borró la sonrisa de los labios y su mirada continuó brillando. En ese preciso instante empezaron de verdad a bailar las neuronas en el cerebro humano.

Con los milenios el cerebro se fue desarrollando de una manera que muchos consideran prodigiosa. Ni lo dudo ni tengo certeza de eso, lo que sí mantengo es que lo hizo de una forma curiosa. El cerebro es capaz de elaborar sentimientos y razonamientos que sobrepasan la capacidad de imaginar. Genios como Einstein a principios del siglo pasado y una miríada de estudiantes de física desde entonces hasta hoy, manejan sin problemas cuatro dimensiones cuando trabajan con la teoría de la relatividad. Siempre que renuncien a imaginárselas. Si nos vamos al microcosmos cuántico la cosa ya se dispara en cuanto a divorcio entre la inteligencia y la imaginación. Y es, como decía refiriéndome a lo del mono, porque las circunvoluciones de nuestro cerebro en el barrio de la imaginación se han conformado sobre la base de experiencias directas y cotidianas. ¿Cómo podemos pedir que alguien imagine una distancia de dos mil millones de años luz si ya un año luz (más de nueve billones de kilómetros) es duro de pelar? Así por las buenas, reduciré o aumentaré distancias, en algunos casos en un factor de mil millones o más, y elaboraré un universo de andar por casa (la Tierra o el núcleo atómico, según se tercie, como una manzana o una perla, sistemas solares como monedas, distribuciones espaciales de probabilidad como la lotería de Navidad y cosas así) o sea, al estilo de lo que pienso yo que se refería el poeta inglés cuando dijo lo que dijo. Esto lo haré al principio, porque después iré mostrando datos reales suponiendo al lector ya curado de espantos.

Una vez que se haya expuesto someramente cómo es el Universo y cómo se generó, se mostrará con algún detalle el funcionamiento del microcosmos, es decir, los átomos, los núcleos atómicos y los mecanismos esenciales de las reacciones nucleares de fisión, fusión y radiactividad. Para ello habrá que enseñar algunos rudimentos de la mecánica cuántica.

Pasaremos después a estudiar las estrellas, y para ello, nada mejor que comenzar con nuestro Sol que es una estrella no sólo arquetípica, sino que además conocemos muy bien y le tenemos especial apego por razones obvias. Para estudiar cómo se producen los elementos químicos no tenemos más remedio que presentar cómo viven y mueren las estrellas y para ello hemos de aplicar los conocimientos nucleares alcanzados a dicha evolución. Y para ver cómo han llegado hasta nosotros dichos elementos es inevitable analizar cómo nace una estrella. Como el destino que nos interesa es nosotros mismos, enlazaremos el capítulo inicial de nuestro sistema solar con el de su formación. Y ya tendremos una idea clara de que provenimos, ineludiblemente, de las estrellas. Pero lo mismo que nosotros nos hemos formado gracias a procesos cósmicos, bien podrían haber ocurrido desarrollos similares en muchos lugares del Universo. Para ello veremos qué es la vida y las posibilidades de que ésta se haya originado y prosperado en otros lugares que no sean la Tierra. Aquí no tendremos otra salida que hacer algo relativamente poco científico como es especular. Esto se hará al final, por lo que ya tendremos base suficiente como para llevar a cabo tal despropósito sin que ello haga tambalear los cimientos científicos que habremos tratado de establecer sólidamente a lo largo del libro.

El orden anteriormente descrito puede parecer heterodoxo. Lo es, porque otra concatenación de capítulos puede ser más lógica, por ejemplo, comenzar por el origen del Universo, después el de las galaxias, luego el de las estrellas y finalmente el de los sistemas planetarios y la vida. He elegido el anterior pensando en el lector. Partiendo del osado supuesto, como he insinuado, que su formación media en ciencia es la básica aprendida en el instituto y en buena parte olvidada en muchos detalles, es preferible graduar en lo posible la complejidad del material presentado aunque ésta vaya en ocasiones a saltos. En cualquier caso, si el lector prefiere el orden temporal y espacial (el otro apuntado), no tiene más que consultar el índice y empezar a leer por mitad del capítulo 3 y continuar por donde le plazca.

Es costumbre apropiada y saludable escribir sobre los grandes hombres que hicieron posible los descubrimientos que se presentan en un libro científico, y mucho más si es de divulgación. Eso haré aunque sea muy someramente, pero soslayaré en buena medida aquellas figuras históricas muy conocidas y resaltaré las que suelen pasar desapercibidas y cuya contribución al saber humano fue casi tan decisiva como la de los «grandes». Incluso de éstos resaltaré facetas poco divulgadas y no siempre positivas de su carácter, así como el alcance real de su obra. Pero siempre trataré los aspectos biográficos sucintamente porque se pueden encontrar en otros libros más extensos y autorizados que éste.

¿Y qué quería decir yo cuando mencioné que deseaba que el lector se asomase, literalmente, al Universo? Lo último que yo haría sería recomendar la compra de un telescopio y mirar ahí fuera, y conste que es uno de los placeres de los que llevo disfrutando desde hace mucho tiempo. Ni hablar, para eso está internet. Al final del libro invitaré a visitar lugares fascinantes de la web. Ahí se podrá ver con los «ojos» de los mayores telescopios del mundo basados en tierra y colocados en órbita todos los objetos estelares a los que haré mención y muchos más. Ahí se podrá leer, «visionar» e incluso escuchar lo que han hecho muchos divulgadores de la ciencia a la que se refiere este libro con más maña, acierto y colorines que yo. La «red» es tan viva que quizá algunas direcciones mencionadas habrán desaparecido cuando el lector trate de consultarlas. A partir de estas quizá descubra otras nuevas tan buenas o mejores que ellas.

Al final, o sea, cuando se culmine la lectura de este libro, mi mayor deseo será haber convencido de que la parte esencial de nuestro ser y entorno proviene del polvo de las estrellas esparcido por doquier cuando mueren. Y, si se me apura un poco, de que puede haber una fauna animal por ahí mucho más rica de lo que cuentan los charlatanes sobre los extraterrestres y esas cosas.

En estos tiempos de suspicacia exacerbada respecto a la escritura de libros, quizá sea bueno decir, sin ánimo de provocación, que todo lo esencial de este libro está copiado, plagiado e intertextualizado. Naturalmente, citaré las fuentes bibliográficas más relevantes que he utilizado (hacer referencia a todas no sólo sería prácticamente imposible, sino además aburrido), pero lo haré no para curarme en salud, sino para que el lector que lo desee pueda ampliar sus conocimientos desde el nivel divulgativo hasta el profesional.

Obedeciendo con temor al citado Levy-Leblond, intentaré no sólo evitar el sobrecogimiento del lector, sino aumentar su conocimiento y no mentir jamás. El mayor éxito del libro sería que el lector calculara, aunque fuera de manera aproximada, algunas de las cosas que se dicen en él haciendo uso de los datos que se prodigan en sus páginas y apéndices. Saber el número aproximado, incluso exacto, de microgramos de tinta que tiene un soneto no aporta absolutamente nada a lo que nos quiso transmitir el poeta que lo escribió. Pero saber que el carbono, base de la tinta y de la vida, sólo se puede generar en el corazón de las estrellas viejas y que llega hasta este lugar después de morirse aquellas y tras un largo peregrinaje por el medio galáctico, nos indica que provenimos esencialmente del firmamento. Eso puede ayudar al poeta. La combinación de estos dos aspectos tan distintos como complementarios es lo que pretendo en este libro.

2

La cohorte solar

Esas lunas no se ven con los ojos,
por eso no tienen influencia sobre nosotros,
por eso son inútiles,
y por eso no existen.

Crítica eclesiástica (anónima) a Galileo cuando hizo
público el descubrimiento de los satélites de Júpiter.

Estamos en el campo en una noche oscura, sin luna ni nubes, y disponemos de coche. ¿Desde cuándo no miramos apropiadamente al cielo de noche? Apropiadamente significa sin contaminación lumínica, es decir, en alta mar, en un lugar del campo o la montaña muy alejado de cualquier población o bien, quizá lo mejor, en mitad de un desierto. Es, seguramente, el paisaje más bello que se puede contemplar. Lo primero que propongo en este libro es que si el lector hasta ahora no ha tenido esa experiencia, organice una excursión exclusivamente para ello. Será una experiencia inolvidable. Los antiguos, cuando los poblados e incluso las ciudades tenían pocos habitantes y eran más bien tenebrosos de noche, estaban tan familiarizados con el firmamento que saber los nombres de las constelaciones, las estrellas y los planetas era tan corriente como saber los nombres de ríos, montes, lagos y demás accidentes notables del entorno donde se viviera. Pero hoy, desde una ciudad, incluso desde un pueblo pequeño, apenas se distinguen unas pocas docenas de estrellas.

Vamos a dar un paseo un tanto extraño por el campo a lo largo de una noche completa de verano. No se ve nada más que el cielo. Ni árboles ni montes ni nada más que lo que vamos a buscar. Esto no es otra cosa que el sistema solar.

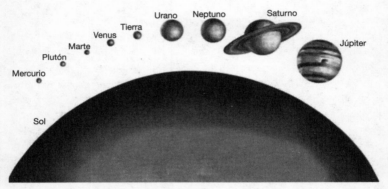

Fig. 1. *Tamaño de los planetas en escala relativa al Sol (del libro J. Gilluly, A. Waters y A. Woodsford, Principles of Geology).*

LA TIERRA Y LA LUNA

La Tierra va a ser del tamaño de una manzana: diez centímetros de diámetro. Está ahí mismo. La veremos de inmediato porque en este preciso instante se va a encender el Sol. Ahora. El Sol es una bola refulgente de unos diez metros de diámetro que está a poco más de un kilómetro de aquí. Tiene el porte de una casa familiar de dos plantas. Se nos ven los rostros pálidos, pero se nos ven. Nos acercaremos después a él, aunque no demasiado porque puede ser muy molesto y perjudicial para nuestra vista.

Observemos la Tierra. Es bella, azul y está surcada de nubes algodonosas formando espirales y moviéndose majestuosamente en toda su superficie esférica. Pero aunque con la Tierra estemos muy familiarizados espero mostrar intimidades insospechadas de ella más adelante. Tomémosla en una mano. Pesa bastante. Casi tres kilos. O sea, que más que una manzana parece una bola de mármol porque es incluso más densa. Echémosle también un vistazo a la Luna, pues en nuestro paseo nos sorprenderán algunas cosas referentes a ella. Gira en torno a la Tierra a tres metros de distancia y es de grande como la cuarta parte que la Tierra, o sea, como una nuez, y si la cogemos notaremos que pesa proporcionalmente bastante menos. Es tan pálida porque refleja muy poca luz de la que recibe del Sol. Dejemos las dos ahí flotando y desplazándose plácidamente en su trayectoria y acerquémonos al Sol. A unos trescientos metros de aquí, como tres manzanas de un barrio, nos encontraremos con Venus y después caminaremos cuatrocientos metros más para visitar Mercurio. A mitad de este último trecho nos tendremos que poner gafas oscuras porque el Sol deslumbra ya demasiado.

VENUS

Allí está Venus. Desde aquí lo podemos ver porque es muy brillante. Cuando lleguemos hasta él no podremos cogerlo como hemos hecho con la Tierra porque nos podemos quemar a causa de lo caliente que está, a casi quinientos grados centígrados, y del ácido sulfúrico que lo envuelve. Tiene un tamaño poco menor que la Tierra y pesa casi igual. Vayamos hacia él.

Venus. Su colega griega era Afrodita e igual que la romana era la diosa del amor y la belleza. Muy bonito y apropiado, porque el planeta es realmente bello debido a su intenso brillo. Éste se debe a que las nubes que lo envuelven tienen una composición química que devuelve gran parte de la luz que recibe del Sol. *Albedo* se llama a esa proporción, y en Venus es 0,65, o sea, que refleja el 65 % de la luz que recibe del Sol. Contaré más cosas de él mientras caminamos.

Como está cerca del Sol, lo acompaña visto desde la Tierra, lo cual hace que sólo se vea al amanecer y al atardecer, por eso le llaman el Lucero del Alba o matutino y también el Lucero del Ocaso o vespertino. Los antiguos creían que eran dos en lugar de uno, así, al de la mañana le decían Phosphorus y al de la tarde Hesperus. Que, por cierto, hesperio para los griegos era lo que venía de occidente, en concreto de Italia y de España. Pero los más listos de los antiguos, como por ejemplo Heráclito, intuyeron que tanto Venus como Mercurio eran sólo uno cada uno y lo que pasaba era que giraban en torno al Sol. Ahí es nada, porque para los Santos Padres de la Edad Media, muchos cientos de años más modernos que ellos, no había herejía mayor que suponer que la Tierra no era el centro en torno al cual giraba todo lo que girara en el cielo.

Aquí está Venus. Acerquémonos a él con cuidado porque su belleza, como dije, es engañosa. Observemos.

Por lo pronto, gira en torno a su eje al revés que la Tierra y casi todos los demás planetas. O sea, que si viviéramos en él, cosa imposible como veremos inmediatamente, amanecería por el oeste y el Sol se ocultaría por el este. En torno al Sol orbita en el mismo sentido que todos los demás pero en torno a sí mismo gira mucho más lentamente que la Tierra. Tanto es así que su día es más largo que su año. ¿Que cómo puede ser? Pues porque darle una vuelta al Sol le cuesta a Venus 225 días de los nuestros y tarda 243 en girar alrededor de su propio eje. Con un matiz y es que ese sería lo que se llama el *día sidéreo*, ya que si llamamos «día» al tiempo que transcurre entre los dos momentos en que al Sol lo vemos consecutivamente en la misma posición, el día para los hipotéticos venusianos sería de 116,8 días de los nuestros. No se ha entendido, pero sirva de excusa que los movimientos circulares vistos desde algo que también se mueve circularmente es tan complicado que se tardó miles de años en comprenderlo.

Observemos esa atmósfera pardusca y tratemos de entrever el paisaje venusiano. Porque Venus es de los pocos planetas que tienen lo que merece llamarse paisaje. Empecemos por la atmósfera. Está formada fundamentalmente por dióxido de carbono, el conocido CO_2. Es el que exhalamos al respirar y es inocuo, pero masivamente provoca lo que se llama *efecto invernadero*. A través de una atmósfera de ese gas pasan los rayos solares sin problemas. La superficie del planeta absorbe una parte y refleja otra. Pero esta parte reflejada es algo distinta a la incidente y tiene la gracia de rebotar en la atmósfera si ésta tiene mucho dióxido de carbono. De alguna manera queda atrapada en ella y, al igual que en los invernaderos (y en el interior de un coche al sol), hace aumentar la temperatura. El brillo también aumenta cuando el asunto se pone serio. Los gafes dicen que la Tierra va a terminar como Venus como sigamos en el plan que estamos de lanzar al aire ingentes cantidades de CO_2. Pero la atmósfera de Venus tiene algo más traidor que eso: el ácido sulfúrico. No es que esté impregnada de gotitas de ese malvado ácido, es que éstas forman capas a distintas alturas. Letal de necesidad. Voy a contar una curiosidad. En la Tierra tenemos la misma cantidad de CO_2 que aquí en Venus, pero en forma de carbonatos, o sea, de rocas, o disuelto en los mares. Aquí tenemos el primer milagro: en nuestro planeta mucho oxígeno se escapó de aquellas rocas y con hidrógeno formó el agua. La causa de esa diferencia en la evolución de los dos planetas proviene de que la intensidad de la luz del Sol es dos veces (solamente) mayor en Venus que en la Tierra, pero es suficiente. Esto se debe retener porque cuando hablemos de extraterrestres recordaré que las condiciones para que se den ciertas situaciones físicas y químicas son muy sensibles a muchas cosas, por ejemplo a esta de la intensidad de luz que recibe un planeta.

Sigamos con la atmósfera amarillenta y agresiva de este planeta que, a pesar de todas las diferencias, es muy parecido a la Tierra. Dicha atmósfera pesa una enormidad, de manera que la presión en la superficie es de noventa atmósferas terrestres, lo que es equivalente a estar a mil metros bajo el agua. O sea, que si hubiera venusianos, además de estar protegidos por una coraza pétrea contra el ácido y respirar no sé cómo, tendrían una pinta parecida a nuestros seres abisales, o sea, que daría pena verlos. Por eso no hay venusianos.

Pero observemos bien cómo se mueven esas grandiosas nubes. Exacto, muchísimo más rápido que en la Tierra. Como un coche de Fórmula 1 a toda velocidad, es decir, a más de trescientos kilómetros por hora. ¿Cómo puede ser si Venus gira tan lentamente? En la superficie, el viento es suave porque la atmósfera está casi estática, pero en las capas altas el movimiento lo imprime la gran diferencia de temperatura entre la zona iluminada por el Sol y la que está a oscuras, entre la parte del planeta que está en su largo día y la otra cuya noche parece interminable.

Pongámonos un momento las gafas oscuras y, sin acercarnos demasiado, tratemos de vislumbrar el paisaje de la superficie de Venus entre esas hostiles nubes.

Es aburrido pero no feo. Algún volcán aquí y allá, cuencas extensas y algo profundas, montañas rocosas aisladas y poco más. Casi toda la superficie es suave y roma, aunque se puede observar que en algunas regiones tiene muchos cráteres. Pero éstos son menos huellas de impactos de meteoritos que resultado de la actividad volcánica. Esto es debido a dos causas. La primera es porque los meteoritos que se encuentran con Venus arden en la atmósfera y llegan muy debilitados a la superficie, si es que llegan. Por otro lado, la superficie de Venus ha evolucionado de una manera bastante diferente a la de otros planetas rocosos. La Tierra sin ir más lejos. Esto no es extraño si pensamos que la costra solidificada y fría que envuelve el interior pastoso y caliente de un planeta de estos es muy delgada en comparación con el radio total. Guardan parecida proporción que la piel de la manzana respecto al resto. Al estar a distinta distancia del Sol, la temperatura de la superficie favorece ciertos procesos y dificulta otros de manera que esa fina cáscara puede variar mucho de un planeta a otro por más análogos que sean entre sí en su tamaño, composición e interior. Así pues, a pesar de todas las diferencias superficiales, Venus y la Tierra son como primos hermanos.

MERCURIO

Sigamos nuestro paseo y acerquémonos a Mercurio. Ya dije que está a unos cuatrocientos metros de aquí y del Sol no dista mucho más. Pasaremos calor.

Al estar tan cerca del Sol, Mercurio es mucho más difícil de ver desde la Tierra porque sólo se divisa justo antes de amanecer y justo después de atardecer. Sin embargo, recordemos lo que decía de que los antiguos estaban muchísimo más familiarizados que nosotros con el cielo que se puede ver con la única ayuda del ojo. Los sumerios ya conocían Mercurio y varias cosas de él y de eso hace más de cuatro mil años.

Mientras caminamos hacia donde se encuentra voy a contar lo que a mí me parece más notable de ese pequeño planeta. Se trata de su trayectoria alrededor del Sol y de la manera de girar en torno a sí mismo. Alrededor del Sol va muy rápido, pues en dar una vuelta completa, uno de sus años, apenas tarda 89 días. Pero resulta que tiene un lado más denso que el otro. Si en vez de una bola fuera un dado, estaría trucado. Esta diferencia de densidad es debida a lo que se llama *fuerza de marea*. Es un poquito complicado pero se comprenderá. La fuerza de la gravedad depende de la distancia: mientras más distan entre sí los cuerpos que se atraen gravitatoriamente, más débil es la fuerza que sienten y al revés. Así, la parte del planeta que da al Sol, al estar más cerca de él que la parte opuesta, se ve más atraída por el enorme astro. Esta diferencia de fuerzas entre la Tierra y la Luna es la causa de las mareas de los océanos y mares en nuestro querido planeta.

Cuando Mercurio era joven y estaba en estado pastoso porque el calor tenía a las rocas medio fundidas (no del todo debido a la presión provocada a su vez por la propia gravedad) se producían también mareas pero más poderosas que en la Tierra, ya que Mercurio está muy cerca del Sol. Y en vez de agua, esas mareas eran de hierro y níquel fundidos, casi nada. Si el planeta gira muy lentamente, y éste es el caso, al solidificarse puede quedar media esfera más densa que la otra media. Además, en esta fase de la evolución de Mercurio ocurrió algo decisivo que se combinó con el efecto anterior: un portentoso asteroide chocó con él produciéndole ese formidable cráter, llamado Cuenca de Carolis, y la onda de choque expulsó gran parte del material interno hacia el lado opuesto del planeta. Y ahora viene lo bueno.

Las órbitas de todos los planetas no son exactamente circulares, sino elípticas. La de Mercurio también lo es pero más excéntrica, o sea, más achatada. El movimiento en torno al Sol se acopla al movimiento alrededor de su eje y ocurre lo siguiente: gira en torno a sí mismo (un día de los inexistentes mercurianos equivale a 59 de los nuestros) tres veces cada dos de sus años. Se dice que su trayectoria está en una *resonancia* 2:3. Para ver lo difícil que es entender esto de los movimientos circulares pensemos en cómo verían los mercurianos situados en ciertas latitudes el transcurrir de sus días. Amanece. El Sol es enorme, pero aún así, aumenta su tamaño a lo largo de la mañana. Para colmo se va frenando y, a mediodía… ¡se para! El Sol va para atrás, se detiene otra vez y conforme atardece disminuye de nuevo su tamaño. Notable, ¿no?

Nada más que por esto que acabo de contar creo que es el planeta que tiene el nombre más apropiado. Mercurio es el dios de los comerciantes y los ladrones (no son sinónimos necesariamente, y además también es dios de los viajeros). Su colega griego, Hermes, sólo pone énfasis en lo de viajero, porque es el mensajero de los dioses. ¿Sabrían ya los antiguos lo bizarro y azaroso que es su deambular?

Aquí está. Como puede verse, Mercurio se parece más a la Luna que Venus a la Tierra. Pero Mercurio es mayor, por lo que en nuestro sistema solar de juguete más que como una nuez es como una ciruela. Si se cogiera, lo cual no aconsejo porque por el lado oculto está a más de ciento ochenta grados bajo cero y el iluminado a más de cuatrocientos sobre cero, notaríamos que es tan denso como la Tierra. O sea, igual de marmóreo. La Luna, ya lo dije, es más ligerita.

Observemos su superficie. Parece idéntica a la de la Luna, pero si miramos detenidamente los cráteres que hay por doquier, son distintos y es debido a que cuando un meteorito colisiona contra él, los pedruscos y el polvo que se levantan caen más rápidamente y más cerca debido a que la gravedad en Mercurio es mayor que en la Luna.

Otra diferencia notable de Mercurio respecto a la Luna es que sus interiores son muy distintos, pues la esfera interior de hierro y níquel fundidos es enorme en el planeta y bastante pequeña en el satélite. Vámonos de aquí y regresemos, que hace un calor terrible.

MARTE

Ahí están de nuevo la Tierra y la Luna. Son acogedoras después de observar el agresivo Venus y el travieso Mercurio, tan inhóspitos los dos. Por cierto, es un milagro que la Luna sea un satélite y no otro planeta más, pues es el único tan grande en relación con el planeta padre si pasamos por alto el sistema Plutón-Caronte; ya lo veremos. Pasemos de largo y dirijámonos a Marte, un melocotón que está a seiscientos metros de aquí alejándonos del Sol. Allí no se está tan bien como en la Tierra, pero no se está muy mal.

¡Los marcianos, que vienen los marcianos! Cuánto se ha escrito de ellos y, yo creo, un tanto justificadamente. Parece ser que existen y que han llegado hasta nosotros, lo cual es alarmante porque Marte es el dios de la guerra. Los marcianos no han venido en un platillo volante, sino pegados a un peñasco que desprendió un asteroide al chocar violentamente con su superficie y en el que llevan de esa manera más de mil millones de años. Están más que muertos, difuntos y cadáveres: fosilizados. Para colmo, esos marcianitos tenían una talla del porte de las bacterias y una vida tan aburrida como la de ellas, así que no hay que inquietarse. Además, la mayoría de los científicos dudan que esos «micromoquillos» tuvieran ninguna forma de vida alguna vez si es que se criaron en Marte y no se pegaron al meteorito después de que éste cayera a la Tierra. Pero sobre la vida venida del espacio hablaremos largo y tendido mucho más adelante.

La superficie de Marte la vimos por televisión en el verano de 1997 cuando el cochecito *Sojourner* depositado por la nave *Mars Pathfinder* fotografió el entorno del lugar de aterrizaje. Fantástico. Pues ahora vamos allá.

Aquí está Marte. Si lo cogemos debemos hacerlo con dos dedos sujetándolo por los polos teniendo así cuidado con Phobos y Deimos, que son las dos lunillas que giran en torno a él a muy escasa altura. En realidad estos dos satélites de Marte son como dos montañas grandes, pero a esta escala tienen el tamaño de dos cabezas de alfiler dándole vueltas a la ciruela. Si lo dejamos reposar sobre la mano, notaríamos que está bastante frío y que es tan ligero como la Luna. En su superficie pueden alcanzarse temperaturas de ciento treinta grados bajo cero, pero en un buen día de verano se puede estar a veinticinco o treinta grados. No está mal, ¿no?

Dejémoslo flotar de nuevo y observémoslo porque es muy bonito. Aunque apenas se distinga, tiene atmósfera y es parecida a la de Venus, pero sólo en que está formada esencialmente por CO_2, ya que en Marte es tan delgada que la presión atmosférica apenas llega a ser el uno por ciento de la terrestre. Además, tiene un poquito de oxígeno y algo, muy poco, de agua.

Voy a llamar la atención sobre lo traicionera que es la fantasía. Los marcianos, según las condiciones físicas del planeta, deberían ser tipos muy grandotes, peludos y con branquias como los peces. Altos, aunque no necesariamente fuertes, porque la fuerza de la gravedad, al ser el planeta más ligero que la Tierra, es mucho más débil permitiendo por ello a los huesos y órganos crecer más que los de los terrícolas. Peludos, porque como hemos visto hace un frío que pela, ya que la temperatura en promedio de su superficie es de cincuenta y cinco grados bajo cero. Y con tan escasísimo oxígeno en su atmósfera, o tienen branquias, que con un buen sistema de bombeo puede ser un sistema muy eficaz de absorberlo, o... ya me dirán. Esto sería lo lógico y, además, con esas pintas es seguro que los marcianos serían torpes y buena gente. ¿A cuántos así hemos visto en dibujos y películas? A ninguno. Para colmo, los únicos marcianos que pueden tener un viso de realidad son esos gusanillos minúsculos del meteorito que dije. Adiós tanto a la lógica como a la fantasía.

Dejémonos de especulaciones y observemos la realidad. Esa tenue atmósfera está ahora en calma absoluta, pero no es de fiar porque de repente se puede desencadenar una grandiosa tempestad de polvo que azote a la superficie del planeta durante meses.

Miremos a los polos de Marte. Se parecen a los de la Tierra, pero sólo es apariencia, porque no son de agua helada sino de dióxido de carbono, otra vez el CO_2, también llamado hielo seco cuando está en ese estado. Pero, al menos en el Polo Norte de Marte, hay algo de agua que se pone de manifiesto cuando en verano se volatiliza el CO_2 que la oculta. Hay muchos que opinan que hay bastante más agua que esa en Marte.

Si nos fijamos en el paisaje veremos qué curioso, bello y variado es. Observemos, en primer lugar, esa magnífica protuberancia que es la montaña más grandiosa de todo el sistema solar. Como no podía ser de otra forma, se llama el Monte del Olimpo y es tres veces más alta que el Everest. Es un volcán. Por esta razón no pertenece a una cordillera, como el Himalaya, y está tan aislado en medio de un ancho desierto, pero su base es como media España.

Aquí están los famosos canales de Marte que tanto juego han dado a los escritores de ciencia-ficción al suponer que eran artificiales. No son canales, sino nada más que un sistema completamente irregular de cañones tan largos como Europa y tan profundos como los océanos. Son como una inmensa herida a lo largo, más o menos, del ecuador marciano. Sus orígenes geológicos están bastante claros y son poco sorprendentes, así que pasémoslos por alto.

El último accidente marciano sobre el que llamaré la atención es este inmenso cráter del hemisferio sur. Se llama Hellas Planitia. Tiene el porte de España y Francia juntas y seis kilómetros de profundidad. Qué pena que no haya agua abundante en este planeta, porque éste sería un Mediterráneo circular hermosísimo.

Ya que observamos el hemisferio sur, fijémonos en que esta parte del planeta se parece mucho a la Luna. Este es uno de los enigmas que aún esconde Marte. Vámonos de aquí y regresemos a la Tierra para coger el coche, porque para visitar Júpiter hemos de recorrer unos cinco kilómetros y se nos va la noche.

Los que hemos visitado hasta ahora son los que se llaman planetas terrestres. La razón es que, a pesar de todas las diferencias que hay entre ellos, éstas no son nada respecto a la Tierra si se los compara con los otros planetas vecinos, llamados jovianos o jupiterinos, pues estos son grandiosos, simplones y rodeados de un montón de lunas. Ya veremos. Sin embargo, si estoy mostrando con cierto detenimiento las diferencias que hay entre nuestra querida Tierra y sus vecinos es para que no nos llamemos a engaño cuando diga que todo el sistema solar es mucho más homogéneo de lo que parece. Todo proviene del Sol primitivo. Y el Sol se genera con elementos (átomos y sobre todo núcleos atómicos) que provienen de donde he dicho ya una vez: de las estrellas muertas. Pero si simplificara demasiado la explicación nadie me creería, pues para desmentir la tesis de que somos polvo de los restos de las estrellas, no habría más que considerar un grano de arena, una flor y una mano. ¿Por qué algo tan simple como el polvo estelar ha dado cosas tan variadas como esas tres? La objeción sería lógica en buena medida, pero las cosas son como son y para convencer de ello no tengo más remedio que pedir paciencia. Y si no convenzo a nadie, al menos habremos dado un paseo ameno.

Ya hemos llegado. Pongamos el coche en marcha. En unos diez minutos, yendo tranquilos y con cuidado, llegaremos al majestuoso Júpiter. Aquella lucecita en la lejanía es Júpiter. Vayamos para allá.

LOS ASTEROIDES

¿Qué ha sido eso? Ah, sí, este polvillo y granitos que estamos atravesando y que golpean tenuemente los cristales del coche, ¿no? No hay que preocuparse. Es que estamos atravesando el anillo de asteroides. Aunque como nos pille Ceres nos vamos a llevar una buena pedrada.

A mitad de camino entre Marte y Júpiter hay una miríada de pequeños planetillas. Se han detectado cincuenta mil, pero puede que sean el doble o muchísimos más dependiendo hasta qué tamaño mínimo se considere. El más grande es el que he dicho, Ceres, que en la escala real tiene una sección circular tan grande como España: unos mil kilómetros de diámetro.

La existencia de estos asteroides ha dado muchos quebraderos de cabeza y aún hoy no está del todo claro el asunto. Partiendo del Sol, se puede establecer una ley muy simple que predice a qué distancia del astro se debe situar un planeta. Los números a veces aburren, pero prestemos atención a la siguiente curiosidad. El razonamiento, si se le puede llamar tal, lo hicieron por separado dos alemanes ilustrados de mitad del siglo XVIII y la cosa no era fácil entonces. Tomemos nota de estos números: 0, 3, 6, 12, 24, 48 y 96. Como vemos, aparte del cero, los otros se obtienen a partir del 3 simplemente doblándolos. Ahora se le suma 4 a cada uno y el resultado se divide por diez. Se obtiene 0,4, 0,7, 1,0, 1,6, 2,8, 5,2 y 10,0. Si a la distancia que separa la Tierra del Sol se la multiplica por esos números, se obtiene la distancia a la cual debe haber un planeta. Y... ¡voilá!, la cadencia funciona bastante bien. Tan bien funciona el invento que cuando se descubrió Urano estaba donde debía estar según esa regla, la cual se llama pomposamente *Ley de Titius-Bode*. ¡Qué nombres tan poco germánicos tenían los dos pacientes astrónomos! La reglita tenía sólo un fallo: el 2,8. Por más que se buscaba, a esa distancia del Sol no aparecía ningún planeta. Pero cuando se descubrió esta especie de cinturón de asteroides resultó encontrarse a una distancia del Sol de, aproximadamente, 2,8 veces la distancia Tierra-Sol. ¡Eureka! El alborozo dio paso, inmediatamente, a la conclusión de que los asteroides son los restos de un planeta que estaba donde debía estar pero que por alguna causa se hizo añicos. Cien mil añicos. Por ejemplo, porque chocó con algún cuerpo celestial intruso que se coló en el sistema solar. Pero cuando las técnicas de observación evolucionaron se comprobó que si se suma la masa total de toda esta gravilla cósmica no da ni la centésima parte de la masa de la Tierra. Y ésta, como hemos visto y mejor lo veremos en unos minutos, es un planeta bastante pequeño. Sí, el hipotético planeta primigenio habría estado en su sitio, pero ¿qué pintaba una cosa tan minúscula en medio de los demás y regido por la misma ley? La explicación parece ser otra. Ese «polvo» debería de haber formado un planetilla del tipo rocoso. O sea, como los que hemos visto hasta ahora. Pero Júpiter se formó más rápidamente y, por las características que observaremos, en particular su inmensa masa, impidió que ese polvo cuajara en un planeta. Cada vez que pasaban por sus cercanías, los pequeños trozos se iban hacia Júpiter atraídos por él y separándose entre sí. En cuanto se alejaban de éste volvían a acercarse entre ellos, pero en este plan no se pudieron mantener tranquilos para ir pegándose plácidamente unos a otros y formar así masas cada vez mayores. Se enfriaron, se solidificaron y perdieron toda oportunidad de fundirse para dar algo digno. Y así están.

JÚPITER

Ya llegamos a Júpiter. Vayamos caminando hacia él porque merece la pena acercarse poco a poco.

No hay que contarlas: son dieciséis las lunas que circundan tan grandiosa esfera de más de un metro de diámetro, aunque si se incluyen todos los satélites que se han descubierto, tan pequeños que no se les da la categoría de lunas, el número llega a treinta y cuatro. Júpiter no es comparable con manzanas, nueces o ciruelas, sino con un magnífico globo. Observemos esa luna que es la mitad de grande que la Tierra. Se llama Ganímedes. Y esa otra que está más cerca del planeta y es como nuestra Luna es Europa. Y esta casi tan grande como Ganímedes se la conoce como Calisto. Aquí sí que hay agua en cantidad. Hablemos un poco de ellas, por ejemplo, de Europa.

A este satélite no lo bautizaron con el nombre Europa por el continente terrestre, sino por la amante de Zeus (el dios Júpiter de los romanos), el cual la raptó disfrazado de toro. Antes, Zeus había amado a la sacerdotisa Ío (otra luna de Júpiter), a la que cuando se cansó de ella convirtió en una vaca. Después de Europa, Zeus raptó a un chaval llamado Ganímedes del que se enamoró nada más verlo. Parece ser que Zeus sólo utilizó sus artes seductoras por las buenas con la ninfa Calisto, pero lo hizo también con trampa porque para ello se disfrazó de diosa Artemis. La mayoría de las dieciséis lunas de Júpiter tienen nombres de amantes del díscolo y liberal dios.

La superficie de Europa es una corteza relativamente uniforme de hielo. Pero lo más curioso es que parece que debajo de ese hielo hay un portentoso océano subterráneo. Esto está en discusión, porque hay datos compatibles con que ese interior, más que de agua líquida, esté formado por una pasta de hielo de la consistencia del puré de patatas; pero el agua aquí es abundante y eso siempre alegra el espíritu.

Acerquémonos a Júpiter con cuidado de no estorbar a tanta luna y con las gafas de sol puestas porque, como vemos, es muy brillante. La fracción de luz solar que refleja un planeta, el albedo, es de 0,52 para Júpiter, o sea, que más de la mitad de la luz que recibe del Sol la devuelve al espacio. Eso es mucho, lo que hace que en el cielo, visto desde la Tierra, sólo le ganen en brillo, aparte del Sol naturalmente, la Luna y Venus.

Júpiter tiene una masa trescientas veces mayor que la de la Tierra, pero como su densidad es poco superior a la del agua, su tamaño es bastante más de mil veces más grande que el de nuestro planeta. Si fuera un bombo de la lotería de Navidad, en él cabrían todos los demás planetas jovianos, que ya veremos lo grande que son también, y una infinidad de planetas terrestres. La segunda curiosidad aparte de su porte es que su día es de sólo diez horas y tarda doce años en darle la vuelta al Sol. A estas cosas de las trayectorias les doy bastante importancia por razones que veremos en su momento. Así, aquí se da otra extraña descompensación entre el día y el año. Siendo Júpiter tan grande, que su día sea tan breve indica que gira a una velocidad vertiginosa: cuarenta y cinco mil kilómetros por hora. Eso hace que esté más achatado de la cuenta pues, como se puede apreciar, el diámetro en el ecuador es notablemente mayor que el que va de polo a polo. Ya veremos con cierto detalle por qué se achatan las esferas cuando giran. No es trivial y es decisivo para muchas cosas, por ejemplo para la propia existencia de los planetas y, en consecuencia, de nosotros mismos.

La atmósfera de Júpiter también es original. Todo el inmenso globo está circundado por anillos marrones rojizos claros y oscuros. Ahora explico a qué se deben, pero antes he de decir que esa atmósfera está compuesta de un 86 % de hidrógeno, casi todo el resto de helio y cantidades pequeñas pero significativas de agua, metano y amoníaco. La gracia está en que la atmósfera de la Tierra cuando surgió la vida en ella era muy parecida a ésta. Pero no nos hagamos ilusiones, las condiciones físicas aquí impiden cualquier evolución de la materia viva. Por ejemplo, la presión atmosférica en la superficie es más de un millón de veces la de la Tierra. Por no evolucionar, no ha evolucionado ni la propia atmósfera, quedándose tan primitiva como cuando nació el planeta entero como tal. ¿Por qué? Fundamentalmente por el vertiginoso giro que apunté antes y que le provoca a Júpiter una meteorología enloquecida. Por lo pronto, esos anillos de «aire», unos más oscuros que otros y todos paralelos al ecuador, son masas de gaseosas moviéndose a trescientos cincuenta kilómetros por hora en sentido opuesto entre sí y alternadamente. Con ese vendaval sempiterno no hay nada que pueda sobrevivir. Además, el color diferente de cada cinturón se debe a que tienen una ligera diferencia en su composición química, lo que a su vez hace que, en los oscuros, el gas además de deslizarse paralelo al ecuador, desciende, y en los claros asciende hasta las capas altas, las cuales están muy frías: a más de cien grados bajo cero.

Esa protuberancia casi circular cercana al ecuador del planeta es la Gran Mancha Roja. No se ha podido explicar su presencia hasta que se ha dispuesto de grandiosos ordenadores que han permitido simular su generación en medio de esos chorros de gas. En realidad no es nada especial, pues es como una tormenta en la Tierra salvo que, además de ser grandiosa, dura ya trescientos años. A excepción de esa anomalía, supongo que Júpiter parece regular y monótono, pero si nos acercamos más podemos observar que esos movimientos que parecen regulares son caóticos en extremo, que hay muchas más manchas y que las turbulencias son estremecedoras. Alejémonos de nuevo porque vamos a molestar a las lunas, nos vamos a cegar y mucho más que ver no tiene Júpiter, pues no posee el más mínimo paisaje y si se me apura un poco diré que carece hasta de superficie. Si descendiéramos por esa problemática atmósfera, la presión iría aumentando tanto que no nos percataríamos de cuándo estamos inmersos en hidrógeno en estado líquido en lugar de gaseoso a presión extrema. Aún más abajo ya estaría solidificado en estado metálico, y esas transiciones de fase no serían demasiado bruscas. Después, cuando cojamos el coche para ir hasta Saturno, nos entretendremos un rato con un problema personal que tuve con ese hidrógeno metálico.

Al fondo del todo, el centro de Júpiter es ya parecido a los planetas que conocemos, pues es una bola pequeña de materiales pesados fundidos. Pequeña en relación con el resto del planeta, porque esa bola es entre diez y veinte veces tan pesada como la Tierra. Vámonos, que Saturno está a cinco kilómetros de aquí, pero antes he de hacer constar algo notable, fundamental, de Júpiter: gracias a él el sistema solar es como es y por ello, indudablemente, a su existencia le debemos la nuestra. Lo veremos hacia el final del libro.

La anécdota siguiente puede ser divertida e instructiva. En 1989 se armó un grandioso follón cuando dos tipos dijeron en los medios de comunicación que habían descubierto la *fusión fría*. Más adelante explicaré lo que es la fusión nuclear, pero por ahora baste decir que aquel «descubrimiento» suponía conseguir energía barata, limpia e ilimitada. Gran conmoción mundial. El asunto era que el hidrógeno absorbido por barras de platino, cosa corriente y conocida, se podía suponer en estado metálico. Haciendo pasar una corriente eléctrica en plan electrólisis que se hace en los laboratorios de química de bachiller, parecía que se obtenían partículas y energía típicas de las reacciones nucleares. ¡La fusión nuclear y además fría! Lo de fría venía a cuento de que la fusión sólo se consigue en el interior de las estrellas o en las bombas termonucleares y eso es fusión caliente de verdad. El caso es que, inmersos en un tremendo escepticismo, todos los físicos nucleares del mundo le prestamos atención a la posibilidad de que aquello tuviera algún viso de realidad. Descubrimos muchas cosas y publicamos resultados que antes no se conocían, pero de fusión fría, nada de nada.

Mientras trabajaba sobre el asunto con otros colegas recordé a Júpiter. Resulta que Júpiter y otros gigantes que vamos a visitar ahora, tienen, como he dicho, hidrógeno metálico en su interior. Además, estos titanes irradian más energía de la que reciben del Sol. La teoría antigua que se suponía que explicaba este exceso de energía radiante se basaba en suponer que el planeta se estaba encogiendo y que esa energía extra era de origen gravitatorio, o sea, que la diferencia entre la energía del planeta cuando tenía cierto radio y cuando éste era menor se irradiaba al exterior. Pero yo sabía que esto lo desechaban muchos buenos profesionales. Se abría paso la teoría de que aquel calor irradiado era todavía del enfriamiento del planeta desde su estado caliente primigenio de cuando se formó. Se enfriaba tan lentamente porque su agitada atmósfera impedía que el calor saliera al exterior. Pero… ¿y si esa energía proviene de que en el interior están ocurriendo reacciones de fusión entre los núcleos del hidrógeno metálico a presión fabulosa? Me puse a calcular. El calor en exceso equivalía a 182 fusiones por minuto y por centímetro cúbico de Júpiter. Eso fue fácil de averiguar. Lo que tocaba después era más complejo porque intervenía la mecánica cuántica. Tras más cálculos salió que el hidrógeno metálico de Júpiter fundía nuclearmente a un ritmo de… 0,45 en lugar de 182. Gran decepción. Y si en las entrañas de Júpiter no hay fusión fría, ya me dirán dónde la hay.

Nada, seguramente es su atmósfera la que está abrigando a Júpiter y éste todavía está exhalando el calor que se generó cuando se formó hace cuatro mil quinientos millones de años, de lo cual hablaré en su momento. En fin… Unos meses de trabajo para nada no son más que avatares del oficio. Aparquemos por aquí que si Júpiter es el planeta más importante del sistema solar, allí está el más bonito: Saturno. Ya estamos a once kilómetros del Sol.

SATURNO

Lo que vamos a ver es como una sinfonía. Pensemos en una de Mahler. Cambiemos el sonido por luz, silencio por vacío y armonía por dinámica: eso es Saturno y su cortejo de satélites. Todo encaja a la perfección. En una sinfonía no se sabe lo que podría faltar porque se quedara en la mente del autor y no se plasmara en la partitura final, pero todo lo que hay en ella ajusta entre sí delicadamente. Veinte lunas, por lo menos, además de ese esplendoroso anillo que circunda el planeta, giran en torno a él. Salvo Titán (por cierto, el único satélite del sistema solar que tiene atmósfera), todos los satélites de Saturno son pequeñitos pues la mayoría, como se puede ver, andan por el milímetro de diámetro. Pero todos ellos giran sincronizadamente y de una manera curiosa. Fijémonos, por ejemplo, en esas dos lunillas. Se llaman Enceladus y Dione. Una le da la vuelta completa a Saturno exactamente en la mitad de tiempo que la otra. Se dice que están en una resonancia 1:2. Pues hay otras resonancias precisas y no sólo del tipo 1:2. Titán e Hiperión están en una 3:2. Siguiendo con la metáfora de la sinfonía, hay otros patrones más complejos y difíciles, como por ejemplo los establecidos por las trayectorias de esas otras lunas llamadas Atlas, Prometeo y Pandora. La consecuencia más extraordinaria de toda esa armonía es ese majestuoso y único anillo perfectamente plano y fino. Tan fino es que tiene casi dos metros de diámetro, el doble que el del planeta en sí, y apenas una milésima de milímetro de espesor. Además tiene franjas oscuras que también son debidas a las lunas. La responsable de esa franja más oscura y llamativa es Mimas, aquella de allí.

¿Que de qué están hechos los anillos? De hielo. También contienen algunas partículas rocosas esos minúsculos granitos, pero se puede decir sin dudar que éstos son de agua helada. Si recogiéramos todos los granos que forman los anillos los podíamos guardar en una bolsa tan pequeña como una de esas lunitas. Confieso que no tengo claro en absoluto cuál es el origen de esos anillos. Ni idea. Bueno, ideas se han barajado muchas: que si son fragmentos de un satélite que chocó contra algo, que si son simples remanentes de cuando se desgajó Saturno del Sol, que si tal, que si cual, pero de verdad que aún no se ha hecho una teoría ni un modelo satisfactorios del origen de esos anillos. Una buena pista es que los otros planetas gigantes también tienen anillos y una buena variedad de satélites, aunque no se vean tan maravillosamente como aquí. Aún diré una cosa más de esos anillos formados por pequeños cubitos de hielo; una nada más, para no aburrir. Cuando se escucha una sinfonía desde un asiento cómodo y a cierta distancia de la orquesta, todo es armónico y maravilloso, pero si fuéramos uno de los músicos o estuviéramos entre ellos mientras tocan, escucharíamos muchos sonidos disonantes: movimientos de pies, carraspeos, paso de las hojas de las partituras, ligeros chirridos de los arcos al atacar las cuerdas, etc. Con los granos que forman los anillos pasa igual: chocan entre sí cambiando caóticamente de órbitas, a través de ellos se propagan extrañas ondas espirales de densidad variable, dan frenazos y acelerones cuando una luna pasa cerca de ellos, etc. Muchos buenos físicos podrían pasarse toda su vida profesional estudiando los movimientos de los satélites y anillos de Saturno y se lo pasarían la mar de bien.

Por lo demás, ¿qué puedo decir de este planeta grandote? Pues poco que ya no sepamos porque se parece mucho a Júpiter. Es algo más pequeño, gira en torno a sí mismo más rápidamente, la composición de su atmósfera y su interior también es parecida a la del grandioso Júpiter, tiene igualmente bandas en su atmósfera aunque más difuminadas por girar más deprisa, y está por ello más achatado…

ya digo: son muy parecidos. ¡Ah!, y de nuevo se presenta aquí el fenómeno de que irradia bastante más energía de la que recibe del Sol. Pero recuérdese: de fusión fría en su interior de hidrógeno metálico, nada de nada.

Nos vamos a marchar ya porque Urano está a más de veintiún kilómetros de aquí, Neptuno a casi treinta y cuatro y la parejita fría y lejana formada por Plutón y Caronte a casi cuarenta y cinco. No creo que nos dé tiempo a visitarlos todos en lo que nos queda de noche a menos que aceleremos. Además, ninguno de ellos es especialmente bonito ni mucho menos espectacular, pero deseo dar una idea clara de la complejidad del sistema solar porque más adelante lo simplificaré mucho y no quiero dar lugar a que se piense que las cosas son necesariamente sencillas cuando se habla alegremente de ellas. ¿Es sencilla una hormiga? Pues según se mire. Si es lo único que le molesta de su jardín a una persona delicada, a ver lo que le cuesta quitarse de en medio la molestia. Pero si nos da por observarla atentamente, hay que pensar antes que su genoma es casi tan complejo como el de un humano. Conduzcamos más deprisa a ver si de aquí a Urano echamos sólo un cuarto de hora.

Urano

Contaré algo de Urano por el camino. Los antiguos y los grandes del Renacimiento no tenían ni idea de su existencia. La razón es simple: a simple vista o con telescopios sencillos como los de Galileo, Copérnico, Kepler e incluso Newton apenas se distingue de una estrella más. Hubo que esperar hasta finales del siglo XVIII cuando un tipo admirable llamado Herschel construyó unos telescopios excelentes. En los albores de la primavera de 1781 dedujo ineludiblemente que aquel puntito insignificante era otro planeta más del sistema solar. Sólo deseo sorprender con él por una gracia especial que tiene, porque por lo demás es parecido a los otros dos gigantes que ya hemos visto que su atmósfera es mayoritariamente de hidrógeno con algo de helio y pequeñas cantidades de metano, amoniaco y cosas de esas. Y su interior también tiene un corazón rocoso fundido envuelto de una capa de hidrógeno metálico, aunque… ¡tachán!.. dicha capa es extraordinariamente fina en comparación con la de los otros dos. Sólo en eso se diferencia significativamente Urano de Júpiter y Saturno: en que tiene muchísimo menos hidrógeno a tan alta presión que está en estado metálico. ¿Y qué? Pues que Urano no irradia apenas energía. ¿Será posible que me equivocara yo en mis cálculos cuánticos de la fusión fría y al final resultara que se están produciendo esas reacciones nucleares en el interior de estos planetas medio gaseosos con hidrógeno metálico en su interior? ¿Tendrá, a la postre, visos de realidad la posible fuente inagotable y limpia de energía y que la podamos conseguir en el laboratorio? Perdón, aceleremos que se nos echa el día encima.

Ahí está Urano. No, no es ese color tan bellamente azulado lo que anuncié de notable de este planeta. Es azul simplemente porque el metano de su atmósfera está en las capas altas y filtra la luz roja, absorbiéndola, y refleja sólo la azul. Nada notable. Es bonito y nada más. Pero acerquémonos y observemos bien cómo se mueve, ya que ésa es la gracia de Urano: gira en torno a su eje casi en paralelo al plano de su trayectoria y no perpendicularmente como todos los demás. O sea, que su Polo Norte (o Sur, da igual pues hasta eso se puede discutir) apunta al Sol en el verano del hemisferio norte. Me agrada que se considere curioso que en un planeta haga más calor en el polo que en el ecuador, sobre todo… porque es falso. A pesar de que el polo de Urano esté orientado al Sol en algún momento del año, hace más frío allí que en el ecuador. ¿Cómo puede ser que algo que está más cerca del Sol esté más frío que algo más alejado de él? Posiblemente está relacionado con su dinámica atmosférica, pero, honestamente, no lo sé. La causa de que Urano gire de estas maneras es, seguramente, que cuando se estaba formando pasó cerca de él otro colega primigenio que por atracción gravitatoria alteró su movimiento normal, pero ya hablaremos de estas cosas.

Urano tiene lunas y anillos, pero se convendrá conmigo que este

pequeño sistema no tiene la belleza de Saturno. Mahler y Sibelius.
Sin embargo, las lunas de Urano tienen bellísimos nombres de mujer: Cordelia, Ofelia, Blanca, Desdémona, Rosalinda, Julieta, Belinda,
Miranda… Vámonos a Neptuno, el dios del mar. Poseidón para los
griegos.

NEPTUNO

Mientras nos acercamos a Neptuno voy a contar cómo se descubrió,
porque considero eso más ilustrativo que otras cosas de este planeta
ya que sigue siendo muy parecido a los demás gigantes gaseosos:
Júpiter, Saturno y Urano. Aunque este último y él tienen un diámetro
menor que la mitad de los dos primeros, pero es cuatro veces más
grande que el de la Tierra.

Galileo, cómo no, observó y tomó nota de una estrella fija muy
cercana a Júpiter. Se fijó en ella porque le pareció que, de una noche a otra de 1613, la estrellita en cuestión se había movido un poco.
Quedó intrigado y firmemente decidido a escudriñar su posición las
noches siguientes. Cuál no sería su decepción al ver que al otro día,
y al otro y al otro, y muchos más, el cielo de Padua estaba cubierto
de nubes. Y cuando despejó, la estrellita misteriosa había desaparecido. Pobre Galileo. Hasta ciento treinta años se hubo de esperar para
que la susodicha estrella volviera a ser noticia, pero ya no sólo en la
mente solitaria y prodigiosa de un gran hombre, sino en periódicos,
gacetas, academias, observatorios y hasta en tabernas e iglesias.

A lo largo de todo el año 1845 y buena parte de 1846, los in-
gleses y los franceses pusieron todo su orgullo nacional en el descubrimiento de un nuevo planeta. Se había observado rigurosamente
que la órbita de Urano parecía desobedecer ligeramente la ley de
gravitación universal. No podía ser. ¿Cómo podía presentar irregularidades una ley que explicaba tan perfectamente el movimiento de
todos los planetas? Nada, la órbita de Urano la estaba alterando otro
planeta de gran masa que se estaba acercando a él. Dos físicos y as-

trónomos prominentes empezaron a estudiar, papel y lápiz en mano, cuáles debían ser las principales características del planeta desconocido para que, cumpliendo rigurosamente la ley de Newton de gravitación universal y las leyes de Kepler del movimiento de los planetas, produjera exactamente la desviación de la trayectoria de Urano. Adams se llamaba el inglés y Le Verrier el francés. Los dos acertaron, aunque el francés acertó mejor que el inglés en la predicción de la posición en la que se vería el nuevo planeta el 23 de septiembre de 1846. En un grado de arco se equivocó Le Verrier y en tres el inglés. Tomemos nota de lo siguiente. En la gran polémica y controversia que se desató en Francia e Inglaterra sobre el asunto, en la que se puso todo el ardor patriótico, sólo dos personas no participaron. Es fácil imaginar quiénes fueron esas dos buenas personas: Adams y Le Verrier.

¿Que por qué se tardó tanto en descubrir Neptuno? Pues porque tarda más de 164 años en darle la vuelta al Sol. Tanto la predicción de Adams como la de Le Verrier fueron muy acertadas para aquellos días, pero si los observatorios no les hubieran hecho caso, a lo mejor se hubiera tenido que esperar hasta bien entrado el siglo xx para tener noticias de Neptuno. Al fin y al cabo, Plutón no se descubrió hasta 1930. Y Caronte hasta anteayer, o sea, en 1978.

Bueno, ahí está Neptuno. No es necesario que bajemos del coche porque a esta distancia tan grandiosa del Sol, más de treinta kilómetros, hace demasiado frío. Aparquemos al lado y observémoslo a través de la ventanilla.

Es tan azul como Urano y la causa es la misma: el metano de su atmósfera. Por cierto, ahí es donde se da el viento más fuerte de todo el sistema solar ya que alcanza los dos mil kilómetros por hora. Y las tormentas y vórtices que se producen son formidables como se puede imaginar. Tiene manchas (más difuminadas que en otros), anillos (menos aparentes que en otros), satélites (en menor número y más pequeñitos que en otros salvo esa lunita que se ve ahí y que se llama Tritón), y cosas así.

Neptuno también irradia mucha más energía de la que recibe del

(M. Adams cherchant la planète de M. Leverrier.)

(M. Adams découvrant la nouvelle p'anète dans le rapport de M. Leverrier)

Fig. 2. *Caricaturas aparecidas en París a raíz de la controversia entre Adams y Le Verrier. En la primera, el inglés busca al planeta en una dirección totalmente errónea. En la segunda, mientras el francés apunta con su telescopio en la dirección correcta, Adams lo descubre en las notas de Le Verrier.*

Sol y es muy posible que en su interior tenga hidrógeno en estado metálico al estilo de Júpiter y Saturno y a diferencia de Urano, el cual, como se recordará, no irradia. Ahí queda eso.

Arranquemos y acerquémonos a la pareja formada por Plutón y Caronte que está a otros diez kilómetros de aquí. Hemos de regresar desde allí a la Tierra antes de que amanezca y, a la velocidad que solemos ir, unos sesenta kilómetros por hora, tardaremos en llegar a casa tres cuartos de hora. Entonces, que seguramente ya habrá amanecido, podemos tomar café y hacer un resumen, quizá sorprendente, de lo que realmente considero relevante del sistema solar para lo que viene después en este libro.

PLUTÓN Y CARONTE

Ahí están esos dos. Ese es Plutón y ese Caronte. Este último en realidad es la única luna de aquél, pero más que su satélite parece su compañero porque en el sistema solar es el satélite más grande en relación con su planeta padre. Y forman una pareja fiel y estable debido a que sus órbitas son sincrónicas, es decir, que están en una resonancia $1:1$. Significa esto que ambos se miran perpetuamente cara a cara, así, si viviéramos en la superficie de Plutón, veríamos a Caronte sempiternamente en el mismo lugar del cielo y bien grandote. Inamovible. Aunque no sería nada aburrido, porque dependiendo de la orientación respecto al Sol, las fases de Caronte visto desde Plutón (y al revés) son interesantísimas. Es bueno que formen pareja, porque a tal lejanía del Sol debe de ser triste estar solitario. Tardan doscientos cincuenta años, un cuarto de milenio, en darle la vuelta al Sol.

Poco caso se le hace siempre a Plutón, ¿verdad? Recuérdese la cantinela de la escuela: bla, bla, bla, Urano, Neptuno y Plutón. Nos contaban algo de cada uno de esos planetas, más o menos como estoy haciendo yo, pero de Plutón apenas nos decían nada. Pues sostengo que este pequeño e ignorado planeta encierra una buena cantidad de misterios y curiosidades. Es el contestatario de la familia y eso, con perdón, me agrada. No se parece en nada a los terrestres ni, mucho menos, a los gigantones. Su órbita está notablemente más inclinada que la de todos los demás. También es ampliamente más excéntrica, esto es, que la elipse por la que discurre es tan achatada que de vez en cuando se mete dentro de la de Neptuno dejando a éste como el planeta más alejado del Sol en lugar de él y su pareja. Pero, por otra parte, no sólo es que sea mucho más pequeño que los gigantes, sino que tiene una superficie sólida en lugar de gaseosa y enorme como ellos. Fantástico. En los aledaños del sistema solar, como ya explicaré cuando estemos de vuelta, hay muchos pedruscos que de vez en cuando se convierten en los bellos y familiares cometas y meteoritos, pero Plutón y Caronte tampoco pertenecen a esa pandilla. Además, no molestan a nadie; quiero decir con esto que su presencia no afecta significativamente a las trayectorias de los demás, porque la atracción gravitatoria que ejercen sobre, por ejemplo, Neptuno, es inapreciable. Despiertan mucho cariño estos dos.

Fijémonos bien en la superficie de Plutón. Las zonas más claras parece que son de metano helado, y las más oscuras de rocas carbonáceas muy sólidas. Nada tiene que ver esa superficie con las de Venus o Marte y los otros planetas terrestres. No me quiero dejar llevar por el entusiasmo personal, pero diré algo más de esta singular pareja. Hasta que se descubrió Caronte, en 1978 como ya dije, se sabían muchas cosas de Plutón, pero a partir de entonces se descubrieron muchas más y todas interesantes. Es como cuando creemos conocer a una persona pero de repente nos presentan a su pareja de la cual no teníamos la más ligera noticia de su existencia. ¿Verdad que ese descubrimiento nos abre nuevas perspectivas de nuestro amigo? Pues con Plutón nos pasó igual tras descubrirse a su amante Caronte. Por cierto, y como anécdota que me agrada sobremanera, Caronte fue el personaje mitológico encargado de cruzar en su barca las almas de los muertos a través de la laguna Estigia y el río Aqueronte. Muy triste. Pero el descubridor de este décimo planeta, Jim Christy, además de ser un magnífico astrónomo es astuto y su mujer se llama Charlene. Si hacemos un esfuerzo y pronunciamos el inglés como lo hacen los americanos, o sea, lo farfullamos, se convendrá conmigo en que Charon, que es como en inglés le dicen a Caronte, suena más o menos como el nombre de la mujer de Christy. Ésa fue la razón del bautizo del planetilla. Regresemos a la Tierra.

EL ANILLO DE KUIPER Y LA NUBE DE OORT

Como insinué antes de pasada, más allá de Plutón y Caronte hay algo muy interesante pero que en este sistema solar de juguete no veríamos. Se trata del cinturón o anillo de Kuiper. Es una miríada de pequeños peñascos y polvo parecidos a los que hay entre Marte y Júpiter. Brillan muy poco, pero lo hacen, y el mecanismo atómico que provoca ese tenue brillo es la fluorescencia de la que se habrá oído hablar alguna vez. Sus moléculas absorben la luz ultravioleta del Sol, se excitan y al desexcitarse emiten luz visible. Ya hablaremos de estas cosas más adelante. Entre todos no tienen una masa mayor que la de la Tierra. ¿Qué importancia tienen estos peñascos que en realidad son bolondrios de nieve sucia? Pues periódicamente, por causas gravitacionales inducidas por los planetas, se desprenden del anillo y caen hacia el Sol. Ese es el origen de los bellos cometas. ¿Recuerdan el Halley? Pues era uno de esos fragmentos de hielo polvoriento de unos diez kilómetros de ancho por quince de largo, o al revés, si así se prefiere. Podría contar muchas cosas de los cometas, pero sin duda el lector terminó exhausto cuando lo del Halley y después el Halle Bopp. Lo que he contado es porque quizá no se sepa bien de dónde vienen los cometas. Por cierto, del cinturón de Kuiper sólo vienen los cometas que hacen su aparición periódicamente, porque hay otros, que vienen de la nube de Oort, que sólo se ven una vez y en órbitas muy alejadas del plano que forma la órbita terrestre llamado *eclíptica*. La nube de Oort (es el extraño nombre de un astrónomo holandés) es literalmente una nube esférica que envuelve a todo el sistema solar conteniéndolo como en el interior de una tenue burbuja. Los objetos que forman esta nube, trozos de hielo como los del anillo de Kuiper, son muchísimos ya que su masa es igual a la de cien planetas como la Tierra. En total se cree que son cien mil millones, pero la nube es tenue porque se extiende desde bastante más allá de Plutón hasta casi mitad de camino a Alfa Centauri, la estrella más cercana al Sol.

Así pues, en el sistema solar hay muchos más objetos menores de los que he mostrado y que de vez en cuando impactan contra la Tierra. Meteoritos, bólidos, estrellas fugaces, bolas de fuego… todos son muy interesantes y bellos. Lo de interesante es por lo siguiente. Esos trozos pequeños de rocas tienen la gracia de que son muy antiguos. ¿Qué significa antiguo? Por supuesto, tienen la misma edad que todo el sistema solar, pero al ser tan pequeños, evolucionaron muy rápidamente y poco. Quiere esto decir que al no fundirse con otros trozos por las razones que sean y que en su momento apunté y más detalladamente se explicará en su momento, se enfriaron al vagar por el frío espacio sideral. Los planetas grandes sufrieron intensas transformaciones geológicas de las que hemos tenido fiel muestra esta noche al observar lo diferentes que son entre sí. O sea, que los meteoritos son muy representativos del material primitivo del que se formaron los planetas. Los más famosos se llaman *condritas carbonáceas* y nos descubren cosas fascinantes. Por ejemplo, una de estas condritas… tenía aminoácidos, pilares esenciales de la vida. Y recordemos a aquel meteorito que parece proceder de Marte y tenía, supuestamente, una forma viva fosilizada. Ya hablaremos de todo esto.

Ya sale el Sol de verdad. Nuestro sistema solar de juguete se esfuma. Paremos ahí mismo que, a la vista de los camiones aparcados que hay junto a esa gasolinera, debe de haber una cafetería que no cierra durante la noche. Haré notar lo que ciertamente me importa que se retenga de esta noche que espero que haya sido interesante.

Como se ha podido comprobar, la variedad de cuerpos celestes que rodean al Sol es extraordinaria. Por supuesto, tienen muchas cosas en común y ya hemos visto que se pueden agrupar en planetas terrestres, planetas jovianos (los gigantes), satélites, asteroides de infinidad de tamaños, etc. Son todos casi esféricos, sus órbitas alrededor del Sol están más o menos en el mismo plano y son casi circulares por más que en realidad sean elipses. Pero lo que en rigor tienen en común todos los cuerpos del sistema solar es su composición elemental. Quiero decir que si hiciéramos un análisis químico de las sustancias de que están hechos, nos saldría muy aproximadamente la misma abundancia relativa de elementos pesados en todos ellos. O sea, que tienen proporcionalmente la misma cantidad de carbono, nitrógeno, oxígeno y así hasta los más pesados como el plomo y los elementos radiactivos pasando por los intermedios como por ejemplo el hierro y el manganeso. Esa abundancia, salvo excepciones perfectamente explicables que ya contaré, sigue el mismo patrón decreciente de los elementos más ligeros a los más pesados. Esta es la primera prueba de algo perfectamente intuitivo: todos los objetos del sistema solar proceden del Sol primigenio, pues se desgajaron de él. ¿Que si el Sol también tiene la misma composición siendo como es una estrella que es lo más distinto a un planeta que uno puede imaginarse? También. Igualmente uno podría preguntarse si el Sol primitivo fue el que generó esta diversidad de elementos químicos. En este caso la respuesta es no. Para saber de dónde llegaron los núcleos de los átomos que forman las moléculas de todo el sistema solar y de nosotros mismos, no hay más remedio que tener paciencia y tesón.

LOS EPICICLOS

Antes de concluir este capítulo dedicado a la descripción somera del sistema solar hagamos una disgresión que el lector puede considerar interesante. No es baladí, pues este libro pretende convencer basándose exclusivamente en el método científico de que lo esencial de nuestra materia proviene de las estrellas. Y como semejante conclusión nos sitúa en el Universo en una posición muy distinta a la que se ha creído que teníamos durante miles de años, bueno es aprender lo que se creía y de qué maneras se ha avanzado hacia donde estamos en tal conocimiento. Hablemos de los *epiciclos*.

El concepto de epiciclo lo introdujo Apolonio, que vivió de 265 a 190 a.C. Si la Tierra está fija y es el centro en torno al cual giran el Sol y todos los planetas, cada uno de éstos se mueve circularmente en torno a un punto el cual describe un círculo mayor, la curva *deferente*, en torno a la Tierra. En un dibujo se aprecia fácilmente.

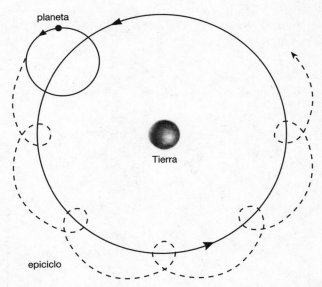

Fig. 3. *Si se supone que un planeta gira en torno a la Tierra, su trayectoria, en lugar de ser circular, describe una curva llamada epiciclo.*

Aquello era complicado, pero aunque se pusiera el Sol en el centro de todo, como hicieron muchos, curiosamente no se evitaban los molestos epiciclos y por eso y no por motivos filosóficos los modelos heliocéntricos no prosperaron demasiado. Midiendo y requetemidiendo las trayectorias de los planetas, la cosa siguió sin cuadrar durante muchos siglos: fuera el Sol o la Tierra el centro en torno al cual giraban los planetas, seguían apareciendo epiciclos aunque fueran algo diferentes todos entre sí. Se hizo una cosa curiosa para que las medidas se ajustaran a los dichosos epiciclos: los planetas no giraban ni en torno al Sol ni en torno a la Tierra, sino alrededor de un punto, el *ecuante*, en el que no había nada porque estaba definido simplemente para que alrededor de él la velocidad angular del planeta fuera constante. Así se pergeñó un sistema en el que había nada menos que tres centros: el de la deferente, en el que estaba la Tierra, y uno intermedio en torno al cual giraba todo.

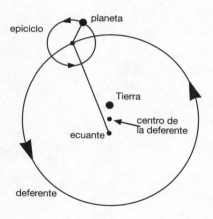

Fig. 4. *Para explicar las trayectorias de los planetas con la precisión que podían alcanzar sus observaciones, Ptolomeo inventó un complicado sistema. Como Ptolomeo detectó que la velocidad del planeta no era constante visto desde la Tierra, los epiciclos que describían lo hacían en torno a un círculo, la deferente, en cuyo centro no había nada. La Tierra y el Sol se situaban en tal sistema a los lados de dicho punto. Para colmo de complicación, las trayectorias de cada planeta definían puntos distintos lejos de coincidir entre sí.*

Creo que fue Copérnico el que dijo que Dios no podía haber inventado algo tan complicado. Pero, ojo, Copérnico tampoco evitó los epiciclos, porque la solución no era sólo que el Sol estuviera en el centro de todo, sino que las trayectorias de los planetas no eran círculos sino elipses y el Sol donde estaba era en uno de los dos focos de esas elipses. En el otro no había nada ni falta que hacía. Todo esto lo demostró Kepler.

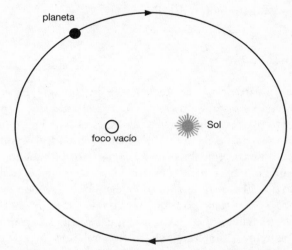

planeta

foco vacío

Sol

Fig. 5.   *La solución a la trayectoria de los planetas la dio Kepler, pues incluso situando el Sol en el centro de todo el sistema solar, Copérnico no evitaba los epiciclos si los planetas se movían en círculos. Lo hacían describiendo elipses, figura geométrica que en lugar de un centro, tiene dos: los focos. En uno de ellos se sitúa el Sol.*

A lo que viene esto de los epiciclos es a lo siguiente. La física siempre trata de medir lo más exactamente posible. Eso es lo que hemos aprendido desde los griegos y ha funcionado perfectamente. Infinidad de cosas sublimes se han descubierto midiendo cada vez con más rigor fenómenos que ya se conocían. Copérnico, con su modelo heliocéntrico, demostró que los epiciclos se aproximaban mucho más a la realidad que si era la Tierra o cualquier otro punto el que hacía de centro. Poco antes de morir, Copérnico suspiraba por no haber podido representar los movimientos planetarios con una exactitud de un sexto de grado de arco, porque intuía que así descubriría el secreto de los epiciclos, que no era otro más que simplemente no existían. La lección de todo esto es que el ansia de la exactitud y la precisión en las medidas, por más irrelevante que pueda parecer en muchas ocasiones, da con cierta frecuencia un fruto insospechado en cuanto a nuestra visión del mundo.

LA ASTROLOGÍA

Quien tenga paciencia y lea atentamente este libro, podrá concluir que en el fondo lo que se muestra en él es el lugar que ocupamos en el Universo y la influencia que en nuestra vida han tenido las estrellas. O sea, más o menos, lo que han hecho a lo largo de toda la historia filósofos, teólogos y... astrólogos, ¿no? Ni mucho menos.

Con más o menos maña y acierto, lo que se pretende es dar una idea de lo que hemos aprendido sobre esas cuestiones con el método científico y esto tiene poco que ver con deducciones contemplativas, intereses religiosos o creencias populares basadas en un empirismo inexistente. Como sería injusto y complicado meterse con los honrados filósofos e inquietante molestar a los religiosos, ensañémonos con los astrólogos.

En esencia, los astrólogos han hecho creer que los acontecimientos pasados, presentes e incluso futuros (cuya adivinación es la que mejor se aprecia y paga) están influidos por los cuerpos celestes, en particular por los planetas. Por lo pronto, un astrólogo jamás ha explicado las razones por las que una predicción suya falla. Jamás. Y fallan más que aciertan. Pero, bueno, no hay que enfadarse, porque se puede pensar que los que yerran simplemente son malos astrólogos.

Para que una cosa influya en otra, ambas han de interaccionar de alguna manera. ¿Qué significa interaccionar? Intercambiar algo. Un objeto celeste interacciona con nosotros gravitatoriamente o electromagnéticamente. Esto quiere decir que nos envía luz o nos atrae por la fuerza de la gravedad, o ambas cosas a la vez que es lo normal. La Luna provoca las mareas en los mares y océanos. Si la Luna es capaz de mover inmensas cantidades de agua, bien pudiera suceder que su fuerza nos altere o influya de alguna forma también a nosotros, ¿no? Pues no. Pensemos en una persona que pesa 75 kilogramos. Esta es una medida de la fuerza que ejerce la Tierra sobre esa persona en su superficie. La Luna la atrae 22 miligramos. Júpiter, con lo grandioso que es, apenas le resta unas décimas de miligramos. Se puede decir que es poco, sí, pero algo es algo. Ni hablar. Lo que dicen los astrólogos es que lo que nos influye es el cambio de las posiciones relativas de los planetas. Pues las diferencias de esos miligramos en comparación con nuestro peso conforme se mueve un planeta en su órbita lejana y casi circular ya son mil millonésimas de miligramos o muchísimo menos. De la luz ni hablamos, porque la influencia de los fotones que nos llegan de esos planetas es obviamente menor que la de la atracción gravitatoria y considero que no es necesario demostrarlo. Todo esto es hablando de efecto directo sobre el presente, no digamos ya sobre el futuro.

El presidente Reagan tenía su astrólogo particular y las páginas de los periódicos dedicadas al horóscopo (las suelen hacer jóvenes periodistas en prácticas) las leen millones de personas. El número de programas de radio y televisión dedicado a estos menesteres es estremecedor. Para colmo, a algunos programas dedicados a estas cosas y algunas más, como los extraterrestres, invitan a científicos de prestigio. Estos se prestan a ello con mejor o peor voluntad, pero con escasa facilidad de palabra, usando argumentos correctos pero engorrosos, dando una «imagen» quizá dubitativa y, al final, el espectador medio se queda con dudas o influido favorablemente por el charlatán de turno.

3

Un Universo de galaxias

No me basta mirar,
la luz no basta.
Porque he mirado en vano tantas veces,
tantas veces en vano creí ver.
La luz no basta.

JOSÉ ÁNGEL VALENTE

LA VÍA LÁCTEA

Edificios, ciudades, países, continentes… el mundo. Sistemas solares, galaxias, cúmulos de galaxias, supercúmulos… el Universo.

Si nuestro hogar, la Tierra, está en un edificio como el sistema solar, éste está en una ciudad llamada Vía Láctea, una galaxia tan normalita como nuestro propio Sol que, como ya he dicho, es una estrella bastante modesta. Pero en el Universo todo puede ser estremecedor si uno no mantiene la cabeza bien fría. Si digo, así de sopetón, que la Vía Láctea tiene unos doscientos veinte mil millones de soles, nos entra el vértigo, ¿cierto? Y si remato diciendo que en recorrerla desde un confín al opuesto a la velocidad de la luz tardaríamos más de cien mil años, pues ya me dirán. Esto es una barbaridad por más que así sea nuestra ciudad cósmica.

Hagámosla de juguete. Sea el sistema solar, es decir, la órbita de

Plutón y Caronte en torno al Sol, como una monedita de un centímetro de diámetro (más pequeña que un céntimo de euro). El Sol sería un granito de azúcar microscópico pero muy brillante. Si el encogimiento parece extravagante por exagerado, pensemos que nuestra galaxia, la Vía Láctea, tendría el porte de Andalucía, Cataluña, Austria o algo así porque sus límites son muy difusos. Cada diminuta estrellita está separada de su vecina un promedio de diez metros. Una ciudad vecina y de porte similar, esto es, la galaxia llamada Andrómeda, estaría a unos veinte mil kilómetros, como de aquí a Australia.

Veamos cómo es una galaxia como la nuestra, que es del tipo denominado espiral normal. Por lo pronto, es extraordinariamente plana. Como un grandioso plato, pero con una buena porción de comida en el centro ya que allí tiene una protuberancia o bulbo donde la densidad de estrellas es bastante mayor que en el resto. Nosotros, o sea, el Sol y sus planetas, estamos bastante cerca del borde, por eso la vemos de noche como la vemos. Si miramos para cualquier parte hacia arriba o hacia abajo, observamos el cielo profundo, pero si miramos hacia el plato, vemos muchísimas más estrellas. Tantas que parece un continuo, y a ese espléndido manchurrón le llamamos Vía Láctea o Camino de Santiago. En el hemisferio sur de la Tierra aún se ve mejor y más espectacular. Con unos simples prismáticos o un pequeño telescopio distinguiríamos muchas más estrellas en la Vía Láctea que en otras direcciones.

Hagamos una pequeña disquisición de historia científica. Averiguar que la Vía Láctea era un conjunto definido y aislado de estrellas fue muy difícil. Tanto que tal hecho no se descubrió fehacientemente hasta el siglo pasado. Y que era del tipo espiral, o sea, con brazos majestuosamente curvados que partían del centro, aún fue más difícil. Ocurrió lo siguiente. Muchos personajes ilustres, no necesariamente científicos, intuyeron que la Vía Láctea se veía de esa manera porque la Tierra estaba embebida en un sistema achatado repleto de estrellas. Kant, por ejemplo, escribió bastante acertadamente sobre esto. Pero conforme se iban desarrollando los telescopios en tamaño y calidad óptica, el asunto, en vez de aclararse, se fue enredando. Por una parte, mientras más se escrutaba con profundidad la Vía Láctea, más estrellas se veían; correcto. Pero también se encontraban cosas sorprendentes, en particular, las llamadas nebulosas. Éstas eran otras manchas que podían ser de distinta naturaleza. Una, un defecto óptico quizá provocado por ciertas estrellas cuya luz, al llegar a la atmósfera terrestre, se difuminaba. Otra, que algunas estrellas, no muchas, se arracimaban y generaban ese difuso efecto. Por supuesto, también se postuló que fueran agrupamientos de un enorme número de estrellas. Se les llegó a llamar «universos islas». La pregunta era: ¿esas nebulosas, están en la Vía Láctea o fuera? Eso no se podía saber sin tener un procedimiento para medir grandes distancias. Se encontró con las llamadas Cefeidas, que son unas estrellas de brillo variable muy bien conocidas. El procedimiento consistía… Es un poco complicado, pero el ejemplo siguiente puede aclararlo.

Vamos de noche por una carretera y a lo lejos vemos las luces de dos pueblos separados entre sí. ¿Cuál de los dos está más lejos de nosotros? Aquel cuya luz vemos más débilmente, ¿no? Pues no necesariamente, porque bien pudiera ocurrir que la mayoría de sus vecinos sean más ahorradores que los del pueblo de al lado y hayan decidido poner luces más débiles. Como tanta autogestión, por saludable que sea, puede despistar a los viajeros, los alcaldes de la comarca han decretado lo siguiente. Los vecinos pueden decidir lo que les dé la gana en cuanto a la intensidad de las luces de calles y casas, pero en lo alto del campanario de cada iglesia todos colocarán una bombilla de una intensidad determinada, igual para todas. Pero surgen problemas entre los alcaldes. Unos dicen que nadie distinguirá la bombilla del campanario desde lejos, otros que se deben a sus vecinos y eso de que todos pongan bombillas iguales en los campanarios puede estar mal visto, un lío. Pero uno de ellos dice que lo único que han de hacer es instalar bombillas del modelo Cefeida. Son muy ingeniosas. Parpadean de forma intermitente y el tiempo entre dos destellos depende claramente de la intensidad. Ya está, cada alcalde que ponga una bombilla de intensidad acorde con el gusto de sus vecinos, pero de este tipo intermitente. El viajero, pues, lo único que tiene que hacer es buscar las luces parpadeantes de los campanarios de los pueblos, olvidándose de todas las demás, y medir con su reloj cuánto tardan en dar dos destellos seguidos. Si quiere ser más preciso, cuenta diez destellos y divide el tiempo transcurrido por diez. Sabido el periodo tenemos la intensidad que emiten porque las Cefeidas tienen esa gracia. La intensidad que recibe el viajero de la bombilla la mide con un aparatito apropiado. Como la intensidad disminuye precisamente con el cuadrado de la distancia, asunto arreglado: sabemos cuánta luz emite la bombilla parpadeante del campanario, leemos en la pantalla del chisme cuánta se recibe, se hace un cálculo que cabe en el dorso de un sello y ya sabemos a qué distancia de nosotros está cada pueblo. Pues un papel parecido al de las luces de los campanarios desempeñan las estrellas llamadas Cefeidas.

Así, entre los años veinte y treinta del siglo pasado se llegó a la pasmosa conclusión de que el Universo estaba lleno de galaxias parecidas a la nuestra, muy separadas entre sí y con casi nada entre ellas. Además, en 1932 se trazó el primer esquema de nuestra Vía Láctea, que es muy parecido al que tenemos hoy día. Desde Herschel, un músico alemán del siglo XVIII que tuvo que exiliarse a Inglaterra después de que Alemania perdiera la guerra de los Siete Años contra Francia (aunque su única participación conocida en el conflicto fuera tocar el fiscorno desde los catorce años en la banda de la guardia de Hannover junto a su padre), hasta el norteamericano Hubble en el primer cuarto del siglo XX, un tipo engreído y antipático aunque genial, los debates y polémicas sobre las galaxias fueron apasionantes.

La Historia es muy interesante, pero la historia de la astronomía en particular es fantástica. Sobre todo, es fascinante el papel de las mujeres en la astronomía moderna, desde la hermana de Herschel, Caroline, que lo ayudó tanto que le dieron la medalla de oro de la Royal Astronomical Society, hasta Henrietta Leavitt, que fue la que estableció lo de las luces de los campanarios, o sea, que descubrió la relación entre el período y la luminosidad de las Cefeidas. Y un montón más de mujeres astutas y, sobre todo, pacientes. Dejémonos de historias.

No todas las estrellas que componen una galaxia son iguales, ni mucho menos. Como nuestros granitos de azúcar desparramados por Andalucía a unos metros de distancia entre ellos, tienen distinto tamaño, o sea, que pesan unos más que otros. En promedio, las estrellas son poco más pesadas que nuestro Sol, pero sólo en promedio, porque las hay tan grandiosas como sesenta u ochenta soles juntos. Todas estas estrellas, o sea, las que se ven, curiosamente sólo representan un porcentaje modesto de la masa total de la galaxia. ¿De qué está hecho el resto que no se ve? De planetas como el nuestro y Júpiter, de cadáveres estelares (entre ellos los inquietantes agujeros negros), de nubes de material interestelar y de... cualquiera sabe. Sobre esta intrigante *materia oscura* hablaremos después, ciñámonos por ahora a lo que se ve.

La estructura de nuestra galaxia no es complicada. Se compone del disco esparcido en brazos espirales planos que surgen del bulbo central, el halo y la corona. El disco galáctico en nuestra galaxia de juguete del porte de Andalucía tendría un espesor, muy irregular, de unos doce o quince kilómetros, excepto en el centro que presenta un abultamiento de hasta doscientos kilómetros o más. Aun siendo de juguete, es gigantesca, por lo que podemos reducirla aún más y convertirla en una mesa camilla para observarla mejor. Siendo de un metro de diámetro, el bulbo central es ahora un montoncito de estrellas de unos veinte centímetros de alto. El resto apenas tiene el espesor de un centímetro. El Sol está mucho más cerca del borde que del bulbo central. Vista «desde arriba», la mesa está girando en el mismo sentido que las agujas del reloj a unos veinte centímetros por segundo. Analicemos un poco detenidamente este movimiento.

Hay dos formas extremas de girar que llamaremos «kepleriana» y «rígida». Estos nombres vienen de que la primera obedece a las leyes de Kepler y la segunda a las de un sólido rígido. Los planetas giran en torno al Sol de forma kepleriana, o sea, cada uno a su aire si este «aire» obedece rigurosamente las leyes susodichas. Los puntos de una puerta al abrirla o cerrarla van todos a la vez, si «a la vez» se entiende angularmente, o sea que todos llevan la misma velocidad angular aunque, obviamente, los que están más cerca de las bisagras van mucho más lentos que los que están junto a la cerradura. Pues la galaxia en su conjunto gira bastante rígidamente en su porción central y entre medias en las regiones exteriores, o sea, que si observamos una estrella en particular de las afueras de la galaxia, digamos más allá de donde está el Sol pues en esa zona ocurre el cambio, se mueve de forma poco solidaria con el resto siguiendo un movimiento intermedio entre el kepleriano y el rígido. Es lógico, porque por un lado forma parte del conjunto pero, por otro, está muy separada de las demás estrellas, digamos que va «muy suelta» y por lo tanto puede ir un poco a su aire. Refiriéndonos al Sol, diremos que se mueve a unos 220 kilómetros por segundo (km/s) en torno al centro de la galaxia y unos 20 km/s más deprisa que el promedio de sus estrellas vecinas.

Abramos el sumidero de un lavabo. Pronto se forma un torbellino espiral. En un plano se parece a la galaxia y, para colmo, en el centro de la Vía Láctea puede haber un agujero tan negro como el sumidero del lavabo, con la diferencia de que su masa sería de unos dos millones y medio de soles y que en vez de tragarse agua se traga estrellas enteras a puñados. Ya llegará el momento en que hablemos de agujeros negros. La analogía es engañosa, porque ya hemos visto que la galaxia se mueve de una forma más compleja que un anticiclón o torbellino. Los brazos son, en realidad, *ondas de densidad* que podemos intuir lo que son de la manera siguiente. Las ondas, o las olas, como se prefiera, se mueven de manera distinta a los elementos del medio en que se propagan. El flotador del sedal de una caña de pescar se mueve sólo de arriba abajo aunque las olas del mar se desplacen por la superficie en cualquier dirección. Los espectadores de un partido de fútbol cuando hacen «la ola», que se ha puesto de moda hace una década o así, no se mueven de sus asientos y la ola se propaga por todo el estadio. Aunque las estrellas en una galaxia se muevan todas de forma más o menos solidaria, los brazos espirales formados por miríadas de ellas se mueven casi independientemente. Porque además ocurre una cosa curiosísima. En contra de lo que se podría pensar al ver la espléndida foto de una galaxia espiral, no es cierto que los brazos sean concentraciones de estrellas y que entre ellos, en las zonas oscuras, haya muchas menos. Hay casi las mismas, lo que ocurre es que tienen distinta edad y por eso brillan de forma diferente. Cuando veamos cómo nace, vive y muere una estrella, nos daremos cuenta de esto. El caso, por ahora, es que los brazos de las galaxias espirales son como ondas que se propagan por el disco galáctico.

Veamos ahora lo que es el halo de la galaxia. Es más intrigante que los brazos y casi tanto como lo que ocurre en el bulbo central con ese inquietante agujero negro tragón de estrellas. El halo tiene forma de elipsoide (esfera achatada) y se extiende más allá del diámetro de la galaxia envolviéndola en todas direcciones. Lo que más abunda en él son los llamados cúmulos globulares, que no son más que agrupamientos esféricos de cien mil a un millón de estrellas viejas. Sus movimientos son aleatorios en el sentido de que cada uno se mueve casi independientemente de los demás siguiendo órbitas elípticas muy excéntricas con el bulbo de la galaxia en uno de sus focos. O sea, que atraviesan el disco galáctico varias veces a lo largo de su vida. Estos conjuntos de estrellas, tan distintas y escasas respecto a las del disco, se dice que pertenecen a la *población del tipo II*. Las del disco galáctico son de la *población del tipo I*.

Este es el *halo estelar* o halo propiamente dicho; pero más allá de él, con límites inciertos, está la corona o halo oscuro. Las estrellas y cúmulos globulares van desapareciendo poco a poco conforme nos alejamos del disco. ¿Dónde está lo interesante del halo? Pues en que ha de estar lleno de algo que no se ve. La materia oscura.

Hemos insistido tanto en los movimientos porque el estudio de los mismos nos da unas pistas sorprendentes de muchísimas cosas de la naturaleza. Es por ello por lo que una de las primeras cosas que nos enseñan de física en la escuela son las leyes del movimiento.

Volvamos a pensar en el movimiento del Sol. Recuérdese que no era ni «kepleriano» ni «rígido». Eso no es difícil de entender. Pero el caso es que conocemos muy bien las leyes de Kepler y las del sólido rígido. También sabemos bastante bien muchas cosas de lo que hay en la galaxia, al menos lo que se ve. Si hacemos unos cálculos bien hechos a partir de las leyes susodichas (y algunas otras, no muchas más) y averiguamos cuál debe ser la velocidad del Sol teniendo en cuenta todo el vecindario estelar que vemos que está ahí, en vez de salirnos los 220 km/s que dijimos, nos sale 160 km/h. Y si observamos estrellas aún más alejadas del centro galáctico, la diferencia entre lo medido y lo esperado aún es mayor. Como siempre pasa en ciencia, sólo caben dos opciones: o nos hemos equivocado, o no hemos tenido en cuenta todos los ingredientes necesarios para hacer nuestro cálculo. No queda más remedio que repasar y seguir observando. Y las observaciones nos aportaron otra cosa.

Si se estudian bien los movimientos de los objetos estelares que están fuera del disco, los cúmulos globulares por ejemplo, parece que, por más que nos alejemos en el halo, estos objetos siguen moviéndose bastante solidariamente con el disco. Dicho de otra forma, los movimientos de esos cuerpos se explican bastante bien si todo el volumen del halo estuviera... lleno. Lleno ¿de qué? De algo que no se ve, o sea, que no emite luz que podamos detectar en un amplio rango del espectro, no sólo el visible. Digamos pues que un enorme porcentaje de la masa necesaria para explicar el movimiento de las estrellas del disco y las del halo no es luminoso.

Como se puede imaginar, el problema es tan agudo que a nadie le ha de extrañar que sea enorme el número de investigadores de muchas especialidades dedicados a explicar esa materia oscura. Las hipótesis, modelos, teorías y trucos experimentales para observarla son abundantes, pero los candidatos a ser los integrantes de la materia oscura se pueden resumir en dos: los *WIMP* y los *MACHO*. Personalmente no me gustan los nombres y acrónimos jocosos y espectaculares aplicados a la ciencia, porque prefiero las raíces griegas o latinas y las bromas se hacen con los amigos (o los lectores), pero así están las cosas. Lo de WIMP (Weak Interacting Massive Particles —partículas masivas que interaccionan débilmente—) se traduciría como niño mimado que busca a su madre frecuentemente para protegerse, y lo de MACHO (MAssive Compact Halo Objects —objetos del halo compactos y masivos—) pues ya me dirán. Además, este último nombrecito está forzado, porque la A no encaja bien. Obviamente, estos bautizos son obra de los norteamericanos.

Unas partículas elementales extraordinariamente elusivas y fascinantes son los neutrinos. Hablaremos de ellos, pero por ahora baste decir que no tienen carga eléctrica y que su masa es prácticamente nula. En el «prácticamente» está el quid de la cuestión. Estas partículas son abundantísimas en el Universo, porque se generan en las reacciones nucleares que mantienen encendidas a las estrellas. Como sólo son sensibles a la fuerza nuclear débil, la cual es tan débil que dichas partículas apenas interaccionan con nada, escapan por todas partes y lo llenan todo. Con que tuvieran un poquito de masa, o sea, si ésta no fuera exactamente igual a cero como se ha creído siempre, ya tendríamos explicado el origen de la materia oscura. Pero por más experimentos que se hacen para medir la masa de los neutrinos, y conste que son experimentos muy costosos aunque maravillosos, no se detecta la más mínima masa en estas partículas aunque las noticias de estos últimos meses apuntan en sentido contrario. Habrá que esperar a que se confirmen, pero los neutrinos son los mejores candidatos de wimps.

Los machos, como es lógico, son más bastos e inquietantes. Para colmo de desatino con el nombre, serían femeninos. Los formarían estrellas del tipo llamado Brown Dwarf, a las que en español se las denominan enanas marrones, pero yo, para contrarrestar un poquito tanta ordinariez, las llamaré *enanas morenas*. Una estrella enana morena es aquella que en su formación acumula una ingente cantidad de materia pero cuya masa final no llega a ser suficiente como para encender las reacciones nucleares. Este proceso lo estudiaremos más adelante, pero baste saber que serían como Júpiter. ¿Que por qué se llaman morenas? Júpiter y los demás planetas los vemos muy bien porque a escala galáctica estamos muy cerca de ellos y recibimos la luz que reflejan del Sol. El albedo. Pero desde otra estrella, por muy cercana que esté y recuérdese que eso supone varios años luz, o sea, muchísimo más de lo que separa a los planetas entre sí, no se verían. Sólo hasta anteayer, como quien dice, no se están empezando a detectar planetas de otros sistemas y se hace estudiando, de nuevo, la ligera alteración gravitatoria que le provocan al movimiento de la estrella en torno a la cual giran. Uno de los más astutos cazadores de enanas morenas y de planetas que hay es un español que se llama Rafael Rebolo y trabaja en el Instituto de Astrofísica de Canarias. Como la luz que emiten esas estrellas pequeñas no se puede detectar en ninguna franja del espectro, se les llama morenas, porque el moreno no es ningún color del espectro. Así pues, una teoría es que el halo, e incluso el disco, esté lleno de enanas morenas. Esa sería la materia oscura. Las morenitas quizá estén también acompañadas por agujeros negros, otros tipos de enanas, estrellas de neutrones y, en resumen, cadáveres de estrellas que vagan por ahí en mayor abundancia de lo que imaginábamos. Estos son realmente los objetos compactos, o sea, de gran masa, escaso tamaño y bastante fríos o, al menos, escasamente radiantes. Muy inquietantes, porque como se cuele uno en nuestras proximidades…

Composición de la Vía Láctea

Para lo que nos interesa, hemos de saber ya de qué están hechas las estrellas de la galaxia. Fundamentalmente de hidrógeno y helio. El primero es el átomo más simple del Universo y el segundo no es mucho más complejo. El hidrógeno consiste en un protón envuelto por una nube generada por un ubicuo electrón. El helio tiene un núcleo de dos protones y dos neutrones y su nube electrónica la originan dos inquietos electrones. De los núcleos hablaremos en el próximo capítulo, pero baste saber por ahora que el número Z del hidrógeno es uno y el del helio es dos. El del carbono (base de la vida), 6, el del oxígeno (casi igual de vital que el anterior pero importante en otras cosas), 8, el del silicio (base de las rocas), 14, y así todos: el hierro 28, el oro 79, el plomo 82, el uranio 92, etc. Los elementos pesados, o sea, de Z mayor que la del helio, se cuecen en las estrellas. Cuando éstas mueren, expulsan gran cantidad de estos elementos que se esparcen por la galaxia. Esto ya lo hemos apuntado, y explicarlo con detalle y precisión es la materia esencial de este libro. Pero es bueno que sepamos ya dónde están estos elementos.

Hemos dicho que la galaxia está formada por estrellas de la población I y estrellas de la población II. Son muy distintas unas y otras. Las estrellas I son jóvenes, se colocan en los brazos del disco y tienen una abundancia de elementos pesados digamos que normal. El Sol es un buen ejemplo de ellas. Las estrellas II son viejas, se distribuyen entre el bulbo central y el halo y tienen muy poco material pesado. Las de los cúmulos globulares que andan por el halo oscuro son ejemplos de ellas. Naturalmente, las estrellas tipo I y tipo II son solamente casos extremos, por lo que no ha de extrañar que haya muchas intermedias por todas partes.

Si se ha leído atentamente lo anterior, parece que hay una contradicción o un error por mi parte. Si los elementos pesados se cocinan en los portentosos calderos estelares, mientras más vieja sea una estrella, más elementos pesados tendrá, ¿no? Pues he dicho lo contrario, o sea, que las viejas, las II, tienen en promedio baja Z. Los astrónomos también dicen baja *metalicidad*. Precisemos más: la metalicidad de la galaxia aumenta desde los confines del halo oscuro hasta el esplendoroso disco y desde el borde del plato hacia en centro. ¡Otra contradicción! ¿No he dicho que en el bulbo central abundan las viejas del tipo II y que éstas tienen baja metalicidad? No me he equivocado, todo tiene su explicación y no es demasiado complicada.

Efectivamente, en las estrellas viejas se cuecen los elementos pesados, lo cual significa que mientras viven se están cociendo en sus entrañas. Cuando mueren, lo hacen de una forma muy violenta y esparcen todo el cocido por su entorno galáctico. Cuando en este medio se dan las condiciones para que nazca una estrella, ésta ya parte de una composición rica en elementos pesados y no como las viejas que partieron casi exclusivamente de hidrógeno. Si, para colmo, la estrella joven nace de un polvo que ya ha sido «reciclado» varias veces, en su interior hay ya mucha riqueza de elementos pesados.

La otra contradicción aparente, o sea, que en el bulbo central dominan las estrellas viejas, tipo II, y hay mayor metalicidad que en el borde de la galaxia es más sencilla de explicar: en esa zona, simplemente, hay muchas más estrellas. Y aunque éstas sean viejas, sumando la metalicidad de todas hace que se supere la de los brazos hacia los bordes. Las cosas, por supuesto, son más complejas, pero en esencia y en promedio esa es la razón.

Ya que hablamos de complejidad, tratemos de aprender por qué se sitúan las estrellas jóvenes en los brazos brillantes y las viejas entre ellos en las zonas tristes y oscuras. (Hablamos, como es lógico, de la zona visible del espectro, pues en la zona del infrarrojo el espectáculo es muy distinto.) Imaginemos una portentosa nube de material rico proveniente de una estrella vieja que ha muerto tras una grandiosa explosión. La nube vaga por la oscuridad hasta que se encuentra con el borde de un brazo curvo y brillante de la galaxia. Allí hay muchas estrellas jóvenes y mayor densidad de todo. La nube se comprime por la suave colisión. Esta compresión hace que aumente su temperatura y, por los mecanismos que veremos pronto, puede que se llegue a encender nuclearmente. Nace una estrella del tipo I en el brazo. Además, este nacimiento contribuye a generar «la ola», o sea la onda de densidad que significa el brazo de una galaxia espiral. La estrella vive y envejece avanzando algo más deprisa que la ola. Recuérdese que el Sol va unos 20 km/s más deprisa que su brazo que va a casi 200 km/s. Así, cuando se escapa del brazo, la estrella ya es vieja, y entonces tenemos una más de la población II fuera del brazo brillante y joven.

¿Encajan realmente bien todas las piezas de este rompecabezas? Casi todas, pero para verlo en su conjunto tenemos que estudiar la historia de la galaxia. Hoy día, además, se puede simular bastante bien esta evolución con un superordenador. El secreto de todo está en la fuerza de la gravedad y en las leyes que rigen los movimientos de los cuerpos sometidos a ella. Y, por supuesto, en la física nuclear, pero esto ya se verá.

LA FORMACIÓN DE LA VÍA LÁCTEA

La historia comienza muy poco después de que se generara el Universo. (Obsérvese el uso del concepto generación y no de creación, lo cual no es más que un gusto personal.) Una nube esférica más grande que la galaxia actual, pero no mucho más, se compone de elementos muy simples: hidrógeno sobre todo, una buena cantidad de helio y algo de otros un poquito más pesados. Por razones no del todo aclaradas pero poco misteriosas, el portentoso globo empieza a girar. Se forman unos centros de condensación en torno a los cuales se va acumulando material. La fuerza de la gravedad actúa comprimiendo esas nubes más pequeñas a la vez que engordan. Es algo parecido, sólo parecido, a cómo se forman las gotas de agua que terminarán cayendo en forma de lluvia. Este «caer» en la galaxia primigenia consistía en que cada gota llevaba una trayectoria aleatoria por lo que hoy es el halo pero dirigiéndose paulatinamente hacia el disco que empieza a esbozarse. Los primeros cúmulos globulares se empezaron a formar compuestos casi exclusivamente de hidrógeno y helio, que era lo único que había. La esfera, conforme disminuye de tamaño, gira más deprisa. Sigue achatándose. Se generan más y más estrellas. La rotación, cada vez más endiablada, fuerza a la nube a contraerse hacia el disco ecuatorial el cual atrae a todo lo demás. Los cúmulos globulares adoptan trayectorias que atraviesan el disco arriba y abajo tal como siguen haciendo hoy día esas agrupaciones de estrellas de la población II. Algunas estrellas empiezan a morir cuando el disco ya está bastante bien formado. Sus estertores de muerte expulsan material rico en elementos pesados que no llegan mucho más allá del disco, porque éste tiene ya tal masa que lo atrae gravitatoriamente.

Nacen nuevas estrellas, pero ya a partir de un gas con algo de abundancia de elementos pesados. Son estrellas candidatas a formar parte de la población tipo I que ya no pueden moverse más que inmersas en el disco.

Empiezan a morirse las estrellas del disco enriqueciéndolo aún más de elementos pesados. Nacen otras. En aquella época, al igual que ocurrió con la humanidad en sus primeros tiempos, las tasas de mortandad y natalidad eran más altas que ahora.

Los brazos empiezan a configurarse y esto, junto con las causas iniciales de todo el proceso de formación de la galaxia, es la otra laguna grande que se tiene en el conocimiento de esta historia.

Muchas de las nuevas estrellas, quizá casi todas, se meten en una dinámica parecida a la que configuró la galaxia. La nube primitiva de la que se formó una estrella, gira, se aplana y de ella se desgaja material que se irá condensando en otras «gotas» pequeñitas. Son tan pequeñas que no pueden llegar a encenderse termonuclearmente. Serán los futuros planetas. Aunque algunos llegan a alcanzar tal masa, como Júpiter, según hemos dicho, que casi lo logran. Así se van formando también las enanas morenas. Y cuando mueren las estrellas grandes, además de enriquecer la galaxia de elementos pesados, generan unos cadáveres que ya hemos apuntado: enanas blancas, estrellas de neutrones, agujeros negros… pero eso es asunto de los próximos capítulos. Por ahora quedémonos con estos grandes rasgos de la evolución de la galaxia para que entendamos con rigor y precisión que provenimos, en buena medida, o al menos esencialmente, del polvo generado tras la muerte de las estrellas.

OTRAS GALAXIAS

No todas las galaxias son como nuestra Vía Láctea, pero la fauna no es muy variada aunque sus tamaños pueden ser muy diferentes. La Vía Láctea se puede calificar de grande en comparación con la mayoría de las galaxias. Incluso muy grande, porque alguna compañera bella y armoniosa apenas tiene un 10% del tamaño de aquella. Pero hay tantísimas galaxias en el Universo, casi tantas como estrellas tiene la nuestra, que por el tamaño no se podrían clasificar, porque las hay de todos los portes. En consecuencia, tampoco por su masa se pueden agrupar, porque está relacionada con el tamaño. Salvo las enanas, que las hay, las galaxias tienen una masa de miles a cientos de miles... de millones de soles. Como ya he dicho que no me gusta aturdir con los números grandes, desviemos el asunto hacia lo siguiente: ¿cómo se pesa una galaxia lejana? Con mucho ingenio, paciencia, organización y dinero para comprar o inventar buen equipamiento científico. Esto, por supuesto, vale para pesar una galaxia, escrutar los fundamentos de la biología a nivel molecular, desentrañar las leyes físicas de la naturaleza o... el sinfín de cosas que nos ofrece la ciencia. En el caso de las galaxias, en particular las cercanas, la manera de averiguar su masa es, como siempre, estudiando su movimiento. Pero para las lejanas se ha ideado un procedimiento fantástico que se llama de lente gravitatoria.

Una de las consecuencias de la teoría general de la relatividad de Einstein es que la trayectoria de la luz se curva cuando pasa por las cercanías de un cuerpo que tenga masa. El efecto es tan sutil que la masa necesaria para doblar la luz ha de ser portentosa y, además, estar muy alejada. ¿Qué mejor candidata para hacerlo que una galaxia completa? Supongamos un objeto luminoso, como otra galaxia, que sabemos a qué distancia está de nosotros. Por ejemplo, gracias a sus Cefeidas. Su luz llega a nosotros en línea recta. Pero ahora, imaginemos que una galaxia se mete justo en medio, o sea, entre aquella galaxia y la Tierra. Ocurre un fenómeno curioso: en torno a la galaxia intrusa se forma una especie de halo circular, como el que se forma en torno a la Luna cuando las condiciones meteorológicas son adecuadas (cristalitos de hielo en las capas superiores de la atmósfera dispersan la luz del Sol cuando éste está colocado delante de la Luna). Este halo no tiene nada que ver con el halo oscuro de las galaxias. El halo del que hablamos es un efecto parecido al que provocaría una lente óptica convergente. La luz de la estrella o galaxia lejana, al pasar por las inmediaciones de la galaxia intrusa, se curva. Después se vuelve a unir superado ya el obstáculo y esta es la luz que llega a nuestro telescopio. Pero la dispersión provocada por la galaxia hace que nosotros lo que veamos a lo lejos no sea un punto luminoso, sino una corona. ¿Por qué hace falta tanta paciencia e ingenio? Porque hay que buscar un eclipse de una galaxia conocida por otra que se meta en medio, y esto es muy, pero que muy difícil. Pero aunque no sea un eclipse total y perfecto, o sea, aunque no se detecten muchos halos circulares, otras distorsiones sí que se encuentran con frecuencia. Son tan notables que sus hallazgos aún salen en los periódicos. Aplicando las ecuaciones de Einstein a las figuras encontradas, se averigua la masa de la galaxia intrusa que hace de lente gravitatoria. No sólo es bonito, sino muy interesante porque esto ofrece también datos de la materia oscura de las galaxias.

Decíamos pues que ni la masa ni el tamaño nos sirven para clasificar galaxias. Lo tradicional y seguramente correcto es clasificarlas por su forma. Hubble, el antipático y engreído norteamericano, fue el que hizo el primer diagrama de galaxias que se llama de tenedor. Lo forman las *elípticas* cada vez más achatadas, el mango del tenedor, y dos púas que son las *espirales normales* y las *espirales barradas*.

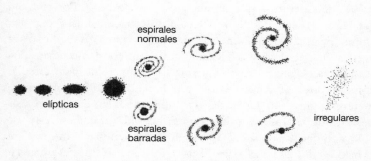

Fig. 6. *Clasificación de las galaxias siguiendo el esquema denominado de «tenedor».*

Las elípticas son nubes elipsoidales de estrellas sin brazos. Como inmensos huevos simétricos y de bordes difusos. Sobre las espirales normales no hay que insistir porque nuestra Vía Láctea es una típica de ellas y ya hemos hablado bastante. Las espirales barradas son aquellas que en su centro, en lugar de un bulbo más o menos esférico como en las normales, aparece un grandioso barril elongado de cuyos extremos surgen dos brazos espirales. Generalmente son sólo dos aunque no necesariamente. Se pueden parecer a las normales pero son bastante distintas si se fija uno bien en el abultamiento central y cómo surgen los brazos de él.

Por supuesto no todas las galaxias encajan en una clasificación tan sencilla, descubriéndose de vez en vez alguna de forma irregular. Pero la inmensa mayoría son de uno de esos tres tipos. Las irregulares parece que son los restos de una colisión entre galaxias. ¿Chocan las galaxias? Sí, y bastante frecuentemente. Veamos qué ocurre en un accidente galáctico de este tipo.

Por más separadas que estén unas de otras, recuérdese que si la Vía Láctea es del porte de Cataluña y estuviera en esa región, nuestra vecina Andrómeda estaría en Nueva Zelanda o por ahí, no hay que olvidar que la fuerza de la gravedad es siempre atractiva entre dos objetos masivos. Por tanto, no es de extrañar que las galaxias terminen, con el tiempo, acercándose hasta chocar entre sí. ¡Falso! Dirá en este instante quien sepa algo de cosmología moderna: el Universo está en expansión debido a la Gran Explosión que lo originó y esto no significa otra cosa que las galaxias se están alejando entre sí a pesar de la fuerza de la gravedad que sienten entre ellas. No está mal, vale, pero muchas galaxias se atraen y chocan entre sí. Aunque este libro no trata de cosmología, no se puede pedir a nadie ningún acto de fe, por ello, se explicará algo de la generación, expansión y destino del Universo aunque sea sólo para mostrar que los movimientos de las galaxias permiten que colisionen por más que, en promedio, se alejen unas de otras.

¿Qué pasaría si sobre nuestra Vía Láctea se viniera encima una galaxia enterita? Pues que seguramente ni lo notaríamos. Por lo pronto, la colisión sería tan lenta que tendrían que pasar muchas generaciones para que se distinguiera en el cielo que el Camino de Santiago se va difuminando y cambiando de forma. E incluso que aparecen otras manchas lácteas en el cielo. Porque lo que provocaría esa formidable colisión no sería más que un cambio en la forma de las dos galaxias colisionantes, pero la probabilidad de que dos estrellas individuales choquen entre sí sería extraordinariamente pequeña. Hay que tener siempre en mente que las distancias interestelares son inmensas y que la fuerza de la gravedad es extraordinariamente débil. No ocurriría cataclismo alguno salvo que se considere como tal la pérdida de la bella armonía que significa una majestuosa galaxia espiral normal. Pues este parece ser uno de los orígenes de algunas galaxias irregulares.

La espirales barradas se originan de manera distinta a las normales, pero no hay sorpresas dinámicas por más que algunos estadios de la evolución de sus formas no estén aclarados al ciento por ciento.

Un Universo de galaxias

Volvamos a convertir nuestra Vía Láctea en un montón de azúcar desparramado en una mesa redonda (en mi tierra le llaman camilla) de un metro de diámetro que gira. Andrómeda, la vecina de aspecto similar a ella aunque sea mayor, está separada a unos veinte metros. La camilla de la casa de al lado. El Universo completo sería tan grande como… una gran ciudad de unos veinte kilómetros de diámetro. ¿Madrid quizá? Así no parece tan grande el Universo, aunque en una «esfera» del porte de Madrid (con una altura casi el triple que el Himalaya y lo mismo de profundidad) caben un montón de mesas camillas separadas sólo unos metros entre sí. Imagínese cada cual el Universo como quiera pues este libro pretende, además de enseñar e informar, solivantar la imaginación del lector. El caso es que la distribución de galaxias en el Universo está lejos de ser uniforme. Están arracimadas formando cúmulos, los cuales se agrupan a su vez en supercúmulos. Y hay, en consecuencia, enormes vacíos entre algunas de estas agrupaciones.

Los cúmulos están formados por docenas, cientos e incluso miles de galaxias. El nuestro, en el que la Vía Láctea y Andrómeda son las reinas por tamaño y situación ya que están casi en el centro de dos pequeños subgrupos, se llama Grupo Local y lo forman solamente unas treinta galaxias. Hay sólo tres espirales normales, muchas elípticas enanas y cuatro irregulares. Dos de estas últimas se llaman la Nube Menor y la Gran Nube de Magallanes. Sólo se ven desde el hemisferio sur, y el infortunado navegante que les dio nombre las descubrió alguna noche oscura de su infausto periplo alrededor del mundo. Le impresionaron mucho y escribió sobre ellas. Andrómeda es el objeto más distante que se puede ver a simple vista. Se sitúa al norte de la constelación Pegaso y se presenta como una «estrella» de confines difusos. Está a dos millones de años luz.

Los cúmulos de galaxias suelen tener formas irregulares y movimientos aparentemente erráticos, pero esto depende mucho del número de componentes que tengan. Cuando el cúmulo es rico en galaxias, dominan en él las elípticas y su número aumenta hacia el centro del grupo formando algo parecido a una esfera. Esto se entiende de forma relativamente fácil. La gravedad atrae unas galaxias hacia las otras y muchas chocan. Y aunque no choquen, la delicada dinámica por la que se forman los brazos de las espirales se ve alterada por la presencia de un vecindario populoso. Todas quedan en formas más o menos redondeadas e irregulares. Las galaxias aisladas, que por cierto son muchísimas, son frecuentemente espirales, barradas o no, pero las de cúmulos de algunos miles de ellas son mayoritariamente elípticas.

Averiguar que una gran parte de las galaxias están arracimadas no fue tarea fácil y, de hecho, los primeros mapas del Universo completo se están haciendo desde hace sólo unos cuantos años. La razón es sencilla: son necesarios poderosos telescopios, en particular espaciales, para escrutar el cielo profundo. Tan profundo, que nos estamos acercando al origen del Universo. ¿Cómo que nos estamos acercando al origen del Universo? ¿Eso no es un concepto temporal y estamos hablando de algo tan espacial como es la profundidad? Es que es lo mismo.

Todos sabemos que la velocidad de la luz es la máxima alcanzable por cualquier forma de información transmitida, pero ¿lo entendemos realmente? No es difícil, aunque las consecuencias de este hecho son tan ricas que quizá no las abarcamos bien. Imaginemos tres astrónomas escrutando la Tierra con unos poderosísimos telescopios la misma noche. Cada una trabaja en observatorios situados en planetas de distintas estrellas de nuestra galaxia. Pues esa noche lo pasan magníficamente las tres, pero una se entretiene con el quehacer de unos neardentales frente a su caverna, otra con el trajín de los romanos y la tercera, más espantada que otra cosa, observa una batalla de la Segunda Guerra Mundial. ¿La misma noche ocurren las tres cosas? No, pero eso ven simultáneamente nuestras tres astrónomas, porque el planeta de la primera está a unos treinta mil años luz, el de la segunda a dos mil años luz y la tercera está ahí al lado pues sólo dista de la Tierra sesenta años luz. Así, cuando escrutamos el cielo, lo que vemos es la historia del cielo, y si lo que vemos está a unos trece mil millones de años luz, es que la luz que recibimos surgió de allí cuando el Universo estaba en su infancia, porque ésa, más o menos, es la edad que tiene.

Estamos acostumbrados, no sé muy bien por qué, aunque lo sospecho, a no fiarnos demasiado de las afirmaciones científicas rotundas. La razón más sana supongo que es porque la ciencia es la que mejor y más frecuentemente se desmiente a sí misma. Pero hay que entender bien lo que significa eso de «desmentirse». Por ejemplo, se dice que la mecánica cuántica derribó los pilares sobre los que se sustentaba la mecánica clásica. Falso. La mecánica clásica es totalmente correcta y a las pruebas me remito: los aviones vuelan se ponga uno como se ponga, los movimientos de los cuerpos celestes se pueden predecir con una exactitud asombrosa, etc. Lo que no se puede hacer con la mecánica clásica es aplicarla a lo que no se debe, entre otras cosas porque no se hizo para explicar los fenómenos que ocurren en ciertos dominios, como el átomo sin ir más lejos. Los físicos inventan entonces otra mecánica, la cuántica, que es rigurosamente exacta. Pero hay algo ineludible en ella: está formulada de manera que si se aplica al dominio para el cual es válida la clásica, ha de dar los mismos resultados, simplemente porque esos resultados son correctos. Con la teoría especial de la relatividad pasa lo mismo: está hecha para explicar los fenómenos que tienen lugar cuando las energías de los móviles son parecidas a sus masas (ya veremos qué significa esto) o, lo que está relacionado, cuando se mueven a velocidades próximas a la de la luz. Pero esas preciosas ecuaciones, en cuanto se aplican a objetos menos energéticos o velocidades más modestas, se convierten en las ecuaciones clásicas. O sea, que el «desmentido» que supusieron esas dos grandiosas teorías, la relatividad y la cuántica, son muy… relativos. Los más desconfiados hacia los descubrimientos científicos, sin la menor duda, son los científicos mismos. Y cuando se aceptan ciertas afirmaciones categóricas, el margen de confianza de que sean correctas es grande. Si se dice que la velocidad de la luz en el vacío es la máxima alcanzable, es verdad y punto. Lo estamos viendo cada día en los grandes aceleradores de partículas. Aún más, sólo viajan a la velocidad de la luz en el vacío aquellas partículas cuya masa es exactamente cero. Se están haciendo descubrimientos sensacionales en el sentido de propagar información en medios materiales a mayor velocidad, y se consiguen hacer experimentos muy ingeniosos; se han elaborado teorías en las que la velocidad de la luz es precisamente la inicial de ciertas partículas (los llamaron taquiones); se especula con los agujeros negros que distorsionan tan extraordinariamente el espacio y el tiempo (recuérdese lo de las lentes gravitatorias) que se sueña con conectar causalmente distintas regiones del Universo. Pero nada de esto último tiene ningún indicio experimental que lo sostenga. Y si me apuran, casi ni teórico. Por tanto, cuando se descubran hechos insólitos o se elaboren teorías con predicciones contrastables con la naturaleza, la velocidad de la luz en el vacío continuará siendo tan insuperable como cierto es que si a un profesor se le cae la tiza mientras explica su clase de física, el trozo de yeso termina en el suelo en un tiempo exactamente igual al predicho por Galileo.

Pido excusas por esta disquisición apasionada del quehacer científico y, como muestra de humildad, expongo a continuación el despiste grandioso que tenemos en cuanto a la acumulación de galaxias que, al fin y al cabo, era de lo que estábamos hablando.

Decía que recientemente se están elaborando mapas del Universo, porque se escruta con precisión creciente desde aquí hasta sus confines. Estos mapas son curiosos, porque aunque todavía sean un tanto burdos, parece que el Universo adopta una estructura filamentosa con grandiosos vacíos. Esto quiere decir que los cúmulos, y supercúmulos de galaxias, cuando se ponen todos juntos, adquieren un aspecto fibroso. Esto es sorprendente pero no demasiado. Hemos dicho, e insistiremos en esa dirección, que el Universo está en expansión. El ejemplo que se pone siempre que se quiere explicar esto es el de un globo hinchándose. Al globo le pintan galaxias o puntos con un rotulador. Al hincharse, los puntos se alejan entre sí. Esta demostración es buena, porque además enseña otras dos cosas dignas de entender bien: que las velocidades con las que se alejan las galaxias depende de lo alejadas que estén entre sí, y que, lo mismo que en la superficie del globo, en el Universo no hay límites por más que tenga un tamaño finito. Para cualquier habitante de la Tierra, su entorno es distinto al de los demás, pero la Tierra es la misma para todos. ¿Me explico? O sea, que el Universo no tiene centro. (Ni la Tierra es el centro de nada, ni el Sol, ni la Vía Láctea, ni... no sigo porque me empieza a oler a chamusquina pensando en Galileo y, peor, en el pobre Giordano Bruno.)

Que el Universo no sea un globo redondo con galaxias distribuidas de forma arracimada sino fibrilar o de colmena, tampoco es para espantarse. A los niños les encantan esos globos extraordinariamente elásticos con los que se pueden hacer, con un poco de habilidad, figuras simpáticas. Recuerdo en particular globos en forma de perros salchicha. Si se hincha un globo así, las galaxias pintadas en él se seguirán alejando en promedio aunque de forma más complicada (algunas incluso se acercan), y el Universo seguirá siendo finito pero ilimitado.

El misterio es el siguiente. ¿Las galaxias se fueron agrupando entre sí durante la expansión debido a la fuerza atractiva de la gravedad o al revés, primero se formó la superestructura fibrilar de manera regular y se está descomponiendo en supercúmulos, cúmulos, grupitos como el nuestro local e incluso galaxias individuales no agrupadas? Ésa es la cuestión y por ahora no tiene respuesta. ¿Por qué? Porque no sabemos lo que es la misteriosa materia oscura de la que ya hemos hablado. Recuérdense los «wimps», los «machos» y todo eso.

Por rara que sea esa dichosa materia oscura que llena el Universo y no la vemos, sólo puede ser caliente o fría. ¿No es esto una frivolidad? Hasta cierto punto sí, pero los físicos tenemos a veces una osadía extravagante y no nos avergüenza, porque de vez en cuando esa osadía ha dado frutos inconmensurables. Por más que las magnitudes del Universo nos den vértigo, lo podemos concebir como un sistema físico familiar y simple. Por ejemplo un gas sencillo confinado en… una nube. En realidad, en cuanto se nos desdibuje la sonrisa, consideraremos que se parece mucho. Comparar una galaxia con una molécula o, aún peor, con una gota de agua, es un atrevimiento, pero ¿por qué no? Pues cómo se condensen esas gotas depende de la temperatura y eso depende a su vez, en buena medida, de la masa de las gotas. Mejor aún, de su densidad (ya sé que en el agua, sea el tamaño de la gota el que sea, la densidad es siempre un gramo por centímetro cúbico, pero el ejemplo puede servir así y todo). Ya hemos pergeñado que las estrellas se forman por «condensación» de nubes errantes de material, y las galaxias hacen lo mismo aunque esas nubes estén formadas por estrellas. Pues a los cúmulos y supercúmulos les ocurre igual aunque su unidad básica sean galaxias completas. En esa «condensación» intervienen la gravitación y lo que se llama energía interna, la cual está directamente relacionada con la temperatura y, a través de ella, con la densidad. Pero si no sabemos la masa real de la materia oscura, no sabemos la densidad y, siguiendo, no sabemos la temperatura, ni la energía interna ni cómo pelea ésta contra la gravitación. Conclusión: no sabemos si fue antes el huevo de los supersupercúmulos y de ahí para abajo, o la gallina de galaxias solitarias, grupos, cúmulos, supercúmulos y así hasta configurar el Universo fibrilar tal como lo conocemos.

Se puede pensar que si ya llegamos a observar los «confines del Universo», lo único que tenemos que hacer para salir del atolladero es observar bien a las galaxias primitivas. Si estas protogalaxias tenían ya una forma parecida a las más cercanas, la hipótesis de que primero fueron las galaxias y después los cúmulos se abriría paso. Si por el contrario, lo que se ve en «la frontera» es un aglomerado más o menos uniforme de galaxias, lo correcto sería pensar que los supercúmulos fueron lo primero en un Universo bastante homogéneamente lleno de galaxias y que éstas se fueron desgajando en cúmulos, grupos e individuos por una degradación paulatina.

Lo que se ha visto hasta ahora no sólo no favorece ninguna de las dos alternativas, sino que complica aún más las cosas, porque para remate, hay unos problemas tremendos en el borde ya que se han detectado algunas protogalaxias que… ¡están más allá! O sea, que la luz que recibimos de ella parece haber salido antes de que naciera el Universo. No puede ser.

Un atisbo de solución nos lo dan las simulaciones computacionales. Metemos en un superordenador los datos conocidos y las leyes que sabemos que rigen bien el Universo. Elaboramos un programa complicadísimo y lo dejamos correr a partir de lo que suponemos que fueron las condiciones iniciales. Lo que sale es que parece que la evolución de la materia galáctica es algo intermedio a los dos extremos apuntados. Parece razonable, porque eso ocurre en muchos aspectos de la vida y la naturaleza, pero no dejamos de estar metidos en un lío. Para salir de él no hay más remedio que seguir teniendo ingenio, paciencia y ganas de invertir dinero en ciencia.

DE LA OSCURIDAD DE LA NOCHE A LA GRAN EXPLOSIÓN

Creo que fue Aristóteles el que tuvo la culpa de que durante muchos siglos no se supiera por qué la noche es oscura. El Universo ha existido siempre, es infinito y contiene una enormidad de estrellas, eso decía el filósofo griego. En lo único que llevaba razón, quedándose corto, era en lo último pues ya hemos visto que el número de galaxias y de estrellas que contienen éstas es mucho más que enorme. Fue un tal Olbers, astrónomo alemán del siglo XIX, el que formuló de manera precisa el problema que había vuelto locos a muchos pensadores. Si se mira al cielo de noche en cualquier dirección siempre se ve una estrella o galaxia tenga la resolución que tenga nuestro telescopio. Si éstas llevan emitiendo luz una eternidad o bien (y además, según Aristóteles) el Universo no tiene límites, la noche tendría que ser tan brillante o más que el día, pues con que una de estas cosas sea infinita, la luz que recibimos de las estrellas tendría que ser infinita. Esta es la llamada *paradoja de Olbers*.

Así pues, el simple hecho de que la noche sea oscura nos indica que el Universo no ha existido siempre, o sea, se generó en algún momento, tiene confines, al menos en cuanto a que más allá de cierto horizonte no hay objetos luminosos y, además, evoluciona. Esto último es lo más sutil. La respuesta a la paradoja se conoce hoy día con certeza: la noche es oscura porque el Universo no sólo no ha existido siempre, sino que tiene una edad no muy avanzada (unos trece mil millones de años), se expande y está nublado a causa de que las estrellas nacen y mueren. Empecemos por el final.

Si entre las estrellas o entre las galaxias existiera materia de alguna clase en forma de átomos, moléculas, motas de polvo o lo que sea (hoy día dicha materia se llama *medio interestelar* y *medio intergaláctico*), ésta absorbería la luz de las estrellas o galaxias que haya detrás de ella y no llegaría hasta nosotros. Sería cuestión de que hubiera un balance apropiado entre la densidad de ese polvo y el número de estrellas para explicar la negrura de la noche. Esto es correcto siempre que, de nuevo, no haya infinitos, porque si no, una luz inagotable o eternamente persistente terminaría excitando o calentando los componentes de esos medios (átomos, moléculas o granos) hasta que brillaran a su vez. Y de nuevo tendríamos la noche brillando con esplendor.

Si el Universo se expandiera, los objetos lejanos a nosotros se harían invisibles a cierta distancia. La luz se puede concebir como una onda (también como conjunto de partículas: los fotones). Desde este punto de vista, sufre lo que se llama *corrimiento al rojo*. Este concepto de tan jocoso nombre es muy sencillo de entender. Cuando el objeto emisor de una onda se acerca hacia nosotros sus valles y crestas se «aprietan» entre sí y cuando se aleja se separan. Esto, llamado *efecto Doppler*, es lo que hace que cuando una ambulancia se acerca su sirena se escuche aguda y cuando se aleja grave. La longitud de onda, distancia entre dos crestas, cuando se trata de luz varía lo mismo al moverse el objeto luminoso pero ahora, a diferencia del caso sonoro, el tono agudo equivale a la zona azul, violeta, ultravioleta, etc. del espectro visible de la luz y la grave al rojo, infrarrojo, etc. Así, cuando una fuente de luz se acerca o se aleja de nosotros tan rápidamente que la longitud de onda se escapa del visible (tan ultravioleta o tan infrarroja que nuestro ojo ya no la percibe), o utilizamos instrumentos sofisticados o no la detectamos porque desaparece de nuestra vista. Así pues, otra posible explicación de la oscuridad de la noche es que el Universo está hinchándose (también valdría la hipótesis de encogiéndose, aunque aparecerían multitud de nuevos problemas) a tal velocidad que a partir de un cierto horizonte las galaxias dejarían de verse y por ello no contribuirían al esplendor nocturno. No es más que cuestión de ajustar números.

Por último, si el Universo es relativamente joven y las estrellas además tienen una vida media razonable y obviamente más breve que la del propio Universo, bien pudiera ocurrir que tampoco fuera tanta la luz que han emitido y emiten como para llenar de luz la noche. Todo esto se conjeturó en los años veinte y treinta del siglo xx con mucha lógica y poca base experimental u observada.

Una actividad deslumbrante en ciencia, en particular en la física, es la predicción. No se confunda el lector respecto a los adivinos, nigromantes, oráculos y demás charlatanes. Se trata de basarse en hipótesis, modelos, teorías y ecuaciones que las describan para obtener resultados que después, cuando se observen o se midan los fenómenos asociados a ellos, dichos resultados coincidan exacta o aproximadamente con los datos reales de la naturaleza. Por ejemplo, un ruso llamado Friedmann (quien, por cierto, era un aparentemente modesto y oscuro meteorólogo) y un belga llamado LeMaître (por cierto, cura), manejando unas ecuaciones deducidas por Einstein de las que ya hablaremos, predijeron que un Universo en expansión que se hubiera generado en un medio denso y caliente hace tantos miles de millones de años, contendría galaxias que estarían separándose entre sí a una velocidad de tantos kilómetros por segundo, lo cual se podría poner de manifiesto si la luz que emiten se desplaza hacia el rojo. Otro ruso, Gamow, remató la faena más tarde (1947) diciendo lo siguiente después de hacer unos pocos cálculos bien hechos: si el Universo se generó como dicen Friedmann y LeMaître, al expandirse el medio denso y caliente originario hasta llegar al punto en que está hoy día, se habría enfriado hasta unos cuatro grados por encima del cero absoluto de temperaturas, o sea, unos 269 grados centígrados bajo cero. No cero, sino cuatro grados absolutos, sería la temperatura del Universo considerado como un sistema físico en su conjunto. Unos tres años más tarde de la predicción de Friedmann y LeMaître, el norteamericano Hubble descubrió el corrimiento al rojo de las galaxias, y en 1965 se detectó la llamada *radiación de fondo de microondas* que mostraba que el Universo estaba a poco menos de tres grados absolutos de temperatura. O sea, que todo esto se generó en una Gran Explosión, nombre que le puso despectivamente a este modelo uno de sus más formidables enemigos, Fred Hoyle (al que mencionaremos a menudo en este libro) y que se le ha quedado hasta hoy. Veamos sucintamente en qué consiste este modelo del origen del Universo, aunque advierto al lector de que no se lo tome como si fuera un modelo más de la física, porque hasta la fecha es el único que tenemos para tan magno acontecimiento y lo describe muy bien a la vez que explica perfectamente sus consecuencias fundamentales.

Comencemos, como debe ser, por el principio, o sea, diciendo qué entendemos por «principio». Para un físico, lo que se generó en principio fue el espacio, el tiempo y la energía. Todo a la vez. Así que preguntas como dónde tuvo lugar la Gran Explosión, qué había antes, etc., no tienen sentido. Son las preguntas que hace siempre algún estudiante con mirada traviesa esperando que el físico de turno tenga que confesar que no lo sabe. Es lo mismo que si, una vez definido lo que es el Polo Norte, alguien pregunta qué hay más al norte de dicho punto geográfico: no es que no haya nada o no se sepa, es que la pregunta es un sinsentido. Si después de la respuesta del físico alguien se queda insatisfecho, no tiene más remedio que ir a la parroquia de su barrio y preguntarle al cura, quien seguramente no tiene el espíritu tan abierto como el de LeMaître.

Así pues, «espontáneamente», una inmensa cantidad de energía en forma de fotones se originó en plan «¡Hágase la luz!». A ese instante contado a partir de ahora hacia atrás, le llamamos t = 0 (tiempo igual a cero) y a partir de entonces empezamos a contar segundos, minutos, años, milenios o eones (miles de millones de años). Con el espacio ocurre lo análogo de manera que ahora sí podemos decir que la Gran Explosión tuvo lugar hace unos trece mil millones de años en un punto arbitrario.

La energía y la materia, como veremos en el siguiente capítulo con detalle, son casi la misma cosa. El casi viene de que en realidad lo que ocurre es que una se puede transformar en la otra. Así, el Universo primitivo era extraordinariamente simple porque sólo había energía en forma de radiación y una sola fuerza que englobaba a las cuatro que se conocen hoy día: la gravitatoria, la electromagnética y las dos nucleares. A esta fuerza primigenia le llamaremos *supergravedad*, porque aunque el nombre esté anticuado es bastante intuitivo. La consecuencia de la Gran Explosión, como las de todo traquido, fue que el espacio y su contenido (radiación) se expandieron. Una expansión implica un enfriamiento y estamos familiarizados con que tal proceso vaya a menudo acompañado de una condensación. Tómese una jeringuilla vacía y sin aguja; tápese su punta y tírese de golpe del émbolo: se formarán gotitas de agua en las paredes interiores de la jeringa al condensarse durante la expansión el vapor atmosférico del aire contenido. Así, la radiación fue «cuajando» en partículas, o sea, la energía se empezó a transformar en materia. Estas partículas eran tan extraordinariamente simples que son las que conocemos como elementales, es decir, que no sólo no se pueden subdividir sino que al agruparse algunos tipos de ellas forman las partículas que nos son familiares. Estamos hablando de electrones, neutrinos y quarks. Las que son como las dos primeras, todavía andan sueltas por aquí libres o ligadas a los núcleos atómicos formando los átomos que a su vez se agrupan en moléculas. Las otras, los quarks, muy, pero que muy pronto, se pegaron entre ellas de dos en dos o de tres en tres (nada más) formando cosas tan conocidas como los protones y los neutrones, que son los que unidos de nuevo entre sí forman los núcleos atómicos antedichos. Estas uniones las provocan algunas de las cuatro fuerzas que ya se han desgajado poco a poco de la única original. Conforme se iba expandiendo el Universo, la condensación se fue acentuando de manera que se fueron formando núcleos algo complejos, no mucho, como el deuterón (un protón y un neutrón), helio (dos protones y dos neutrones) y cosas así. Esta sopa de materia inmersa en un inmenso océano de luz (radiación, porque era de todo el espectro y no sólo del visible por el ojo humano) en expansión galopante continuó agregándose dando lugar a galaxias, estrellas y demás.

Éste es, más o menos, el esbozo de la Gran Explosión, pero para acercar un poco tan simple trazo al retrato de los hechos, vamos a detallar un poco cómo se desarrollaron conjuntamente los tres elementos esenciales que apunté antes: el tiempo, el espacio y la energía. Lo vamos a hacer con una tabla utilizando las potencias de diez, lo cual quiere decir que diez elevado a un número es un uno seguido de ese número de ceros; y diez elevado a menos un número es cero coma ese número de ceros menos uno y un uno. Por ejemplo: 10^4 es 10.000 o sea, diez mil; 10^{-7} es 0,0000001, una diezmillonésima. La energía la mediremos en grados absolutos de temperatura, es decir, –273 °C = 0 °K (°K se refiere a grados Kelvin, porque así se llama esta escala y, aunque hoy día se quita el cerito, lo mantendremos por ahora para no confundir).

Etapa	Tiempo transcurrido (en segundos)	Temperatura (en °K)	Fenómeno físico
1	10^{-43}	10^{30}	Se generan la luz y la supergravedad
2	10^{-35}	10^{28}	Se desacopla la fuerza nuclear fuerte
3	10^{-34}	10^{27}	Comienza la inflación
4	10^{-32}	10^{27}	Fin de la inflación
5	10^{-11}	10^{15}	Se desacopla la fuerza nuclear débil
6	10^{-5}	10^{12}	Los quarks se agrupan en protones y neutrones
7	5×10^{-4}	4×10^{11}	Asimetría barión–antibarión
8	10^{2}	10^{9}	Comienza la nucleosíntesis
9	4×10^{10}	6×10^{4}	La densidad de materia iguala a la densidad de luz
10	4×10^{12}	3.5×10^{3}	Los electrones se combinan con los protones dando átomos de hidrógeno
11	6×10^{12}	3×10^{3}	La radiación se desacopla de la materia
12	2×10^{16}	20	Formación de las galaxias
13	$X - 1,4\times10^{17}$		Formación del sistema solar
14	$X - 9,9\times10^{16}$		Vida en la Tierra
15	$X\ \ 4,7\times10^{17}$	2.726	Hoy

NOTA: La X viene a cuento de que sabemos con bastante precisión *cuánto* tiempo hace que ocurrieron los tres hechos indicados, pero no *cuándo* acontecieron contando el tiempo desde el origen del Universo y no desde ahora.

LA ÉPOCA INFLACIONARIA

El primer retoque serio que hemos de hacerle al boceto del Big Bang presentado en el párrafo anterior le puede parecer al lector motivado por simples ganas de enredar, porque se trata de perfilar qué ocurrió entre 10^{-34} y 10^{-32} segundos después del origen del Universo.

Lo que pasó antes de este casi inconcebiblemente breve lapso de tiempo trae de cabeza a muchos físicos, pero la resolución del problema seguramente va para largo porque exige formular en un mismo cuerpo de doctrina la gravitación y las otras tres fuerzas en la que hemos llamado supergravedad. O sea, hay que construir una teoría que englobe coherentemente la teoría general de la relatividad y la mecánica cuántica en su versión más completa y sofisticada: la teoría cuántica de campos. Tarea harto difícil porque además su confirmación experimental no está claro que se pueda llevar a cabo así como así.

Lo que ocurrió después del intervalo de tiempo mencionado es historia relativamente bien conocida, así que lo decisivo fue lo que tuvo lugar en esa «era» porque es lo que nos puede dar una visión apasionante del mundo y de nuestro lugar en él.

Empecemos por mostrar cómo y por qué se descubrió que debió haber una transición fulminante y portentosa casi al principio de la generación del Universo. El lector debe pensar, si lo desea hacer en términos de tamaños familiares, que estamos hablando de cuando el Universo era prácticamente puntual (no un punto, cuya dimensión es cero, sino algo tan diminuto que si un protón fuera como el Sol estaríamos hablando de una esferita del tamaño del protón de verdad) hasta que creció alcanzando el porte, otra vez, de una perla. Digiera el lector con calma lo que acaba de leer.

A finales de los años setenta, muchos físicos se percataron de que una explosión simple, por muy formidable que fuera la cantidad de energía que entrara en juego, no podía llevar a un Universo tal como lo conocemos. Explicaba infinidad de cosas, entre las cuales había tres decisivas: la radiación de fondo, la abundancia de elementos ligeros (desde el protón y el neutrón sueltos hasta el litio y el berilio que tienen neutrones y protones en un total de siete) y la expansión de las galaxias, pero lo hacían incompatible con el sentido común. Por ejemplo, la radiación de fondo muestra (demuestra) que en un pasado el Universo estuvo extraordinariamente caliente y que ahora se ha enfriado tanto como para que sólo irradie la energía correspondiente a esos 2.726 °K. Y esto cuadra perfectamente con todo lo teorizado y observado, salvo con algo que lo invalida totalmente y es lo siguiente.

Se observe el cielo en la dirección que se observe, la temperatura de esa radiación de fondo es exactamente la misma dentro de un margen de error de una diezmilésima de grado. Semejante uniformidad es imposible que la alcance un sistema en expansión tan vertiginosa como tuvo que hacer el Universo primitivo hasta alcanzar el equilibrio actual. Esto viola muchas leyes de la física, pero en particular se puede pensar en lo que sigue (que tiene mucho que ver con el sacrosanto principio de causalidad, que, así para andar por casa, enunciaremos como que ningún efecto puede preceder a la causa que lo provoca). Ninguna información o proceso físico puede transmitirse a una velocidad superior a la de la luz en el vacío. Así, en un Universo de edad finita, la que sea, nada ha podido llegar más lejos de lo que alcanzaría la luz durante ese tiempo. Esto define un horizonte, ¿no? Pues el tamaño del Universo conocido es muchas veces mayor (unas cien veces) que cualquier horizonte. No se ha entendido, así que vayamos al román paladino. Medimos la temperatura del fondo en una dirección. Nos sale 2.726 °K. La medimos en la dirección opuesta; nos sale 2.726 °K. La distancia entre el punto más lejano de la primera dirección y el de la segunda es cien veces mayor que la recorrida por la radiación emitida desde esos puntos desde que nació el Universo. ¿Cómo se han «puesto de acuerdo» las regiones definidas por esos dos puntos para estar exactamente a la misma temperatura si cualquier «mensaje» no ha tenido tiempo de intercambiarse entre ellas en un Universo en expansión?

Hay otros problemas tan arduos como el anterior para aceptar que esto se originó en una explosión tal como entendemos que son las explosiones. Sin ir más lejos, ¿cómo se han podido formar las galaxias en el seno de un Universo tan extraordinariamente uniforme? Pero sin necesidad de seguir apuntando problemas, vayamos a la solución del rompecabezas porque es tan simple que asombra. Si durante la pequeñísima fracción de segundo apuntada el Universo se expandió de manera tan galopante (se dice exponencial) como la indicada, es decir que pasó de una minúscula esferita a una bola de un centímetro de diámetro, o sea, aumentó su tamaño 10^{50} veces estando en equilibrio su densidad, temperatura y otras magnitudes, se arreglan todos los problemas como por ensalmo. Esta es la inflación. Después, la expansión del Universo sigue siendo tan lineal (normal) como indica el modelo tradicional del Big Bang. Antes y, sobre todo, durante el vertiginoso crecimiento inflacionario, el contenido del Universo, esencialmente radiación, alcanzó la homogeneidad (junto con pequeñas inhomogeneidades que dieron origen con el tiempo a galaxias y todo lo demás) que hoy vemos que posee.

¿No es esto un artificio intelectual forzado y raro? Lo es, pero sus consecuencias son tan sublimes que todos los cosmólogos aceptan que los perfeccionamientos futuros que se hagan a la explicación del origen del Universo tendrán que englobar las predicciones dadas por el modelo inflacionario.

Antes de describir lo que pasó con la radiación y la materia, el lector debe imaginar bien cómo se desarrolló la inflación.

LA EXCITACIÓN DEL VACÍO

Piénsese en cierta cantidad de agua que llega al punto de ebullición. Las burbujas se generan de manera tumultuosa y su crecimiento, desde «nada», es casi instantáneo. Si nos concentramos sólo en el vapor de agua, el agua líquida, por qué no, la podemos considerar el vacío. Es un vacío raro sí (está «lleno» de algo), pero desde el punto de vista del vapor, no hay otra cosa porque las moléculas en ese estado no tienen ni idea de que pueden estar en otro, el líquido. Llamemos *vacío falso* a la sede (el agua en este caso) en cuyo seno se expande el *vacío verdadero* (el interior de la burbuja).

La burbuja, llamémosla universal, por lo pronto no tiene por qué ser única, primer pasmo a superar por el lector, ya que puede haber otras, muchísimas, sin tener el más mínimo contacto entre ellas. Sí, esto significa que puede haber una infinidad de universos sin posibilidad de intercomunicación. ¿Tiene sentido esto? Tanto que lo contrario, es decir, un Universo único, se da de bofetadas con la mecánica cuántica que ya veremos cómo de maravillosa (y exacta) es. Porque una de las consecuencias de tan perfecta teoría es que el vacío puede fluctuar espontáneamente sin necesidad de absolutamente ningún factor externo. Esto no es opinable: se detecta en el laboratorio y los resultados concuerdan perfectamente con los predichos por la teoría. Quiere esto decir que en el vacío definido como ausencia de materia, ésta puede surgir al azar siempre que el contenido energético sea el apropiado y suficiente.

Las cosas se pueden imaginar que sucedieron de estas maneras. En el seno de un vacío perfectamente simétrico (ya veremos qué es esto), homogéneo, regular, liso, suave, lo que se desee que lleve a la «perfección» siempre que se considere que es extremadamente energético (como el agua a 100 grados salvo que ahora estamos hablando de 10^{27}), surge espontáneamente una fuente de energía. Se forma así la semilla de una burbuja. No es ni la primera ni, mucho menos, la única. En estas condiciones, el vacío falso, según la teoría general de la relatividad, actúa como una portentosa presión negativa que hace que la burbuja en cuyo interior las partículas se materializan espontáneamente adquiriendo masa, se expanda de manera rauda. Esta es la breve fase inflacionaria. Conforme la burbuja se infla, a una velocidad que se calcula que puede ir desde la mitad de la de la luz hasta esa misma velocidad, se va enfriando y, de alguna manera degradando, es decir, la simplicidad del vacío falso se complica porque de la única fuerza presente, la que llamamos supergravedad, se van desgajando paulatinamente las cuatro fuerzas que conocemos hay día; la fauna de partículas elementales, en particular los quarks y los leptones (como el familiar electrón) se va ampliando como «gotas» materiales condensadas a partir de la radiación (la luz) y todo lo que veremos a continuación que está enumerado en la tabla anterior. El caso es que se establece un vacío verdadero asimétrico, rico en fuerzas y partículas, y, por supuesto, radiación, en expansión en el seno de un vacío falso y perfecto.

¿POR QUÉ HAY ALGO EN LUGAR DE NADA?

Esta pregunta la formuló apropiadamente por primera vez Leibniz, el matemático y filósofo alemán coetáneo (y enemigo) de Newton que descubrió el cálculo infinitesimal seguramente antes que el inglés. La respuesta tradicional a la preguntita de marras es que hay algo en lugar de nada porque Dios así lo quiso. Bueno, les digo a mis alumnos que arguyen tal hipótesis, pero en tal caso hemos de admitir que Dios es ligeramente zurdo, o, aún más divertido, moderadamente de izquierdas. Tan monstruosa herejía viene a cuento de lo siguiente.

Cuando la energía se convierte en materia a razón de $E = mc^2$, fórmula que estudiaremos pronto con detalle, lo hace de una manera curiosa. Un fotón (la partícula de luz o, como siempre, de radiación para ser precisos) se convierte en un par de partículas con masa. Estas dos partículas materiales tienen prácticamente todas sus características iguales salvo unas pocas que son de signo opuesto. Por ejemplo, la carga eléctrica: una la tiene positiva y la otra negativa. Se dice que se ha formado un par partícula-antipartícula. Y si una partícula se encuentra con su antipartícula, se desintegran ambas dando luz, o sea, energía, de acuerdo exacto con la famosa fórmula anterior. Así, la energía inicial de uno de los universos posibles, el nuestro sin ir más lejos al que seguiremos llamando el Universo, fue cuajando en pares de partículas y antipartículas que a su vez se aniquilaban dando luz en un vacío verdadero en expansión en el vasto océano de vacío falso.

Las propiedades gravitatorias de las antipartículas parecen ser iguales que las de las partículas, aunque está conjeturado que bien se podrían repeler en vez de atraer, pero esta incertidumbre no importa demasiado para lo que vamos a exponer. Si durante la inflación hubo equilibrio, el Universo no podía ser más que de luz: nada de materia. La única posibilidad es que, quizá por ese hipotético carácter repulsivo de la gravedad entre partículas y antipartículas, inmensas regiones del Universo se hubieran formado de materia (con átomos formados por protones, neutrones y electrones) e inmensas regiones de antimateria (con átomos formados por antiprotones, antineutrones y antielectrones). Pero no, por más que se ha buscado, y ya tendría que haberse encontrado, no hay fuentes de radiación que provengan de la aniquilación de materia y antimateria de las fronteras que sin duda tendrían que existir entre esas dos clases de regiones. Así pues, se admite que en el Universo hay materia (obvio) pero no antimateria. Más concretamente: el Universo está formado por materia y radiación a razón de una partícula por cada mil millones de fotones y nada de antipartículas. ¿Cuándo, cómo y por qué tuvo lugar ese desequilibrio?

Cuándo es fácil de averiguar: entre el final de la inflación y una diezmilésima de segundo después del Big Bang. Son las etapas 5, 6 y 7 de la tabla. Tuvo lugar cuando la fuerza nuclear débil se desacopló de la electromagnética (la fuerte se desgajó mucho antes) y los quarks se fueron agrupando de dos en dos y de tres en tres para dar lo que se llaman *bariones*, que son partículas compuestas entre las que las más famosas son nuestros queridos protón y neutrón que forman los núcleos de los átomos de que estamos hechos.

El cómo se produjo el desequilibrio entre bariones y antibariones es más complejo pero se puede entender. Entre otras cosas gracias a un gran físico ruso, Sajarov, que fue premio Nobel... de la Paz, ya que se hizo más popular como disidente del régimen soviético que como físico. (En el mundo de la física Sajarov era lo contrario: un magnífico físico nuclear que, como casi todos, disentía políticamente del gobierno de su país.) Pues bien, Sajarov formuló tres condiciones que debían cumplir cualquier modelo o teoría que tratara de explicar la asimetría entre bariones y antibariones. La más restrictiva de ellas permite que hoy día se tenga bastante certeza de cómo ocurrió el afortunado desequilibrio.

Al irse expandiendo la burbuja, ya a un ritmo normal, cuando los quarks y los antiquarks virtuales del vacío falso adquirían masa al verse embebidos en el vacío verdadero de su interior, lo hicieron de una manera curiosa: un quark de cada mil millones de parejas de quarks y antiquarks, sobrevivió, y todos los demás se aniquilaron dando radiación.* Y esto sucedió porque la ley que rige la conversión de materia y antimateria en fotones (y viceversa), no es exactamente simétrica sino ligerísimamente asimétrica. Gracias a este leve desequilibrio, que hace tiempo que se ha constatado en el laboratorio, junto con las otras condiciones impuestas por Sajarov, en el Universo existe algo material en lugar de sólo luz (radiación).

El lector no debe asombrarse de que ligeras propiedades de simetría den lugar a grandes efectos. Por ejemplo, el ácido ascórbico, la popular vitamina C, se presenta en dos formas llamadas levógira y dextrógira cuya única diferencia es que son como un objeto y su imagen en un espejo. Pues una ayuda a combatir el resfriado y la otra no. Aparcar un coche entre otros dos que han dejado el sitio justo, exige varios volantazos más que desaparcarlo del mismo lugar. Si apretamos un tornillo con un destornillador, la imagen en un espejo de tal maniobra tendría que estar aflojándolo. Y cosas así.

Por supuesto, los conceptos de derecha e izquierda, positivo y negativo, etc., son convenciones que hemos establecidos los físicos y que obviamente son intercambiables, pero puesto que la conven-

---

* Este número está en discusión. Cálculos llevados a cabo por el autor junto con Belén Gavela y Olivier Pène, mencionados en el capítulo 1, conjugando el llamado modelo estándar de la física de partículas con el modelo inflacionario, dan unas proporciones mucho menores, pero suficientes para explicar la presencia en el Universo de un barión por cada mil millones de fotones y prácticamente ningún antibarión.

ción está ahí y ya estamos acostumbrados a ella, la izquierda resulta favorecida en todos estos procesos respecto a la derecha. Fue sin intención, pero el caso es que lo de zurdo o de izquierdas de la hipótesis divina queda como se ha dicho.

EL DIVORCIO DE LA RADIACIÓN Y LA MATERIA

Han pasado ya unos tres minutos después del Big Bang. Estamos en la etapa 8 de la tabla. Nuestro Universo sigue expandiéndose, y por tanto enfriándose, alcanzando el considerable tamaño de decenas de miles de kilómetros. Sigue siendo una «bola» radiante (hacia dentro, porque fuera no hay nada) a unos mil millones de grados de temperatura. La energía de la radiación es aún muchísimo mayor que la de las pocas partículas que han sobrevivido a la enloquecida aniquilación de pares partículas-antipartículas. Éstas, sobre todo los quarks más ligeros, se han ido agrupando de tres en tres dando los familiares neutrones y protones. Los electrones electrizan aún más el ambiente aunque contrarrestando las cargas positivas de los protones.

Muchos protones y neutrones chocan entre sí a pesar de la disparatada expansión, y la fuerza nuclear los une indisolublemente dando lugar a los núcleos más ligeros: el *deuterio* (un protón y un neutrón), el *tritio* (un protón y dos neutrones), el helio (dos protones y dos neutrones), el litio (tres protones y cuatro neutrones) y se acabó, la temperatura (como medida de la energía que ha de convertirse en materia) y la distancia sobrepasan unos umbrales que hacen imposible que la nucleosíntesis, o sea, la formación de núcleos más pesados por agrupaciones de protones y neutrones, prospere. Si medimos la abundancia que tiene el Universo de estos núcleos ligeros veremos que coincide pasmosamente bien con la abundancia calculada que tendría que haberse producido en este marco.

Al cabo de mil años en este plan de expansión y producción de núcleos ligeros, el Universo se ha enfriado hasta tal punto (unos sesenta mil grados) que la energía de la luz, aún reina y cegadora, iguala

Partículas elementales

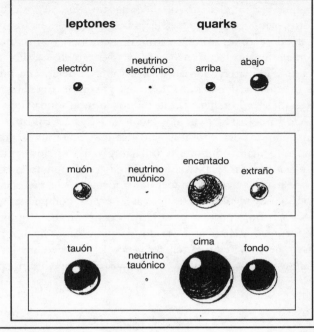

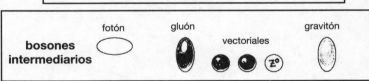

Fig. 7. *Esquema de las partículas elementales. Toda la materia estable e inestable está constituida por tres clases de partículas: los leptones, los quarks y los bosones intermediarios. Los dos primeros están agrupados en tres familias análogas que siguen el mismo modelo: una partícula, un neutrino asociado a ella y dos quarks. Los bosones intermediarios son los responsables de las fuerzas establecidas entre todas las partículas: el fotón de la electromagnética, el gravitón de la gravitatoria, los gluones de la nuclear fuerte y los vectoriales de la nuclear débil.*

a la que aportan los veloces núcleos y partículas. Ya no va a ser posible que la luz siga cuajando en partículas materiales.

Transcurren unos cientos de miles de años, durante los cuales los electrones han quedado unidos electromagnéticamente a los núcleos produciéndose así los primeros átomos, y entonces ocurre un fenómeno majestuoso: el Universo se hace transparente. Se dice que la radiación y la materia se han desacoplado, es decir, que ninguna puede transformarse en la otra. Esta luz, que entonces estaba a unos 3.000 grados, es la radiación de fondo de microondas que se irá enfriando hasta los 2.726 grados que tiene en la actualidad.

Los gránulos de inhomogeneidades que, por muy ligeras que fueran, se formaron durante la inflación, van a ser los centros de condensación de las galaxias. En el seno de estas grandiosas agrupaciones de materia ligera se empezarán a formar las primeras estrellas a un ritmo muy vivo. Estas estrellas azules estarán compuestas sólo de hidrógeno, helio y poco más. El Universo es aún muy simple. Para que se formen los elementos pesados de que estamos hechos han de morirse muchas de estas estrellas jóvenes después de haberlos cocinado en sus entrañas. Esa es la verdadera y apasionante historia de este libro.

4

El corazón del Universo: el núcleo atómico

Quien sueñe con una fuente de energía a partir de las transformaciones de los núcleos atómicos está delirando.

Lord Rutherford, 1934

Desde hace algunos años se ha puesto de moda en el mundo de la física nuclear y de partículas, así como en el de la astrofísica y la cosmología, hablar de Ouroboros. Es un símbolo del antiguo Egipto que representa una serpiente que se muerde la cola. Se la muerde para devorarse y renacer por sí misma. Se dice que los antiguos lo consideraban como la expresión perfecta de la unidad de las cosas que nunca desaparecen, sino que sólo cambian en ciclos eternos de creación y aniquilación. Con esta carga de misterio, no es de extrañar que fuera un símbolo muy querido por los alquimistas. El signo del infinito, como un ocho tumbado, también tiene su origen en esa serpiente. Un tipo tan racional como su propio nombre indica, Friedrich August Kekulé von Stradonitz, dijo que tuvo la idea de ligar los átomos de carbono para obtener el anillo del benceno por una visión de Ouroboros que tuvo en sueños. Cosas más raras se dicen.

Fig. 8. *Símbolo antiguo de Ouroboros, la serpiente que se muerde la cola.*

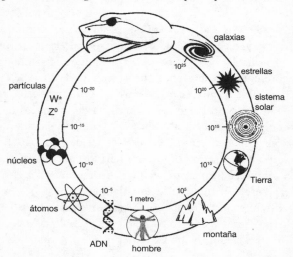

Fig. 9. *Símbolo moderno de Ouroboros. En potencias de diez se representan las dimensiones en metros de distintos sistemas materiales.*

El caso es que ese símbolo se utiliza hoy día para ilustrar que lo infinitamente grande y lo infinitamente pequeño están estrechamente relacionados. Como hemos visto, las condiciones físicas de energía, temperatura, densidad, simetría, etc., que hubieron de darse para que se originara el Universo tal como lo conocemos, son las mismas que se reproducen en los aceleradores de partículas y, por ello, el estudio de lo más elemental, las partículas constituyentes de la materia y las fuerzas y leyes que gobiernan su comportamiento, es lo que puede explicar el inicio de todo. Esas serían la cabeza y la cola de la bicha cósmica.

El siguiente escalón de la materia después de las partículas elementales son los núcleos atómicos, y la física nuclear es la que explica la formación y funcionamiento de las estrellas que forman las galaxias. Los átomos y las moléculas están relacionados ya con los planetas, las rocas que los forman y los seres vivos. Puesto que nos encaminamos hacia el origen de la materia que nos es indispensable para vivir, la zona cercana a la cabeza Ouroboros que hemos de estudiar es la de las estrellas y, por tanto, el núcleo atómico que es la zona que le corresponde en la cola. Como éste es el centro del átomo, no tenemos más remedio que hablar de él, porque, además, eso nos va a enseñar algo de la física que también rige al núcleo: la mecánica cuántica.

El átomo y la mecánica cuántica

¿Recuerdan que no me quise meter con los filósofos? Es no sólo porque son gente honesta y aguda, sino porque con frecuencia han acertado. Lo cual tiene un mérito indescriptible, puesto que las únicas armas que han usado son la lógica, el lenguaje y la imaginación. Y mucho ingenio.

En el siglo v a.C., Demócrito, Parménides y después muchos más, hablaban de los átomos con una frescura que aturde, porque hoy día sabemos que no iban muy desorientados. Decían, y por eso los bautizaron así, que eran los eslabones de la materia en el sentido de que no se podían dividir. Eso es lo que quiere decir, como sabemos, la palabra átomo. Pero les atribuyeron muchas más propiedades que son cualitativamente correctas. Que los hay de distintas clases, que se agrupan de forma específica para dar la variedad de materia que existe, que... Un montón de aciertos. Por eso, aunque hoy día los átomos no sólo son divisibles sino que los concebimos como unos tinglados formidables nada elementales, yo, por respeto a los filósofos griegos, los definiría como la parte de la materia que no se puede dividir sin liberar cargas eléctricas. Es una definición casi tan simple y bonita como la que formularon los antiguos, pero un poco más correcta.

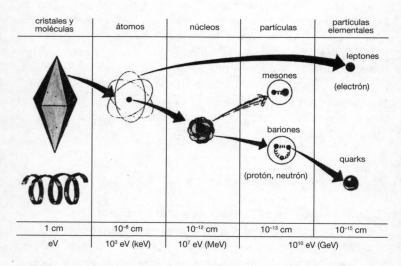

cristales y moléculas	átomos	núcleos	partículas	partículas elementales
1 cm	10^{-8} cm	10^{-12} cm	10^{-13} cm	10^{-15} cm
eV	10^3 eV (keV)	10^7 eV (MeV)	10^{10} eV (GeV)	

Fig. 10. *Los sistemas y constituyentes del microcosmos. Se dan las dimensiones características de cada uno en centímetros y las energías que entran en juego en sus dominios expresadas en electrón-voltio, esto es, la energía que adquiere un electrón al ser acelerado por una diferencia de potencial de un voltio. La k indica kilo, la M, mega y la G, giga, o sea, mil, millón y mil millones, respectivamente.*

El átomo está formado, en primera instancia, por el núcleo y la nube electrónica que lo envuelve. Ya que estamos hablando de elementalidad en el sentido de indivisible, o sea, de algo que no está compuesto por nada más simple, diremos que los electrones son elementales y los *nucleones*, que así se llaman indistintamente a los protones y neutrones que forman el núcleo, están constituidos por otras partículas. En concreto, por *quarks* y *gluones*. El lector ya está perdido con tanto nombre. No pasa nada, baste entender, por ahora, que los electrones y los quarks son elementales, o sea, que el átomo hoy día se puede dividir, pero que no está tan lejos de la elementalidad soñada por los griegos.

La imagen que se da del átomo en anuncios, logotipos de empresas, etc., es de un núcleo redondo con unas pocas órbitas elípticas en torno a él. Algo así como un diminuto sistema solar. Nada hay más lejos de la realidad. En la escuela nos explicaron que en el núcleo hay protones, que son muy pesados y tienen carga eléctrica positiva, y neutrones, casi igual de pesados pero sin carga eléctrica, o sea, neutros. Y en torno a este núcleo «giran» los electrones que son casi dos mil veces más livianos que aquellos pero tienen igual carga eléctrica que los protones aunque de signo opuesto, o sea, negativa. Hay el mismo número de electrones que de protones y por eso el átomo, en su conjunto, es neutro. Por eso definía yo al átomo, generosamente, como lo definía, porque si se divide, surgen cargas eléctricas por todos lados.

Seguramente, algún alumno listo le preguntaría al maestro que, si las cargas eléctricas del mismo signo se repelen y las de signo opuesto se atraen, ¿cómo podían convivir en el núcleo los protones sin repelerse y esparcirse por todas partes? El maestro, adustamente, respondería que porque los neutrones y los protones están atraídos entre sí por una fuerza mucho más poderosa que la repulsión eléctrica: la *fuerza nuclear*. Correcto, pero de esto hablaremos más tarde, ya que ése es el dominio nuclear y ahora interesa saber cómo es el átomo, y a éste quienes le dan carácter son los electrones. Sigamos pues con lo del minisistema solar.

Lo que rige el movimiento de los planetas en torno al Sol es la fuerza atractiva de la gravedad. El Sol tiene una masa tan portentosa con respecto a la de los planetas que era realmente tentador suponer que el átomo era una reproducción del sistema solar. Los electrones ligeros se moverían en torno al poderoso núcleo gobernado por la fuerza eléctrica, de carácter tan atractivo entre cargas de signo opuesto (los protones y los electrones) como la gravitatoria, y con algunas propiedades más análogas. La fuerza eléctrica es de mucha mayor intensidad que la gravitatoria, pero eso lo único que haría sería quizá explicar por qué los átomos son tan pequeños y el sistema solar tan grande. Pues aquí viene el fallo grande. Resulta que una partícula cargada eléctricamente, cuando se acelera, emite energía radiante. Un movimiento circular o elíptico implica una aceleración continua. Si los electrones pierden energía mientras giran, no se pueden mantener indefinidamente en su órbita y terminarán cayendo sobre el núcleo. Efectivamente, si se calcula cuánto tardarían los electrones de un átomo en caer sobre el núcleo, nos saldría una fracción pequeñísima de segundo. O sea, que en contra de toda evidencia, la materia sería tan inestable que tendría que haber desaparecido muy poco después de que se creara el Universo. El modelo planetario aplicado al átomo no valía.

Los físicos de principios del siglo pasado estaban cometiendo el error que apuntamos en el capítulo anterior: aplicar la mecánica clásica donde no se debe. Hubo que inventar la mecánica cuántica. Prevengo al lector de lo siguiente. Llevo muchos años explicando mecánica cuántica y, aún así, cuando me exaspero con algunos alumnos, ni mucho menos lerdos, termino sentenciando la atroz y acientífica conclusión siguiente: «La mecánica cuántica no es cuestión de entenderla, sino de hacerse a la idea». Esto, curiosamente, en vez de exasperarlos a ellos, los tranquiliza. Y es porque la mecánica cuántica tiene tantos matices conceptuales que incluso entre los que la manejamos profesionalmente surgen de vez en cuando problemas que nos provocan discusiones interminables. Así pues, si al final de lo que sigue el lector está hecho un lío, que no se preocupe, ha de retener sólo lo más importante que será lo que nos explique muchas cosas de las que pasan en el Universo, en particular, cómo viven y, sobre todo, cómo mueren las estrellas, que es a lo que vamos.

En mecánica cuántica no se trata con certezas, sino con probabilidades. Ya empezamos.

Imaginemos unos extraterrestres (de estos tipos ya hablaremos al final del libro) que llegan a España y sitúan su nave espacial a una altura desde la que ve el país en su conjunto. Lo escudriñan atentamente y concluyen, alborozados, que ya entienden el mapa de carreteras que se habían agenciado antes de hacer el viaje. Allí están cada pueblo y ciudad con su nombre y tamaño proporcional al real, las carreteras con sus indicaciones kilométricas, todo. Efectivamente, la correspondencia entre la realidad y el mapa es fantástica. Uno de los extraterrestres, el más joven, alerta a los otros con júbilo creciente que un tren va de un punto a otro a toda pastilla. Localizan en el mapa la línea férrea. El capitán, que es un físico veterano, le propone al joven que calcule cuánto tardará en llegar el tren a la ciudad más cercana. El joven escruta el tren con sus instrumentos, consulta el mapa, manipula el ordenador de a bordo y contesta que, si sigue como va, el tren tardará veintidós minutos y ocho segundos en llegar. Si acelera o frena, no pasa nada, podrá calcular igualmente lo que le pida el capitán. Lo que está haciendo el chaval es aplicar unas leyes deterministas, es decir, que si conoce las condiciones iniciales de un movimiento y sus características, podrá predecir con rigor la dinámica del sistema que sea aplicando las ecuaciones clásicas que aprendió en la escuela. El capitán le da palmadas de aprobación en el hombro. Los extraterrestres «clásicos» se van a otro planeta a seguir disfrutando de su navegación.

Ahora llega a España una nave espacial tripulada por extraterrestres «cuánticos», mucho más adelantados que los anteriores. Y llegan, nada menos, que un 22 de diciembre. Sitúan la nave a la misma distancia que los otros, pero observan el país con medios mucho más poderosos. Con la televisión, por ejemplo. Interceptan las emisiones terrícolas y desprecian trenes, mapas de carreteras, paisajes y demás, interesándose profundamente en el sorteo de la lotería de Navidad, porque eso sí que es apasionante.

No les cuesta más de media hora enterarse de las reglas básicas del juego aunque sepan que algunos datos fundamentales son muy difíciles de conseguir. Por ejemplo, si se sortean sólo los números que se han vendido. El capitán le pregunta ahora al más novato de los tripulantes, con un punto de displicencia, qué le parece el asunto. El joven dice que un buen modelo de la situación es que el gordo no le toca a nadie. El capitán dice que muy bien, porque un modelo teórico cuyas predicciones coincidan en un gran porcentaje con lo que ocurre en la realidad es un buen modelo, pero puede ocurrir que las aproximaciones en las que se basa el modelo enmascaren totalmente lo más sustancial de la realidad. Como una de las tareas del capitán es aleccionar a los jóvenes tripulantes, porque el vuelo espacial que están haciendo es de entrenamiento, les dice que tracen un mapa de España en función de las probabilidades de que los habitantes de ese extraño país acierten en el sorteo. Se ponen todos a la tarea y, como no sólo son capaces de interferir las cadenas de televisión sino también los ordenadores de las administraciones de lotería e incluso el ordenador central de la Dirección General de Apuestas del Estado, en sólo un rato tienen en la pantalla del ordenador de a bordo un extraño mapa de España. Los contornos y las situaciones de las ciudades son parecidos a los mapas de carretera que llevan y han menospreciado, pero el país tiene un aspecto muy distinto. Un puntito rojo indica diez euros jugados a cualquier número por un habitante. Los jóvenes extraterrestres han descubierto una ley: mientras más números distintos juegue un habitante, más probabilidad tiene de que le toque el gordo. Y otra más sutil: mientras más dinero haya invertido en cada número, mayor será el premio que obtenga si le toca. Todo ello se refleja en el mapa con puntitos más gordos y de color más intenso. El mapa presenta una correspondencia clara entre las ciudades, pueblos y aldeas con los del mapa de carreteras, aunque ninguna de éstas aparezca salvo que unos puntitos móviles, los jugadores que van en coches o trenes, surcan el mapa por todas partes.

Pero en general es un mapa bastante «estático». Los extraterrestres ya están contagiados de la excitación de los terrícolas españoles. De repente, a media mañana, sale el número agraciado con el gordo. El mapa se altera en la pantalla del ordenador de la nave. Todos los puntos se apagan y sólo destellan espléndidamente unos pocos localizados en cierta zona que resulta ser un pueblecito de La Rioja. Los extraterrestres brindan por los ganadores con un extraño licor y se largan a otro sistema estelar.

Pensemos en el átomo de hidrógeno. Es el más simple y abundante del Universo, porque consiste en un protón que hace de núcleo y un electrón, casi dos mil veces más ligero que dicho protón, como hemos dicho, que se mueve en torno a él por todas partes. ¿Dónde está el electrón en cada momento? No se sabe. Puede estar en cualquier parte y lo único que sabemos de él es su distribución espacial de probabilidad de presencia. Así, la imagen que tendrá el átomo de hidrógeno será cualquier cosa salvo un protón en torno al cual gira velozmente un electrón. Será más parecido al mapa de la lotería de Navidad de los extraterrestres cuánticos. Dependiendo de la energía del electrón, la única imagen que podremos tener de él serán aquellas distribuciones de probabilidad de aspecto más o menos bizarro. Y si queremos saber fehacientemente dónde está el endiablado electrón, no tenemos más remedio que medir para localizarlo. Mandamos una «sonda», la que sea, a explorar el átomo, y cuando terminamos el experimento concluimos que el electrón estaba en tal sitio concreto. ¿Dónde está la gracia de la mecánica cuántica si, a diferencia de cómo predicen las ecuaciones clásicas el movimiento de un tren, ésta no es capaz de predecir el movimiento de un simple electrón? En que las ecuaciones de la mecánica cuántica dan con todo rigor la probabilidad que tiene el electrón de estar en cualquier parte. O sea, que si decimos que en tal sitio hay una probabilidad de encontrarlo del 17,931 %, al repetir el experimento anterior cien mil veces, con cien mil átomos de hidrógeno distintos, aproximadamente 17.931 veces encontramos al electrón en ese lugar. Lo de «aproximadamente» se va esfumando conforme aumentamos el número de medidas, de manera que mientras mayor sea éste más nos acercamos al resultado exacto de 17,931%. No está mal, ¿no? Sobre todo teniendo en cuenta que nuestros experimentos se hacen normalmente con muestras macroscópicas donde el número que impera es el de Avogadro: casi un cuatrillón. Y esto ocurre no sólo con la posición, sino con la energía, la velocidad, etc.

Pero estas certezas tan exactas están sometidas a un problema gordo. Todo lo dicho hasta ahora está muy bien, pero ni se nos ocurra planear un experimento para medir simultáneamente ciertas magnitudes tan sencillas como las anteriores. Por ejemplo, dos de las que hemos dicho: la posición y la velocidad, están sometidas a lo que se llama el *principio de indeterminación*. Toda la precisión con que podamos medir una es a costa de la imprecisión que tendremos al medir la otra. Ya la liamos. Hay que llegar a compromisos. Si lo que queremos es determinar a qué velocidad exacta va el electrón, olvidémonos de saber dónde se encuentra. Y si queremos saber con precisión, como antes, dónde está, lo conseguiremos, pero a costa de no tener ni idea de qué velocidad lleva. Así son las cosas.

Pero esto que parece una limitación apabullante, podemos hacer que se vuelva a nuestro favor. Por ejemplo, como sabemos el tamaño que tiene el átomo, o el núcleo, pues ya sabemos que, por lo menos, en esa región está la partícula que sea. Así, sin más, gracias al principio de indeterminación, sabemos aproximadamente a qué velocidad se mueve. Y eso es importante en muchísimas ocasiones.

¿Cómo se describen las probabilidades y cómo sacar las máximas ventajas de las incertidumbres? Con funciones matemáticas que tienen cierta distribución espacial, o sea, que no describen un punto sino una zona más o menos grande, y empleando el ardid de que lo que no sepamos de una cosa, lo sabemos de otra.

Vamos con el átomo de helio que, recuerdo, es el segundo elemento más abundante del Universo después del omnipresente hidrógeno. Tiene dos protones y dos neutrones en su núcleo y dos electrones en su nube («nube» de probabilidad) electrónica. No tenemos ni idea de dónde están esos dos electrones, sino que andan por allí confinados en el tamaño del átomo de helio. Pero ahora cambian las cosas de una manera curiosa con respecto a cuando había sólo un electrón. Las distribuciones de probabilidad de presencia de cada uno se solapan con las del otro. O sea, que en un punto concreto del espacio hay cierta probabilidad de encontrar a uno, y otra de encontrar al otro. Si hacemos un experimento y encontramos a un electrón en el lugar que hemos explorado ¿cuál de los dos electrones es? No lo sabemos. ¿Qué importa que sea uno o el otro? Tanto importa que esto nos lleva a establecer uno de los principios más bellos de la naturaleza: el *principio de exclusión*. Hay que entenderlo, porque la naturaleza es como es gracias a la inviolabilidad de este principio. Pero entenderlo, advierto, es difícil porque no tiene parangón clásico alguno.

Juguemos al billar, que nada hay más clásico que eso. Las tres bolas son exactamente iguales en masa, forma, textura, etc. Para que los jugadores no se hagan un lío, se le asigna a cada bola un distintivo: una se pinta de rojo, a otra se le pone un puntito negro y la otra se deja tal como está. A jugar. La habilidad de cada jugador, o sea, la dinámica de las bolas, no dependerá en absoluto de la bola con la que juegue cada uno, porque salvo el distintivo, el cual no influye en nada, las bolas son idénticas.

Ahora juguemos con un billar cuántico. Por lo pronto, las bolas no están en un lugar determinado ya que eso supondría que tienen muy indeterminada su velocidad. Una bola no puede estar quieta en un lugar preciso porque violaría el principio de indeterminación y los principios son para cumplirlos ineludiblemente. Todo se difumina y enturbia. Va a ser difícil hasta darle a una de las bolas con el taco. Hay zonas de la mesa donde el mareo nos lleva a pensar que en algunos momentos están las tres bolas a la vez, porque sus estados se superponen (en rigor, estamos hablando de las nubes de probabilidad de presencia de las bolas). Largando golpes al buen tuntún, logramos darle a una bola que ni siquiera sabemos cuál es. La velocidad que adquiere se hace precisa, pero a costa de que la bola se vea aún más difusa. Por más complicado que sea jugar al billar cuántico, las leyes que lo rigen son tan exactas como las clásicas siempre que en lugar de posiciones, velocidades, efectos de giro, etc., nos refiramos a valores medios de esas magnitudes y probabilidades. E igual que en la mecánica clásica, estas leyes han de ser independientes de la adjudicación arbitraria de etiquetas o distintivos (el color rojo y el punto) que le asignemos a las partículas para poder escribir una ecuación para cada una de ellas y describir así el sistema. Aunque, ojo, en mecánica clásica las partículas idénticas son distinguibles, pero en mecánica cuántica son indistinguibles. Para hacer tratable este galimatías, se lleva a cabo un truco matemático extraordinariamente simple. A cada electrón se le asigna una función matemática a partir de la cual se calcula todo. La función total del sistema se forma a partir de ellas. En el caso que estamos del átomo de helio, la función de éste se obtiene multiplicando las de los dos electrones (suponiendo en una primera aproximación que éstos no se repelen entre sí). Justo así es como nos formamos el lío anterior con lo de la indistinguibilidad de los electrones, esto es, que no sabemos bien quién es quién. Si en vez de multiplicar sin más las funciones de cada electrón las multiplicamos de la siguiente manera: la del electrón 1 que está en el estado energético A por la del electrón 2 que está en el estado B, y le restamos (o sumamos) la del 1 en el B por la del 2 en el A, así de simple, esto arregla toda ambigüedad con lo de la indistinguibilidad, la asignación de etiquetas y demás.

simétrica

$$\psi_S(1, 2) = \frac{1}{\sqrt{2}} \left[\psi_A(1) \cdot \psi_B(2) + \psi_A(2) \cdot \psi_B(1) \right]$$

antisimétrica

$$\psi_a(1, 2) = \frac{1}{\sqrt{2}} \left[\psi_A(1) \cdot \psi_B(2) - \psi_A(2) \cdot \psi_B(1) \right]$$

Ahora viene lo bueno, porque esta artimaña nos descubre una intimidad grandiosa de la naturaleza.

He puesto entre paréntesis lo de «sumamos» y es por lo siguiente: según la naturaleza de las partículas idénticas que estemos tratando, el truco funciona si las funciones de cada una ya multiplicadas entre sí, se suman o se restan al intercambiarse unas con las otras. Sin ambigüedad: o se han de sumar o se han de restar. Se dice que la función total de un sistema de partículas idénticas ha de ser *simétrica* o *antisimétrica* dependiendo de que esas partículas sean *bosones* o *fermiones* respectivamente. Más nombres raros, por si el lío era pequeño.

Bosón y fermión son nombres tan genéricos como hombre y mujer. Todas las personas son diferentes entre sí aunque se las clasifica agrupándolas de infinidad de maneras por propiedades comunes. Edad, nacionalidad, color de los ojos, tendencias sexuales, estatura, qué sé yo. Pero hay una división clara entre todas las personas: o es hombre o es mujer. Son muy parecidos y en muchos aspectos idénticos (ante la ley, en el mercado laboral… mejor no sigo por este derrotero), pero hay una pequeña y sutil diferencia entre ellos fisiológica y anatómica que los hace radicalmente distintos. Pues eso le pasa a las partículas elementales: o son fermiones o son bosones. Los electrones, protones, neutrones y quarks de los que hemos hablado hasta ahora, son fermiones. La luz, que se puede entender como una partícula llamada fotón, es un bosón.

Estamos terminando y vamos a llegar al gran meollo del asunto. En mecánica clásica la energía de un cuerpo ligado a otro puede ser cualquiera. Ponemos la mano sobre un objeto frío y al cabo del rato los dos están a la misma temperatura. Se han intercambiado de manera continua energía en forma de calor. En mecánica cuántica la cosa va a saltos. Esto de que la energía se intercambie a saltos no es difícil de entender, porque con el dinero ocurre lo mismo: existe una unidad, el céntimo de euro, por debajo de la cual no existe otra salvo el cero, y cuando se compra o se vende algo su precio no puede tener una fracción de céntimo. Cuando las cantidades de dinero son inmensas, los céntimos son irrelevantes, pero si se está tratando de operaciones rigurosas y exactas, los céntimos de euro son fundamentales para que salgan las cuentas.

Volvamos al juego de intercambiar una partícula idéntica por otra en un sistema de dos. Se trataba de que la partícula 1 estuviera en el estado energético A y la partícula 2 en el estado energético B. (Insisto en que la asignación de las etiquetas 1 y 2 no son más que un artificio matemático porque de algún modo tenemos que referirnos a ellas, pero que no tienen realidad física como los colores o el punto en las bolas de billar.) ¿Qué pasa si ambos estados son tan idénticos entre sí como las partículas? En el caso de que sean bosones no ocurre gran cosa porque, recuerdo, lo que se hacía era sumar los productos de las dos funciones intercambiando el estado. Pero con los fermiones, al restar, resulta que la función total del sistema se hace cero. Sólo caben dos conclusiones: o el truco para poder tratar partículas idénticas es una chapuza o… dos fermiones idénticos no pueden estar en el mismo estado energético. Es como decir que nadie puede tener exactamente la misma cantidad de dinero, al menos han de tener un céntimo de euro de diferencia. Nada hay muy sorprendente en el principio de exclusión, salvo… que rige el orden del Universo.

Cuando el átomo de helio está en el estado de menor energía, llamado fundamental, los dos electrones están individualmente en sus estados (espaciales) correspondientes también a la menor energía de cada uno. En lo que se diferencian es en una magnitud que no tiene analogía en la física clásica, con naturaleza de vector (para definirlo no basta con una cantidad, sino que hay que especificar también su dirección y sentido) y no existe en nuestro espacio ordinario. Otra vez con las rarezas de la mecánica cuántica, ¡qué le vamos a hacer! Estamos hablando de *espín*. Esta palabra, con permiso de la Real Academia, viene de *spin*, que significa «giro», y aquella propiedad extraña de las partículas se bautizó de esta manera por la tendencia humana a anteponer la imaginación a la inteligencia. Digo yo. El caso es que se asimiló la nueva propiedad al giro de la partícula en torno a sí misma. No estaba mal, salvo que aquello, por múltiples razones, no se tenía en pie. Por ejemplo, la velocidad ecuatorial de la partícula tenía que ser muchas veces mayor que la de la luz si el espín valía lo que tenía que valer según los experimentos. Pero como la imagen es buena, a los estudiantes de mecánica cuántica les permitimos que sigan pensando en esos «giros» en plan planetario hasta que se hagan a la idea de que las cosas son como son. Así pues, la Real Academia ha sido sabia porque más vale asignar a un fenómeno nuevo una palabra que no signifique nada, espín, que otra que llama a engaño, spin.

Volviendo al átomo de helio y siendo permisivos con la imaginación, el principio de exclusión actúa exigiendo que si dos planetas fueran idénticos y giraran en torno al Sol en la misma órbita, al menos se tendrían que diferenciar en que uno gira en torno a sí mismo en un sentido y el otro en el opuesto. (En uno amanece por el este y en el otro por el oeste.) Esto implica una ligerísima diferencia en sus estados y ya es suficiente para que cumplan el principio de exclusión. Como en mecánica cuántica las cosas van a saltos, esos planetas no pueden girar en torno a sí mismos más que de este a oeste o viceversa, nada de giros intermedios entre estos dos. Si en ese extraño y simple sistema solar imaginario quisiéramos poner otro planeta idéntico a las dos Tierras en la misma órbita, ya no podríamos: se tendría que colocar en otra órbita más alejada. Así se van configurando los átomos. El siguiente al helio es el litio: tres protones en el núcleo (y tres neutrones) y tres electrones en la nube. El tercero ya tiene que estar en un estado superior de energía y así sucesivamente.

Para hacernos una idea de la transcendencia del principio de exclusión y por tanto de la mecánica cuántica, pensemos en lo siguiente. Un átomo está extraordinariamente «vacío». Quiero decir con esto que lo de los logotipos e imágenes planetarias del átomo son todavía más desquiciados que lo que hemos dicho hasta ahora. Volvamos al poeta Willian Blake. Si el núcleo fuera del tamaño de una perla, el átomo de hidrógeno tendría el porte de un estadio de fútbol. Como suena. La nube de distribución de probabilidad del simple electrón que envuelve al protón tendría ese porte. Una molécula de agua, que consiste en tres átomos enlazados, dos de hidrógeno y uno de oxígeno, que no es muy grande, tendría el tamaño de un barrio, por ejemplo. ¿Por qué no se puede comprimir todo esto? Porque el principio de exclusión lo prohíbe. Por más que «apretáramos» el átomo, y en el Universo se dan muchas situaciones físicas en que esto se podría imaginar, por ejemplo en el interior de Júpiter como apuntamos en su momento, «comprimir» el átomo significaría que los electrones pasaran a estados energéticos inferiores (que implican más proximidad en promedio al núcleo), lo cual es imposible si estos estados están ya ocupados, porque un intruso en uno de los estados ocupados violaría el principio de exclusión ya que se colocaría en el mismo estado que otro. Es como si en un cine de sesión numerada dos espectadores quisieran ocupar el mismo asiento: cada uno en el suyo y el que no quepa, fuera. Esto es lo que le da variedad a los átomos y, sobre todo, estabilidad. Esto es lo que hace que un átomo de helio sea idéntico a otro de Australia, de una galaxia lejana, o a los que se crearon cuando se originó el Universo.

¿Recuerdan la tabla periódica de Mendeleiev (bravo químico ruso —siberiano para más aterimiento y encima el menor de 17 hermanos— que llegó a batirse en duelo a espada con Tolstoi)? Es la clasificación ordenada de todos los átomos distintos que hay. Pues la explicación de que estén ordenados de esa manera y sean los que son se debe a Pauli, el austríaco que formuló el principio de exclusión. Por eso la naturaleza es tan variada y estable, porque según el joven extraterrestre, un buen modelo del Universo es que está hecho de hidrógeno, algo de helio y mucha luz, pero gracias a las siguientes aproximaciones a dicho modelo, los planetas son tan variados y nosotros podemos habitar en ellos y estar hechos como lo estamos. El gordo de Navidad no le toca a casi nadie y los elementos pesados casi no existen en el Universo de escasos que son, pero la gracia está en los «casi».

LAS MOLÉCULAS

Cuando se dice que la unidad básica de la materia es el átomo hay que precisar un poco. Es la base de la materia condensada y ni siquiera es del todo adecuado decir eso.

La materia condensada se puede definir como aquella que está en cualquiera de los tres estados, sólido, líquido o gaseoso. Si me apuran mucho, también se puede incluir el plasma, que es el estado en el cual gran parte de los electrones se han desgajado de los átomos y éstos pululan en el mar formado por aquellos como grandiosas cargas positivas. No sé si es apropiado incluir esto o no en la materia condensada, pero casi todos los físicos que conozco que estudian el plasma están incorporados a los departamentos de investigación de materia condensada. Lo administrativo también juega un papel en la ciencia y algunas ambigüedades las resuelve el *Boletín Oficial del Estado*.

Así pues, la materia condensada son los materiales que nos rodean. Pues la base de la materia así de bien estructurada no son los átomos, sino las moléculas. Eso es lo que de verdad le da variedad a la naturaleza, porque átomos distintos hay sólo unos centenares, pero moléculas hay un número casi indefinido de ellas. Entre otras cosas porque las podemos sintetizar en el laboratorio, pero sintetizar un nuevo átomo es extraordinariamente difícil.

Ya hemos hablado de una molécula, la del agua, que la forman dos átomos de hidrógeno y uno de oxígeno. Así de simples, o más, son muchas de ellas, pero hay otras inmensas, como por ejemplo la del ácido *desoxirribonucleico* o *ADN*, base de la vida, formada por millones de átomos ordenados de una forma maravillosa.

Hay un número famosísimo referido a las moléculas que nos interesa recordar: el *número de Avogadro*. Éste fue un oscuro noble italiano que encontró la siguiente genialidad. Una determinada cantidad de materia pura (con un solo tipo de moléculas) definida por la masa de los átomos que forman su molécula (mal llamado por eso peso molecular), tiene exactamente el mismo número de moléculas

117

que la correspondiente a otra sustancia pura. Expliquémonos. En el capítulo anterior mencionamos que el átomo de oxígeno tenía ocho protones en su núcleo y ocho neutrones. Los ocho electrones de la nube cuentan poco para la masa atómica porque sus masas, en comparación, son miserables. El hidrógeno tiene un protón en su núcleo. La molécula de agua, pues, tendrá en total 18 partículas que «pesan» de verdad. Pues 18 gramos de agua tienen un número determinado y concreto de moléculas. Ahora tomemos el ácido sulfúrico, por ejemplo. Sus moléculas las forman un átomo de azufre, cuatro de oxígeno y dos de hidrógeno. El azufre tiene 32 nucleones en su núcleo. Sumamos todo y sale 98. Pues 98 gramos de ácido sulfúrico tienen exactamente el mismo número de moléculas que 18 gramos de agua. Y así todo. Ese es el número de Avogadro y vale casi un cuatrillón, o sea que es del orden de un uno seguido de veinticuatro ceros (exactamente: $6,022 \times 10^{23}$).

He dicho que en este libro quiero evitar abrumar al lector con números y cantidades monstruosas. Pero este libro a la vez debería servir para que tomemos consciencia de cómo es la naturaleza vista desde la óptica de la física y, más concretamente, de la astrofísica. Así que vamos tratar de tomar consciencia del número de Avogadro y de cómo son las cosas.

Pensemos en la expiración de Cristo. Cuando Jesucristo dijo lo que dijo al morir, exhaló una determinada cantidad de aire. Digamos un litro. En dos mil años, esos cien mil millones de trillones de moléculas (para un gas se han de dar unas condiciones concretas para la definición del número de Avogadro, pero dicho número es el mismo que para los líquidos de que hablamos antes) han tenido tiempo para homogeneizarse por toda la atmósfera. ¿Tiene sentido preguntarse si en nuestra habitación hay alguna de esas moléculas? ¿Respiraremos algunas de ellas a lo largo de nuestra vida? El cálculo lo podrá hacer el lector si le place con los datos que se dan en este libro (radio de la Tierra, altura de la atmósfera y poco más) y concluirá que en la habitación donde se encuentra leyendo hay bastantes de esas moléculas exhaladas por Cristo. Y que a lo largo de nuestra vida pasan algunos millones de ellas por nuestros pulmones. Bonito, ¿verdad? Para los cristianos debe serlo, aunque pronto consideren que también pasan por nuestros pulmones moléculas del aire que respiró Agamenón o el caballo de Calígula. También alarma el dato sobre lo dañino que es contaminar el aire.

Ya que tenemos una idea de cuántos y cómo son los átomos y de las leyes que rigen su funcionamiento, la mecánica cuántica, vayamos al corazón del mismo, el núcleo atómico, porque sin núcleo no hay átomo, ni moléculas ni nada de lo que aporta riqueza al Universo.

EL NÚCLEO ATÓMICO

A los científicos se nos ve el plumero de la soberbia en cuanto hablamos apasionadamente de lo nuestro. Para un biólogo, la biología es la madre de todas las ciencias, pero si ese biólogo lo que estudia es la transmisión genética, la genética es el fundamento de la biología, y dentro de los genetistas, los que se dedican a desentrañar el genoma humano pues ya son el acabose. A nadie le sorprenda que para un físico nuclear como yo, el núcleo atómico sea, así de entrada, el corazón del Universo y por ello lo más fascinante de la naturaleza. Pudor me da y pido disculpas por ello aunque, al fin y al cabo, esta soberbia de los científicos es tan inofensiva que apenas puede provocar más que una sonrisa y, además, ya la excusó don Antonio Machado:

A las palabras de amor les sienta bien su poquito de exageración.

La armonía del átomo es monárquica y la del núcleo es colectiva y popular, por eso es algo caótica y muy compleja aunque sus constituyentes no pierdan identidad y estén casi todos emparejados. Vayamos por partes para explicar este nuevo galimatías.

El átomo tiene un centro, el núcleo, que es el que gobierna el movimiento de todos los electrones por la fuerza electromagnética que emana de él. Las leyes son las de la mecánica cuántica y el orden lo establece el principio de exclusión. En el núcleo ni hay centro ni nada que se le parezca, allí cada nucleón (protón o neutrón) se mueve al dictado de todos los demás. Encima, no interviene una única fuerza, sino tres, o cuatro como ya veremos en las estrellas de neutrones. Por más que las leyes que rigen el núcleo sean las mismas que en el átomo, tratar un sistema de tantos componentes sometidos a tantas fuerzas de naturaleza distinta y sin centro que ordene y mande, es un lío. Porque, para colmo, la fuerza hegemónica, la nuclear, es intensísima y extraordinariamente compleja de formular.

El sistema solar está regido por la fuerza de la gravedad. Ésta se expresa con multiplicaciones y divisiones sencillas de las magnitudes de dos cuerpos que se vean sometidos a ella. La masa de uno por la del otro se divide por el cuadrado de la distancia que los separa; se multiplica lo que salga por la constante de gravitación universal y sanseacabó. La expresión de la fuerza eléctrica entre dos partículas cargadas, como un protón y un electrón, es prima hermana de la anterior. Ambas caben, como ya dije una vez, en el reverso de un sello. Pues bien, la fuerza nuclear entre dos nucleones se expresa en una o varias páginas repletitas de fórmulas y parámetros, y además hay un montón de prescripciones para ella. Ahí es nada, porque este es el punto de partida de cualquier cosa que se desee calcular del núcleo atómico.

Lo que es curioso de la fuerza nuclear respecto a las otras dos no es que sea mucho más compleja, sino que es de muy corto alcance. Las fuerzas gravitatoria y electromagnética decrecen paulatinamente con la distancia y, en principio, tienen un alcance infinito. Recuérdese que en el sistema solar se fueron poco a poco descubriendo planetas cada vez más lejanos y que incluso más allá de Plutón y Caronte sigue habiendo objetos ligados al Sol. Nada disuadía ni disuade a los astrónomos de buscar más objetos lejanos porque la fuerza de la gravedad llegue a extinguirse. Será cada vez más pequeña (la distancia en la ley de la gravedad está en el denominador y al cuadrado) pero algo valdrá. Pues la fuerza nuclear es poderosísima, pero su poder no llega más allá de los límites del propio núcleo. Si la Tierra fuera un núcleo atómico y nosotros como los neutrones, tendríamos que hacer un esfuerzo titánico para ponernos en órbita y escapar así de la fuerza que nos retiene, pero si lo consiguiéramos, estaríamos en el espacio totalmente libre a muy pocos kilómetros de altura. O sea, que aunque estemos quietecitos y parados flotaríamos o podríamos hacer lo que quisiéramos sin temor a caer, no como los satélites artificiales que han de estar dándole vueltas a la Tierra como locos a una velocidad dictada por la altura a la que están colocados. En algún libro de texto he leído que, debido al corto alcance de la fuerza nuclear, ésta apenas se manifiesta en los fenómenos naturales. ¡Qué barbaridad! La fuerza de la gravedad sí se nota que está omnipresente y a la primera caída que demos me remito, pero ¿y la electromagnética? Si seguimos suponiendo que los chismes eléctricos y electrónicos no son todavía «fenómenos naturales», se convendrá que la electricidad apenas se manifiesta en las tormentas. Y el magnetismo, qué sé yo, cuando nos ocurra como a Ulises, que sus barcos los atraían islotes de magnetita (es una roca férrica permanentemente imantada que atrae al hierro, en este caso el herraje de los barcos) y el pobre pensaba que aquel fenómeno, junto al ulular del viento en la porosa roca, lo provocaban, con toda lógica, sirenas cantarinas. Y un poco arpías, porque en contra de lo que parecía, más que interesadas en los encantos de Ulises lo que deseaban eran mandarlo al fondo del mar junto a todos sus colegas. Así pues, el electromagnetismo apenas se presenta de forma natural, sin embargo la fuerza nuclear se manifiesta en el Sol, sin ir más lejos, y ¿hay algo más natural y cotidiano que eso?

Cómo funciona el principio de exclusión en un núcleo es muy divertido. La mínima diferencia de energía entre dos nucleones, como en el ejemplo que puse de las dos Tierras idénticas dando vueltas cada una para un lado, la tienen cuando están en la misma órbita y viajando el uno al encuentro del otro. Chocarán, claro. En cuanto lo hacen, se colocan en otra órbita igual que la anterior pero orientada un cierto ángulo con la primera. Chocan otra vez y ambos se van a otra órbita orientada de distinta manera. No pueden colocarse en otra superior o inferior, porque estarán ocupadas por otras parejas enfrascadas en el mismo baile. Salvo que estén en la superficie, naturalmente, lo cual hace que ésta sea difusa y no abrupta. Estos choques, orientaciones y reorientaciones lo hacen cada pareja de nucleones más de mil trillones de veces por segundo. ¿No es una danza fantástica? Así están emparejados los nucleones. Como se ve es de una forma un tanto distinta a como lo hacen las personas pues, además, lo normal es que los neutrones se emparejen entre sí y los protones también. Hasta hace muy poco no se están descubriendo parejas heterosexuales... perdón, un protón y un neutrón emparejados.

¡Contradicción, contradicción! ¿No dije antes que el núcleo está regido por la mecánica cuántica y ésta trata con probabilidades? ¿A qué viene eso de las órbitas y demás clasiqueces que acabo de decir que hacen los nucleones? Muy bien, admito la contradicción, pero recuérdese que el mapa de carreteras y el de la lotería de Navidad reproducen, cada uno a su manera, al verdadero país. O sea, que para entendernos, no viene mal acudir a imágenes clásicas del mundo cuántico. Lo que hay que hacer es estar alerta y no engañarse. Ya advertí que la mecánica cuántica no es fácil.

LA ENERGÍA NUCLEAR

¡Nucleares no, gracias! Está bien, pero este eslogan ecologista se refiere a las centrales nucleares y sobre ello hay mucho que discutir, tanto que a lo mejor todos los que discutan sobre ellas llevan razón. La energía nuclear es buena para casi todo, y para lo que es mala, es mala de verdad. Pero ¿por qué?

En este libro no pensaba escribir muchas fórmulas, pero hay una que todo el mundo conoce: $E = mc^2$, así que vamos a por ella. Normalmente aparece al lado la cara del genial Einstein sacando la lengua. (La imagen de Einstein como abuelete amable se nos enturbia como si fuera cuántica al saber lo detestable que fue como esposo y padre.)

La *E* es la energía y la *m* la masa. La *c* es la velocidad de la luz que al cuadrado es un numeraco enorme. Lo que nos dice en realidad esa fórmula es que la energía y la materia son la misma cosa salvo ese grandioso factor de conversión de una en la otra. O sea, que un poco de materia equivale a un montón de energía y al revés.

¿Dónde está la masa del Universo? Casi toda está en el núcleo atómico, porque los electrones apenas contribuyen a ella como hemos dicho otras veces. Pues de ahí es de donde se puede sacar energía en cantidad. Veamos cómo.

La fuerza nuclear es mucho más poderosa que la eléctrica (ciento treinta y siete veces más fuerte, para ser precisos) y es la que mantiene confinado en un volumen tan pequeño a protones de la misma carga eléctrica y a neutrones. La energía con la que están ligados estos nucleones ha de ser formidable. ¿Cómo de formidable?

Pensemos de nuevo en el núcleo del helio. Dos protones y dos neutrones, cuatro nucleones en total. El conjunto tiene una masa determinada, la que sea. Ahora «pesemos» los cuatro nucleones por separado y sumemos. No sale la misma, sino una cantidad mayor. La diferencia, multiplicada por la c al cuadrado, es la energía nuclear con la que están ligados los cuatro. Una barbaridad. Esta *energía de ligadura* cambia de un núcleo a otro, así que si logramos separar núcleos (o unirlos en algunos casos) podremos obtener energía siempre que la masa inicial sea mayor que la masa final. Todo es cuestión de sumar y restar masas y multiplicarlas por c^2. Esto de separar (fisionar) o unir (fusionar) núcleos atómicos se consigue de dos maneras.

LA FISIÓN NUCLEAR

Consideremos un núcleo grandote: el uranio, por ejemplo. Este bolondrio tiene 92 protones y 143 neutrones, en total, 235 nucleones. Le lanzamos un neutrón. La energía de éste se distribuye por todo el núcleo y se pone a vibrar. Esta vibración implica un cambio de forma, o sea, de su superficie que, globalmente, aumenta. Que su superficie crezca significa que las distancias promedias entre los nucleones, en particular los protones, aumenta también. La energía electrostática disminuye (la distancia está en el denominador como hemos indicado). La atracción nuclear entre todos los nucleones de la superficie, en cambio, aumenta, tratando de devolver el núcleo a su forma original de manera parecida a como la tensión superficial en una gota de agua trata de restablecer la forma esférica si se la altera. ¿Cuál de los dos efectos antagónicos vencerá? Depende de la energía del neutrón que los provocó. Si no fue muy grande, el núcleo de uranio se tranquilizará y volverá a quedarse como antes emitiendo radiación electromagnética para equilibrar así la energía extra que recibió al incidir sobre él el neutrón. La fuerza nuclear superficial le ha ganado a la eléctrica. Pero si el neutronazo que recibe el uranio es fuerte o la energía con la que le pegue es una apropiada, entonces el núcleo se pone a vibrar mucho más violentamente y... zas, se rompe en dos fragmentos. Además, algunos neutrones sueltos, no más de dos o tres, también se escapan por ahí. Si sumamos la masa de estos pocos neutrones y las de los dos fragmentos, sale menos que la suma total del núcleo original de uranio. La diferencia... ya sabemos: energía. Ya tenemos la energía nuclear de fisión. Ésta es la de las odiosas (y limpias) centrales nucleares y las, sin ambigüedad, odiosas bombas de Hiroshima y Nagasaki.

Porque aquellos poquitos neutrones son capaces de inducir otra fisión a un núcleo vecino y los que salen de ésta, otra, y otra... una *reacción en cadena*. Y todo transcurre en un tiempo de la escala nuclear y con el número de Avogadro y la dichosa c al cuadrado por medio. Un horror. Pero utilizando el ingenio, esto se puede controlar muy bien y, moderando a esos neutrones, es posible conseguir una central nuclear que produzca la electricidad que nos conviene sin lanzar casi nada a la atmósfera, ni provocar otras muchas cosas dañinas.

¿Por qué odia alguna gente tanto las centrales nucleares? Por dos detalles que hay implícitos en lo que he dicho sobre los que hay que profundizar para no ser tachado de frívolo.

Un núcleo de uranio se rompe en dos fragmentos, muy bien, pero el núcleo vecino no se rompe exactamente igual, y otro, tampoco, y así. Todos los fragmentos son parecidos, pero después de que cierta cantidad de uranio ha estado fisionando y suministrando energía eléctrica tan lindamente, el surtido de núcleos residuales que queda en el combustible original es extraordinariamente variado. Y no sólo los fragmentos de fisión son variados, sino que muchos de aquellos neutrones no tenían la energía que hemos llamado suficiente o apropiada y lo que hacen es acumularse a los núcleos de uranio que no fisionan y dan otros núcleos aún más pesados llamados actínidos. ¿Y qué? Pues que toda esa fauna es radiactiva. Veamos qué significa eso.

La radiactividad

Es uno de los fenómenos naturales más fascinantes y cuyo origen es exclusivamente nuclear. Lo digo en serio: fascinante. Becquerel, madame Curie y su infortunado esposo (que murió atropellado por un coche de caballos) y gente realmente admirable descubrieron que de algunos núcleos, hoy sabemos que son muchísimos, surgían cosas extrañas espontáneamente. Y eso a pesar del extraordinariamente corto alcance de la fuerza nuclear.

Esas «cosas» son por lo menos cuatro. Una de ellas es un núcleo completo del conocido helio. ¿Cómo diablos, en esa prodigiosa y armónica danza de nucleones emparejados que es el núcleo, se pueden agrupar dos protones con dos neutrones y, para colmo, escapar de él las dos parejas apelotonadas? De milagro, pero lo hacen. Y ya estamos de nuevo con la mecánica cuántica. Lo siento.

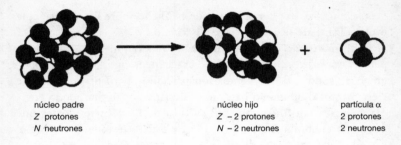

núcleo padre
Z protones
N neutrones

núcleo hijo
Z – 2 protones
N – 2 neutrones

partícula α
2 protones
2 neutrones

Fig. 11. *Esquema de la desintegración alfa.*

La probabilidad de que se dé el agrupamiento indicado es muy pequeña, pero recuérdese que las parejas se mueven dentro del núcleo vertiginosamente y que en un segundo son miles de trillones de veces las que se encuentran entre sí los nucleones en un espacio tan reducido como es el volumen nuclear. (La perla nuclear y el estadio de fútbol atómico.) Bien se puede formar un núcleo de helio en el interior de un núcleo pesado, pero recordemos que la fuerza nuclear supera en mucho a la fuerza electromagnética en el interior del núcleo manteniendo por eso juntos a todos los nucleones. ¿Cómo atraviesa el núcleo de helio formado la barrera energética creada por la fuerza nuclear? ¿Cómo escapa de allí? Por *efecto túnel*.

El efecto túnel es pura magia cuántica. Vamos en coche por una carretera. Hace mucho rato que estamos inquietos, porque el depósito de gasolina está casi vacío. Para colmo, cuando nos tememos con serio fundamento que se nos va acabar la gasolina, afrontamos una cuesta de aúpa. Pendiente del 10 % en los próximos catorce kilómetros, indica una señal de tráfico. Nos entra el sudor frío. A los cien metros, se acabó, el motor se para. El coche sigue avanzando, cada vez más despacio, hasta que se detiene sin remisión unos centenares de metros más adelante. O echamos el freno de mano o dejamos que el coche se vaya marcha atrás hasta que le dé la gana pararse al pie del repecho.

Ahora estamos en la misma situación, pero la comarca por la que deambulamos es cuántica según indica al pie la señal de tráfico que anuncia la pendiente. El desasosiego por si se acaba la gasolina es distinto al anterior, porque en nuestro interior brilla una chispa de esperanza. A ver, a ver... Se acaba la gasolina, se para el motor y, de pronto, todo se enturbia, desfallecemos y aparecemos como por ensalmo al otro lado de la montaña deslizándonos cuesta abajo. Para colmo de dicha, vemos que hay una gasolinera a la que sin duda llegaremos. Hemos atravesado la barrera por efecto túnel. ¿Qué ha pasado?

Hay que recordar que las partículas en mecánica cuántica se describen con funciones que tienen cierta extensión espacial, nada de puntuales. Cómo de extensa es esa zona que «envuelve» a la partícula depende de varias cosas, pero sus límites difusos desaparecen paulatinamente. La probabilidad de presencia depende de la extensión de la función, porque no es más que dicha función elevada al cuadrado. Así pues, la extensión de la función asociada al coche puede ser de las dimensiones de la montaña, por supuesto que mientras que mayor es la montaña, menor, muchísimo menor, será la probabilidad de que la función llegue hasta el otro lado. O sea, que hasta en una comarca cuántica será milagroso que nuestro agobiado conductor «atraviese» una montaña como si en ella se hubiera practicado un túnel sólo para él. Pero en el núcleo, el «coche» del núcleo de helio formado por casualidad (o por lo que sea) está intentando asaltar la barrera que le impide escapar del núcleo millones, billones, trillones de veces por segundo. Alguna vez tendrá que sonar la flauta. Pues éste es el origen de la llamada radiación alfa del núcleo.

Ahora ocurre otra cosa igual de pasmosa aunque de naturaleza muy distinta. El transformismo. Con el sexo no se juega (por más que en muchos sentidos no sea más que eso: un juego) porque se mete uno con facilidad en terrenos farragosos y polémicos. Pero sin ofender a nadie, puede resultar ilustrativo hacer uso de costumbres y derechos sexuales. Dije que en el núcleo hay mucha tendencia digamos... homosexual. Los neutrones con los neutrones y los protones con los protones. Y raramente se forman parejas mixtas. Bien. Pero de vez en cuando, algún protón o algún neutrón, se aburre o lo que sea y... decide cambiar de sexo. Supongamos que es un neutrón el osado. Se convierte en protón a costa de desprenderse de un electrón y de un *antineutrino*. ¿Quién es ese *neutrino* y su antipartícula? ¿De dónde salen?

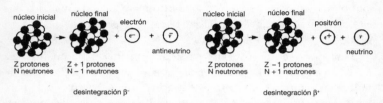

Fig. 12.   *Esquemas de las dos posibles desintegraciones beta. En la primera un neutrón se transforma en protón y en la segunda ocurre lo contrario. El positrón es la antipartícula del electrón y el antineutrino la del neutrino.*

Salen de la energía que se libera en el proceso de transformación. Lo de siempre: la masa del neutrón inicial y la del protón final no coinciden y la diferencia se convierte en masa a razón de $E = mc^2$. Si se cumplen unas reglas sencillas, parte de esa masa se materializa en las partículas que he dicho: un electrón y un antineutrino, que no es más que la antipartícula del neutrino, el cual... No hay que exasperarse, porque de estos hablaré más adelante, aunque ya los he mencionado con lo de los wimp del capítulo anterior. Además, recientemente (18 de junio de 2001) se ha publicado en *The Physical Review Letters* un posible hallazgo importantísimo relativo (y casi contradictorio con lo que dije de ellos) a la masa de los neutrinos.

Pero lo que nos interesa ahora es el electrón que también escapa del núcleo. Además lo hace sin dificultad, ni efecto túnel, ni nada. Es la llamada *radiactividad beta*. Ésta se presenta en dos modalidades como deber ser en justicia y democráticamente, es decir, que también un protón puede transformarse en neutrón. Lo que sale entonces es un positrón y un neutrino. El *positrón*, como cualquier avispado puede imaginar, es la antipartícula del electrón: si antes salía un electrón y un antineutrino, es lógico que ahora salga un neutrino y un antielectrón. Insisto en que el núcleo es muy democrático. Hay que memorizar un asunto en este transformismo porque será fundamental a la hora de explicar por qué viven tanto tiempo las estrellas. En la transformación de un neutrón en protón o viceversa no interviene la fuerza nuclear fuerte, sino una nueva que se llama *fuerza nuclear débil*. Es de un alcance todavía más corto y casi mil veces más flácida. Esto hace que los procesos en los que interviene se den con muy poca frecuencia y de ahí viene que el Sol dure y perdure como ya veremos en su momento.

La tercera forma de desintegración espontánea del núcleo atómico (o cuarta, según se cuente) es la llamada *radiactividad gamma*. Hemos hablado de estados cuánticos de energía donde se colocan electrones en el átomo y nucleones en el núcleo. El principio de exclusión sólo prohíbe que alguien ocupe un estado que ya está previamente ocupado por otra partícula idéntica, pero si queda uno libre, lo primero que hace una partícula que esté en un estado superior de energía es ocuparlo. La diferencia de energía (recuérdese aquello de que la energía ni se crea ni se destruye, sino que sólo se transforma) se convierte en luz. La luz visible es una forma de la radiación electromagnética, pero con la misma propiedad se puede hablar de luz invisible, así que nadie se ofenda si abrevio con frecuencia llamándole luz a lo que en rigor debería llamarle radiación electromagnética. Si pensamos en la luz como una onda (también, como ya apuntamos, se la puede considerar una partícula llamada fotón) la longitud entre dos crestas es la llamada longitud de onda. Esta longitud puede abarcar desde los metros hasta fracciones pequeñísimas de un milímetro. Las ondas que transmiten las emisoras de radio de AM (amplitud modulada) tienen una longitud de onda de unos cien metros y las de FM (frecuencia modulada) de un metro; la luz visible es de una millonésima de metro y los rayos X con que nos hacen radiografías pueden llegar hasta las mil millonésimas de metro. La energía que lleva asociada la luz depende inversamente de esa longitud de onda, por tanto, no debe sorprender que cuando un electrón salte de un estado energético superior a uno inferior en el átomo la luz que se emita sea visible si la magnitud del salto es la apropiada. Pues bien, si es un nucleón el que libera radiación por situarse en un estado más relajado del que estaba, o sea, de energía inferior, aquella llevará tal energía que tendrá una longitud de onda pequeñísima: del orden de la billonésima de metro. Esta es la radiación gamma.

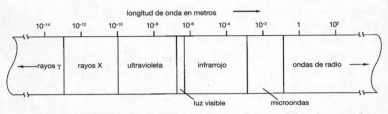

Fig. 13. *El espectro de la radiación electromagnética con la longitud de onda expresada en potencias de diez metros. La franja correspondiente a lo que llamamos luz, es decir, la radiación detectable por el ojo humano, va de 3,8 a 7,6 diez millonésimas de metro.*

¿Qué efectos produce la radiactividad? Buenos, regulares, malos y perversos. La partícula alfa, el sorprendido núcleo de helio que escapa del núcleo por la magia del efecto túnel, es una bala de cañón: arrasa todo lo que se le pone por delante. Arrasar significa que arranca electrones de los átomos y moléculas de la materia por la que circula. Estas moléculas deterioradas y cargadas eléctricamente porque a los protones de los núcleos no los neutralizan los electrones de las nubes al quedar en minoría, pueden reaccionar unas con otras de formas extravagantes y muchas veces inesperadas. Si es materia viva de lo que estamos hablando, por donde pasa una partícula alfa, el núcleo del helio, el desgarro y desconcierto provocado puede llegar a degenerar en cáncer. Esto ocurre en casos muy extremos de intensidad de la radiación o de mala suerte. Afortunadamente, los núcleos de helio de la radiación alfa a las energías típicas de los emisores naturales, apenas penetran en la materia y se detienen y neutralizan tras recorrer unos pocos milímetros, pero a la materia viva que encuentre en esos milímetros la deja muy deteriorada.

Los electrones (o positrones) de la radiación beta son más penetrantes pero mucho menos destructivos. Los rayos gamma aún recorren más materia hasta hacerse inofensivos y no son muy dañinos, pero como pillen una molécula bien pillada, la rompen o alteran. Y si esta molécula es un gen u otro tipo de molécula esencial, pues ya me dirán: se pueden provocar hasta mutaciones genéticas transmisibles a la descendencia de los afectados. Esto es lo perverso. Pero no hay que alarmarse demasiado, entre otras cosas porque hay una radiactividad natural, proveniente de los mantos radiactivos del interior de la Tierra, que la mantiene calentita y acogedora ayudando decisivamente al Sol en ese quehacer, que estamos recibiendo desde toda la vida y aquí estamos. Hasta del espacio exterior nos llega y no pasa nada, y si pasa... que pase, porque a ver qué hacemos.

Lo que no se puede hacer es jugar con la radiactividad, por eso los ecologistas alarman tanto contra ella. Aunque algunos de los juegos que hacemos con la radiactividad son una bendición, porque ofrecen la mejor manera de liquidar un montón de tipos de cáncer, de detectar múltiples enfermedades, etc.

La fusión nuclear

Unamos núcleos ligeros, muy ligeros, entre sí. El balance de masa tampoco se equilibra, es decir, la suma de las masas de los núcleos iniciales no es la misma que la del núcleo final sino mayor. De nuevo, la diferencia se convierte en energía a razón de c^2. Ésta es la energía de la fusión nuclear.

No hay núcleo más ligero que el de hidrógeno, porque consiste en un único protón. Vamos a tratar de unir dos protones. Hay un problema gordo, porque la fuerza nuclear es de alcance tan corto que para que los dos protones se peguen y dicha fuerza entre en juego, éstos han de estar casi en contacto. Pero antes tienen que superar la repulsión eléctrica, porque ambos protones se repelen al tener sus cargas el mismo signo. Esto se puede conseguir de dos maneras: o cruzando los dedos para que los protones penetren la barrera eléctrica por efecto túnel (es la base de la frustrada «fusión fría»), o lanzar uno contra otro con una energía suficiente como para que puedan superarla holgadamente. Los protones se pueden acelerar de dos maneras. Una, con un acelerador; otra, metiéndolos en un medio que esté a alta temperatura. Veamos.

Un *acelerador de partículas* es una máquina eléctrica que acelera partículas eléctricamente cargadas. ¡Pues vaya definición! Esto se consigue con una gran variedad de procedimientos ingeniosos, en todo caso combinando portentosos imanes. La palabra acelerador en el mundo de la física nuclear y de partículas es tan vaga como la palabra vehículo. Desde una bicicleta, hasta una nave espacial, desde un tractor a un tren, todos son vehículos. Hay aceleradores que caben en una habitación de proporciones medianas, y hay otros que miden kilómetros. El más grande del mundo está en Europa, y tiene veintisiete kilómetros de longitud. Lo que hacen es acelerar una clase de partículas cargadas y hacerlas chocar contra otras. Parte de la energía del choque se convierte en otras partículas que se estudian a fondo y aprendemos así qué pasa en el mundo de lo muy pequeño. O sea, que un acelerador es como una bomba atómica o central nuclear pero al revés: una estremecedora factura de la compañía suministradora de energía eléctrica se convierte en unas pocas partículas. Así pues, insistamos, se puede conseguir la fusión nuclear a base de acelerar protones y hacerlos chocar contra otros protones. La cantidad de energía que obtendríamos de estas maneras no daría ni para pagar el papel del que está hecha la factura de la luz. Los aceleradores se construyen para estudiar, lo cual ya es un inmenso provecho.

La otra posibilidad es calentando hidrógeno. Esto no parece muy difícil. Cuando se calienta un gas, la consecuencia es que sus moléculas enloquecen más y más. O sea, se mueven en todas direcciones cada vez más rápidamente y de manera más incierta. Debemos tener en mente la imagen del protón como una perla y el átomo de hidrógeno como un estadio de fútbol. Una molécula de hidrógeno está formada por dos átomos idénticos con sus nubes electrónicas entrelazadas: dos estadios de fútbol vecinos con sus dos perlitas cada uno en el punto donde se coloca el balón para iniciar el partido. Hay que subir bastante la temperatura para que todo ese tinglado se destruya por colisiones con otros vecinos y se queden desnudas las perlitas deambulando en un mar de electrones. Se ha alcanzado la *temperatura de ignición del plasma*. Ya estamos también cerca de la temperatura apropiada para que cuando dos protones se encaren uno a otro, puedan superar la repulsión eléctrica a que están sometidos por tener cargas del mismo signo. Llegan a tocarse y entra en juego la atracción nuclear. Estamos a una temperatura de muchísimos millones de grados. Entonces ocurre una cosa algo fantástica y casi contradictoria con mucho de lo que dijimos sobre el núcleo. Uno de los protones cambia de sexo… perdón, quiero decir que se convierte en neutrón. ¿No quedamos que los emparejamientos eran preferentemente homosexuales y que los mixtos eran muy raros? Pues sí, pero eso pasa en el núcleo, o sea, que es así porque lo ordena la comunidad, pero cuando dos nucleones se encuentran por libre, o no se pueden ni ver y huyen uno del otro como alma que lleva al diablo, o uno de los dos cambia inmediatamente de sexo quedando ambos estrechamente ligados. En la naturaleza no existen los núcleos que podríamos llamar diprotón o dineutrón. Curioso, ¿no?

Así pues, en cuanto fusionan dos núcleos de hidrógeno, dos protones, se forma un núcleo consistente en una pareja protón–neutrón y, como en todo proceso de transformismo que explicamos antes con la radiactividad beta, se emite a la vez un positrón y un neutrino. Y energía, mucha energía. A la pareja se le llama *deuterón*. Si ahora este deuterón se encuentra con otro protón del medio a alta temperatura, ocurre una cosa también fascinante: la pareja lo admite. El *ménage à trois* de dos protones y un neutrón se llama helio-3. Se libera más energía. Y la historia acaba cuando se unen dos núcleos de helio-3 formándose el núcleo de helio normal, con sus dos protones y sus dos neutrones apelotonados pero armoniosos, la que llamamos antes partícula alfa, y liberándose dos de los protones que se habían unido a la bulla porque consideran la cosa muy fuerte para ellos. Y más energía liberada. Si se cuenta bien con los dedos, convendremos que lo que ha ocurrido en total es que cuatro protones se han convertido en un núcleo de helio.

$$^1_1H + ^1_1H \rightarrow ^2_1H + e^+ + \nu_e$$

$$^2_1H + ^1_1H \rightarrow ^3_2He + \gamma$$

$$^3_2He + ^3_2H \rightarrow ^4_2He + 2^1_1H$$

(^1_1H = protón, ^2_1H = deuterón, ^3_1H = tritio, ^3_2He = helio-3, ^4_2H = alfa, γ = radiación gamma, e^+ = positrón y ν_e = neutrino.

No he narrado este proceso nuclear en concreto porque me haga especial gracia la analogía sexual que me ha permitido establecer, sino porque... este es el origen de la energía de las estrellas, en particular de nuestro Sol. Ésta es la maravillosa energía de fusión nuclear que le da vida al Universo. Como la temperatura que hay que alcanzar para que se desencadene esta preciosidad de reacción es tan alta, se le llama también *reacción termonuclear*.

Esta palabreja es popular porque se la asocia a las bombas. Efectivamente, las bombas atómicas modernas (desde los años cincuenta hasta ahora) son de este tipo. Pero dejemos eso. Lo que sí podría preguntarse uno con lógica y esperanza es lo siguiente: ¿por qué no domeñar este proceso como se hace con la fisión y tenemos centrales nucleares de fusión? Las ventajas serían formidables porque, de entrada, hidrógeno hay todo el que se quiera y el helio, una vez que se ha formado el átomo, es un gas inerte, o sea totalmente inofensivo. Ni apenas radiactividad ni apenas residuos, sólo energía limpia e inagotable. La razón es que hace falta una botella que no sabemos cómo construirla. Es decir, para que se dé este proceso hay que confinar el hidrógeno a alta temperatura en algún sitio cierto tiempo por corto que sea. Obviamente, no hay material que aguante millones de grados. Pues hagamos una «botella» magnética que repela toda partícula cargada que se le acerque, sean protones o electrones. Nada, éstos les hacen agujeros de muchas maneras, todas astutas. Hay otras posibles formas de confinamiento muy ingeniosas, algunas hasta usando aceleradores, pero hasta ahora apenas se consigue liberar más energía de lo que cuesta la factura de la luz. Cuando escuchen por ahí que faltan veinte años, o cincuenta o qué sé yo, para conseguir la energía de *fusión nuclear controlada*, no hagan el más mínimo caso, pues con la misma probabilidad puede estar lista pasado mañana que dentro de siete mil años. El caso es seguir estudiando el fenómeno, porque si nos detenemos, la respuesta es clara y precisa: nunca la obtendremos.

5

El Sol

Cuando se hizo de noche y aparecieron las estrellas
una detrás de otra, aquella muchacha tan linda sus-
piró diciendo: «¿No es hermoso cómo brillan?». Yo,
simplemente, henchí el pecho y dije orgulloso: «Desde ayer sé por qué brillan».

FRITZ HOUTERMANS, en 1929, con CHARLOTTE
RIEFENSTAHL, quienes se casaron dos veces.

¿Recuerdan que halagué mucho a los filósofos griegos del siglo V a.C.
por sus conclusiones acertadas sobre los átomos? Pues con el Sol se
lucieron. Concluyeron que el Sol era una bola de hierro incandescente del tamaño del Peloponeso. Sí, señor. Menos mal que el gran
Anaxágoras añadió una sutileza que corregía tamaña conclusión:
«... tan grande como el Peloponeso, o más». El dato real es que el
Sol es una bola de un millón cuatrocientos mil kilómetros de diámetro y su masa es un tercio de millón de veces mayor que la de la
Tierra. O sea, que el 99,9% de la masa del sistema solar la tiene el
Sol. Recuérdese que cuando hicimos la Tierra del tamaño de una
manzana, el Sol tenía el empaque de una casa grandota. Es curioso
que los griegos llegaran a conclusiones maravillosas a base de especular y, cuando se encontraban con fenómenos que podían observar e incluso planear experimentos y medidas para aprender de ellos,

o despreciaban el uso de artilugios o cometían errores grandiosos. Porque el Sol estaba ahí cada día y no era muy difícil calcular, aunque fuera rudimentariamente, algunas de sus propiedades. Otras civilizaciones menos finas que la griega, como la maya y la hindú, lo hicieron. Por supuesto, todas le otorgaban un rango divino al Sol, pero averiguaron cosas sobre él que no se apartaron tanto de la realidad como hicieron los griegos.

A lo largo de la historia se fue afinando el modelo del Sol, pero hasta mitad del siglo XX no se averiguó lo más importante de él: la fuente de su energía. Esto es lo que normalmente se dice, pero en realidad el origen de la energía del Sol y las estrellas lo postuló Fritz Houtermans en 1929, tal como indica la cita que abre este capítulo. No me resisto a contar brevemente la historia de este físico olvidado porque es impresionante. Para justificar estas divagaciones que hago y haré de vez en cuando, nada hay mejor que recordar a don Antonio Machado:

> *Conversación de gitanos:*
> —*¿Cómo vamos, compadrito?*
> —*Dando vueltas al atajo.*

Los pocos que tienen noticia de Fritz Houtermans lo toman por austríaco cuando en realidad nació en Alemania, pero en la parte que no es de Alemania desde hace mucho tiempo, sino de Polonia. Así de complicada empezó su azarosa vida. Su padre era director de sucursal de un gran banco y su madre una medio judía ilustrada que fue la primera mujer que obtuvo el doctorado en química en Viena, donde vivía desde poco después de parir a Fritz en 1903. El chaval, desde que le cambió la voz en la adolescencia, destacó desaforadamente en tres cosas: el sentido del humor, la física y el consumo de tabaco. Como físico fue tan brillante que muy pronto se lo disputaron como colaborador profesores tan renombrados que es pasmoso comprobar cuántos de sus trabajos están firmados con otros que obtuvieron el premio Nobel. Todos ellos, sin excepción, han dejado constancia escrita de los méritos y valía de Houtermans. Pero, ¡ay!, la política es a veces perversa y en cierta época, los años treinta, podía ser algo mucho peor. Cuando a Hitler empezó a darle por lo que le dio, el cuarto de judío que tenía Fritz lo inquietó seriamente. Se marchó a Inglaterra. Allí hizo unos trabajos fenomenales, pero no en la universidad sino… en His Master's Voice, o sea, La Voz de su Amo, la casa de discos microsurcos del perro atendiendo al cono de un gramófono. Tan cruciales fueron sus trabajos que estuvo a punto de descubrir el láser. Como suena: el láser un cuarto de siglo antes de que se inventara. Pero Fritz era un izquierdista irredento además de odiar la cocina inglesa, cosa natural. Se marchó a la Unión Soviética, tierra de promisión y, según él se esperaba, de buena cocina ya que dejó escrito que se iba de Inglaterra porque era un pobre país que vivía de los residuos de la manufactura de la lana, o sea, de cordero hervido. Era 1934. Con su extraordinario currículum científico, los físicos soviéticos también se lo disputaron y terminó en Ucrania. Allí se casó por primera vez con Charlotte, la chavala de la cita. Y llegó 1937, el año culminante del terror de Stalin. ¿Qué podía ser un físico nuclear alemán, quizá austríaco, da igual, que venía de Inglaterra, con algo de judío y que, para más escarnio, criticaba abiertamente la política estalinista en la guerra civil española? Un espía. Espía ¿a favor de quién? De averiguar eso ya se encargaría personalmente el camarada Beria, dueño de la NKVD, madrastra del KGB. Las torturas a las que sometieron a Houtermans fueron indecibles, pero él nada confesó hasta que los canallas dieron con la tecla apropiada para que lo hiciera: o hablaba o arrestarían a su mujer y enviarían a sus hijos a un orfanato con nombres cambiados para que nunca pudiera dar con ellos. O sea, que a fin de cuentas, algo tenía que confesar, ¿no? Aquí surgió de nuevo la genialidad física de Houtermans. Todos los físicos a los que delató estaban a buen recaudo tanto en Estados Unidos como en Alemania, y el proyecto en el que trabajaban era, nada más y nada menos, que en un sistema de medida de la velocidad de los aviones que volaban a baja altura. Tan bien se inventó Houtermans la trola que los soviéticos pusieron a trabajar a un montón de físicos en el asunto. Como no daban con la clave del invento tan bien fundamentado del «espía», y la extrema presión que a favor de él estaban haciendo físicos ilustrísimos del extranjero, entre ellos Irène y Frédéric Joliot-Curie y muchos otros premios Nobel, empezaba a ser políticamente insoportable, no tuvieron más remedio que devolver al preso a Alemania. Pero en la patria de Hitler, ¿qué podía ser un físico nuclear que después de huir a Inglaterra, se asentó en la Unión Soviética, era algo judío y había estado afiliado al partido comunista alemán? Un espía. Espía ¿a favor de quién? De averiguar eso ya se encargaría personalmente el camarada Goebbels, dueño de la Gestapo. Más torturas y, finalmente, al borde de la muerte por desesperación, Houtermans confesó otra vez. Denunció a los traidores con los que trabajaba a favor de la Unión Soviética: eran, nada menos, que los generales Scharnhorst y Gneisenau. Hasta que toda la portentosa burocracia del temible ejército alemán no descubrió que tales generales tuvieron cierta relevancia... en las guerras napoleónicas, hubo tiempo suficiente para que otro físico eminentísimo y respetado hasta por los nazis, Max von Laue, intercediera por el «espía» y saliera libre.

A pesar de todo lo pasado, Houtermans, fiel a sus ideas, regresó al paraíso del pueblo trabajador finalizada la guerra. Pero pronto se decepcionó y terminó sus días en Berna, Suiza, en 1966. Acabó, naturalmente, con cáncer de pulmón, porque salvo cuando estuvo sometido a tortura, fumó sin descanso encendiendo cigarrillos con colillas.

Todo esto viene a cuento de un artículo que Houtermans escribió en 1929 y que quiso titular: «¿Cómo se pueden cocinar núcleos de helio en un puchero de potencial?» que los editores de la respetable revista *Zeitschrift für Physik* se lo cambiaron por «Sobre la posibilidad de la síntesis de los elementos en las estrellas».

A pesar de la clarividencia mostrada por Houtermans en dicho artículo y cuando ya se hablaba con soltura de que el origen de la energía del Sol era nuclear, no se podía conjugar tal hecho con la edad del Sol, o sea, que aun produciendo energía de fusión nuclear, no se podía explicar por qué duraba tanto el Sol, porque las reacciones nucleares no permitían que estuviese cuatro mil quinientos millones de años, que es su edad, en el mismo plan de producir energía a un ritmo casi inalterable. Hoy día sabemos casi todo del Sol, pero algún misterio profundo aún nos esconde.

Ya hemos dicho su edad que, para comprenderla mejor en el contexto del Universo, diremos que si éste se generó el primero de enero y estamos en Navidad del mismo año, el Sol se formó a finales del verano. Por tanto, el Sol es una estrella con algunas generaciones detrás, y recuérdese que al principio la mortandad y la natalidad de estrellas era bastante superior a la actualidad. Esto es importante, porque la abundancia de elementos que contiene es parecida a la de todas las estrellas de su edad y a la que hay por doquier en la galaxia. Quiere esto decir que la materia prima de la que está hecho el Sol ya estaba enriquecida previamente porque en su seno no se pudieron cocinar la mayoría de los elementos que la componen. Aunque esto último lo veremos con detalle, digamos ya cómo se puede correlacionar la abundancia de los elementos con la edad de las estrellas. Hay un montón de núcleos radiactivos como explicamos en su momento. Pero hay una familia de *isótopos* (núcleos con el mismo número de protones pero distinto de neutrones) de un elemento, llamado tecnecio, que es curiosa: todos los miembros de tal familia son radiactivos y el que más dura sólo llega a los cuatro millones y pico de años. En muchas estrellas viejas (gigantes rojas) de edades de varios miles de millones de años, se ha detectado la presencia de ese elemento. A ver cómo se explica esto si no es porque el tecnecio se ha criado en la propia estrella. En la Tierra no hay el más mínimo vestigio de él; en el Sol, lógicamente, tampoco, y eso ocurre porque somos mucho más modernos que una gigante roja (aún no hemos tenido tiempo para generar un elemento tan pesado como un isótopo del tecnecio) y mucho más antiguos que el tecnecio más longevo (ya he dicho que la edad de nuestro Sol es de cuatro mil quinientos millones de años), por lo que todo cuadra: que aquí no haya tecnecio y que las estrellas sintetizan a la larga elementos pesados.

En el Sol hay, sobre todo, hidrógeno (tres cuartas partes de la masa total) y bastante helio (una cuarta parte), pero también hay un 1 %, si acaso, de todo lo demás: aluminio, hierro, plata, oro, plomo, uranio, de todo. Por supuesto, en proporciones cada vez más ínfimas conforme más pesados son los núcleos de esos elementos (con algunas excepciones), pero ahí están casi todos. Y la abundancia relativa de elementos del Sol es muy parecida a la de los planetas, sean estos rocosos (los vecinos de la Tierra) o no (los gigantes), ya que todos tienen el mismo origen, es decir, que se desgajaron del Sol primitivo; ya veremos cómo.

El Sol se podría describir como una inmensa bola de gas caliente, pero esto es decir poco más de lo que decían los griegos y de casi tan escaso valor, porque además es un gas muy raro y su temperatura varía demasiado desde el interior hasta la superficie. Por lo pronto, la densidad del Sol es 1,4 gramos por centímetro cúbico, y como la del agua es 1,0, pues parece ser más un líquido que un gas. Lo del 1,4 es un promedio, ya que el Sol tiene tal masa que la presión hacia el interior aumenta enormemente, de manera que la densidad en sus profundidades es muchas veces mayor que la del plomo y esto es propio de un gas, no de un líquido, lo cual merece la pena explicar.

A la fuerza que ejerce una molécula de un líquido sobre otra le pasa lo mismo, salvando las distancias, que a la fuerza nuclear: se satura. Quiere esto decir que es de corto alcance, por lo que cada molécula actúa sobre unas pocas vecinas nada más. Esta es la razón por la que la densidad del agua apenas dependa de la presión, de manera que el agua de las profundidades del mar tiene una densidad casi igual que la de la superficie. Si el lector tiene alma poética, considerará que esto es una pena, porque esa es la causa de que los barcos hundidos se vayan al fondo del mar y no naveguen a merced de las corrientes a distintas profundidades. ¡Qué bello sería ese postrer navegar silencioso y de rumbo incierto de los pobres pecios! En los gases no pasa eso, y por eso decimos que el Sol es una bola de gas aunque en promedio tenga la densidad típica de un líquido.

La temperatura también varía extraordinariamente desde la superficie del Sol hasta sus profundidades: desde apenas seis mil grados hasta quince millones. A quince millones de grados cualquier gas se hace raro, tanto que se considera que alcanza otro estado de la materia llamado plasma, del que ya hablamos. En tal situación no se puede hablar de átomos y mucho menos de moléculas, porque muchos electrones de cada uno de ellos se liberan de la tiranía de los núcleos y vagan por ahí formando, ellos sí, un especie de gas. Los restos de los átomos, cargados positivamente, se mueven enloquecidos en ese mar electrificado negativamente. El plasma es un ambiente realmente agresivo.

El Sol como bola es curioso, ya que está lejos de ser una bola rígida. Así, a la altura de su ecuador gira más deprisa que a latitudes medias. Concretamente, su «día» ecuatoriano dura 25 días de los nuestros y a medio camino entre el ecuador y los «polos» el periodo de giro es de 28 días. Eso es mucha diferencia y las consecuencias son espectaculares. En el plasma hay cargas eléctricas por todas partes que van mucho a su aire, o sea, que no están todas neutralizándose unas a otras ordenadamente en sus átomos y moléculas. Las variaciones locales del movimiento del conjunto provoca alteraciones en los campos magnéticos que crean. Estas alteraciones, como veremos muy pronto, generan fenómenos curiosos que hacen que el Sol sea una bola incandescente muy poco apacible. Porque además, su corazón, que es una esfera interna de un radio aproximadamente un cuarto del radio total del Sol, parece que gira más rápidamente que la superficie.

Digamos lo que digamos después sobre los fenómenos aludidos que originan las alteraciones de los campos magnéticos, cualquiera puede decir que, en general, el Sol está muy tranquilito, estable y que no se altera por nada. Alguien aún más suspicaz podría preguntar por qué la bola es como es en cuanto a tamaño. Es decir, por qué no es mayor ni menor. ¿Es pura casualidad? La pregunta no es ninguna tontería, aunque la razón por la que la planteo es porque el tamaño, o mejor dicho, la masa de una estrella, es lo que marca su destino y los desequilibrios que sufre son el origen de muchísimas cosas.

El Sol está en un justo balance de tres energías distintas. La caldera nuclear de su interior bulle tan vigorosamente que tiende a expandirlo de tal manera que, si por esa energía fuera, el Sol bien podía alcanzar un radio como el de la órbita de Plutón y seguir todavía «ardiendo» el hidrógeno en su interior. Pero la masa del Sol es portentosa, por lo que la atracción gravitatoria contrarresta esa ansia expansiva. Además, buena parte de la energía de origen nuclear se disipa al exterior en forma de radiación electromagnética, de la cual una fracción corresponde a la luz visible. Piénsese que la energía solar que nos llega a la Tierra es una parte de dos mil doscientos millones de la que emite. Así, la energía nuclear, la gravitatoria y la irradiada, se equilibran delicadamente dándole al Sol justo el tamaño que tiene, ni más ni menos. Aún más, si este equilibrio se rompiera por alguna causa, por ejemplo, porque alguna zona se enfriara, y ya veremos que cosas así ocurren, el Sol recuperaría su tamaño en cuestión de horas, de muy pocas horas, y es por lo siguiente. Si se expande un poco por la causa que sea, se enfriaría como todo gas que aumenta de volumen. Las reacciones termonucleares se ralentizan. La gravedad le gana a la energía nuclear y hace que el Sol se contraiga. La caldera nuclear, al aumentar de nuevo la temperatura por la disminución de volumen, se aviva. Ya estamos como antes de la alteración. Y al revés: por lo que sea, la gravedad se pasa un pelín contrayendo al Sol y el interior, ahora más caliente, responde con mayor tasa de reacciones nucleares. Se expande de nuevo y al rato ya está todo en equilibrio. El Sol es muy delicado y armonioso en cuanto a equilibrio, porque si miráramos detenidamente su atmósfera, quedaríamos sobrecogidos por el maremágnum que hay allí organizado en todo momento. Vayamos a ello.

Yo ahora no sé muy bien cómo se enseña en las escuelas, aunque sospecho que los maestros están en contra de utilizar lo que se llamaba la memorieta. Seguramente llevan razón, pero a mí me obligaron aprender mucho en ese plan. Aún recuerdo infinidad de cantinelas y una de ellas era… fotosfera, cromosfera y corona. Después no nos explicaban mucho más, pero ahí quedaba eso. En esas tres, digamos capas a modo de cebolla, se divide la superficie del Sol. También se podría llamar, ya lo he hecho, la *atmósfera solar*. Es la zona que, obviamente, mejor conocemos porque es la que se puede «ver» en todas las longitudes de onda incluidas las correspondientes a los rangos no visibles por el ojo humano que, por cierto, son los más interesantes. Ya dije que el ojo como detector hace mucho que se dejó de utilizar en astronomía y, muchísimo menos, en astrofísica. Por supuesto que hoy día sabemos cantidad de cosas de lo que ocurre en el interior del Sol con procedimientos ingeniosísimos, por ejemplo, existe toda una especialidad que se llama *heliosismología*, que, como su propio nombre indica, trata de los movimientos sísmicos que tienen lugar en nuestra estrella. Los terremotos, vaya. Pero sin duda es su superficie la que mejor conocemos.

Con buenos, muy buenos instrumentos, lo primero que podemos apreciar en la *fotosfera* es la *granulación* que presenta la superficie del Sol. Los granos son lo que parecen, es decir, rugosidades de la superficie que se hacen aparentes porque tienen una zona central brillante y unos contornos oscuros. Si los contáramos, y se ha hecho infinidad de veces, nos percataríamos de que hay, en todo momento, unos cuatro millones de ellos. Y si midiéramos su tamaño, lo cual se hace casi de oficio en los observatorios solares, sabríamos que tienen entre trescientos y mil quinientos kilómetros de diámetro. O sea, que son muy pequeños. Una extensión como una comunidad autónoma grandota o incluso como España entera, en la inmensidad del Sol, es algo diminuto. Son como las burbujas de algo hirviendo, pero distinto.

Cada gránulo dura unos siete u ocho minutos. Surge, se expande abriéndose paso entre los vecinos. El centro sube a unos mil ochocientos kilómetros por hora. La fuerza de la gravedad se alerta y devuelve la ingente masa de material a la superficie, aunque la lucha entre el ímpetu de la eclosión y la gravedad hace oscilar el monte durante cinco minutos. Al final gana la inmensa masa del Sol y el gránulo se desborda cayendo mansamente. Esta caída produce los bordes del gránulo, pues al expandirse el gas que lo forma se enfría oscureciéndose por ello. Entre los gránulos se distinguen perfectamente los bordes oscuros y estrechos que los limitan.

La *cromosfera* es una capa de transición de unos cinco mil kilómetros entre la fotosfera, que está relativamente fresquita pues anda por los cuatro mil quinientos grados, y la corona que está a un millón. ¿Las capas superiores de la atmósfera del Sol están más calientes que la superficie llegando a tener una temperatura similar a las calderas nucleares del interior? Pues sí, pero hay que tener en cuenta que la densidad disminuye drásticamente, tanto que estamos hablando de un billón de partículas por centímetro cúbico en la base de la cromosfera y de mil millones o menos en la corona. Ya estamos con los millones y millones: ¿eso es mucho o poco? Poquísimo. Recordemos que el número de Avogadro, el de moléculas de un poco de materia, digamos un centímetro cúbico, era de un orden de magnitud cercano al cuatrillón.

En la base de la cromosfera ocurre un fenómeno curioso y espectacular: surgen por doquier unas especies de géiseres que le dan un aspecto espinoso y arisco. Estos chorros de materia enrarecida se agrupan tomando aspecto de flores agresivas e irregulares que duran unos minutos. La naturaleza de estas espinas es de origen eléctrico y no termodinámico como el de los gránulos. Se mueven miles de veces más rápido que la materia de los gránulos y llegan hasta los ocho o diez mil kilómetros de altura. Un espectáculo que no es visible, sino detectable. Quiero decir que las emisiones de luz de estos fenómenos entran en unos intervalos de frecuencias de la radiación, mucho más allá del ultravioleta y mucho menor que el infrarrojo, que no puede captar el ojo humano. En cualquier instante puede haber en el Sol unas cien mil *espículas* de estas tan estrechas y finas que sólo tienen quinientos kilómetros de radio. Ocurre una cosa también interesante con estos chorros puntiagudos: se agrupan no sólo en rosetas, sino en conjuntos aún mayores y que duran casi un día entero. Se distinguen así una especie de *supergránulos* de treinta mil kilómetros de diámetro que llenan toda la baja atmósfera solar. Unos cinco mil se pueden contar en todo momento, pero insisto, esta granulación es también de origen electromagnético, muy distinto al de los gránulos de la fotosfera.

La *corona* es un gas muy tenue que está a alta temperatura. Ya lo hemos mencionado. Añadamos que es de forma cambiante y muy irregular. Lo que dije de las capas de cebolla desde luego no se refiere a la corona.

Como ésta se ve bien de verdad es durante un eclipse total de Sol. Por cierto, ¿por qué se producen los *eclipses totales* de Sol? Porque la Luna se planta delante del Sol y lo tapa. Muy bien, pero ¿se han fijado que cuando ocurre este fenómeno la Luna oculta *exactamente* al Sol? O casi, porque también existen eclipses anulares en los que se distingue un fino anillo del Sol desbordando la sombra de la Luna, pero si nos fijamos bien, en general la Luna oculta el Sol sin que le sobre ni falte nada. Es porque los diámetros angulares de la Luna y del Sol son iguales. El Sol es mucho mayor que la Luna, pero como está mucho más lejos, una cosa compensa la otra. La pregunta, insisto, es por qué esa relación es tan rigurosa y perfecta. Por casualidad. Es la respuesta que suele ser menos satisfactoria en ciencia, pero esto es así, lo siento.

En la corona es donde se da uno de los espectáculos más bellos del Sol: las *prominencias*. De pronto, surge una nube grandiosa de gas de la superficie y sube vertiginosamente adoptando las formas más caprichosas. Lo de grandiosa le viene de que puede alcanzar tamaños de varios miles de kilómetros llegando hasta una altura de treinta o cuarenta mil. La materia de que están hechas se condensa en la corona debido a la diferencia de temperatura que encuentra allí y los gránulos así formados pesan más y se ven fuertemente atraídos por la gravedad. La nube cae plácidamente y el espectáculo puede durar hasta varios días. Las prominencias se han clasificado de varias formas y casi todos los nombres que se le dan son interesantes y alusivos: *quiescentes* (en el sentido de pasivas), *activas*, *eruptivas*, *tornadas*, etc. En el Sol también se dan otras llamaradas de este estilo como las *fáculas*,

las *fulguraciones* y demás, pero no hay que aburrir, porque lo que interesa transmitir es que el Sol es tremendamente activo y de lo que nos vamos a ocupar con cierto detalle, aparte de cómo funciona en su interior, es de lo que ha preocupado a lo largo de la historia y preocupa hoy, o sea, de las manchas y del problema de los neutrinos solares.

La corona se extingue paulatinamente con la distancia, aunque se suele decir que tiene un «espesor» de dos radios solares. Eso es una tontería porque la corona es la capa más irregular y vivaz del Sol. Ni siquiera su brillo decrece de esa manera tan nítida. Como está tan enrarecida (tiene tan poca densidad) y la materia que la forma está tan electrificada, tanto positivamente como negativamente (electrones y protones son su materia prima), los dos millones de grados a que está la corona es una indicación de que esas partículas están muy aceleradas. En el seno de campos electromagnéticos generados por el plasma solar y con un movimiento global tan complejo, las trayectorias de esas partículas se hacen un tanto erráticas y recuérdese que cuando una carga eléctrica da un vacile en su trayectoria, o sea se acelera, emite luz. Por eso la corona es brillante. Esta emisión de partículas hace que la corona en la lejanía pase a ser *viento solar*. Viento solar, ¿no es bonito? Pues lo único bonito que hace es que le sopla a la cola de los cometas dándole su hermoso aspecto, porque todo lo demás es molesto. El viento solar en su conjunto se mueve a una escalofriante velocidad entre trescientos y mil kilómetros por segundo. Llega con fuerza hasta Neptuno, ahí es nada. Afortunadamente, la Tierra es un imán cuyos Polos Norte y Sur están cerca de los polos geográficos. El origen de este campo magnético es el interior incandescente de nuestro planeta que, al fin y al cabo, es de nuevo materia que se mueve. Pues la *magnetosfera* que envuelve la Tierra nos protege del viento solar guareciéndonos de él en buena media, porque si no aquí no funcionaba nada, ni televisión, ni comunicaciones, nada, ya que las interferencias de las ondas emitidas por los cacharros electrónicos con el viento solar los harían inaudibles e invisibles. No nos podríamos proteger del viento con ingenio porque es tremen-

damente irregular. Surge del Sol por sectores formando grandes llamaradas curvas acentuadas por el movimiento de rotación del Sol y,
debido a las inestabilidades que hemos apuntado, a veces se desen-
cadenan auténticas tormentas que duran varios días. Dije que el viento solar sólo provoca un fenómeno bonito con los cometas, pero no
es cierto pues hay otro igual o más bello: las *auroras boreales*. El viento se cuela en la Tierra por donde únicamente puede, que es cerca de los polos magnéticos, y entonces interacciona con las moléculas
de la atmósfera excitándolas. Al tranquilizarse éstas, la energía liberada adquiere naturaleza de fotones de una luz que llega a hacerse
visible. La aurora boreal.

Cuando vemos un cometa lo que nos llama la atención de él es
su cola. Es larguísima y muy tenue. La forma el calor del Sol que
evapora partículas de la superficie del bolondrio de hielo sucio y
rocoso que es un cometa. Da la impresión de que la cola sigue el
movimiento de la roca y no es así. La cola se orienta continuamente opuesta a la dirección del Sol. Es el viento solar lo que la empuja
hacia atrás y este atrás no es la trayectoria que sigue.

Así pues, el espacio interplanetario está surcado por electrones y
protones (y otras partículas más pesadas cargadas eléctricamente) de
alta energía con los que hay que tener cuidado, porque interfieren
con los instrumentos de los satélites artificiales que enviamos a explorar el sistema solar.

LAS MANCHAS SOLARES

Parece ser que los astrónomos chinos fueron los primeros en dejar
constancia escrita de las manchas solares.

Tengo varios amigos físicos indios con alguno de los cuales he
colaborado durante muchos años. Cada uno de ellos son entre sí
como todas las personas, es decir, distintos, pero en una cosa son
idénticos: cada vez que hablamos de historia de la ciencia, los indios
fueron los primeros en descubrir todo lo relevante. Si para colmo se

advierte que los chinos antiguos dejaron tal y tal cosa escrita con fechas precisas y descripciones detalladas antes que ellos, la indignación hindú llega al enardecimiento. A lo mejor llevan razón, no sé. El caso es que las descripciones de las manchas solares hechas por los chinos eran fantásticas. Y el caso es también, como en muchas cosas, que en Europa no se tuvieron noticias de ellas hasta Galileo. ¿Es que aquí éramos más lerdos que por Extremo Oriente? ¿O que por América? Porque en ese continente también hay constancias de muchas observaciones celestes de las que aquí no se tenía idea. La respuesta es que desde Ptolomeo, o poco después, la Santa Madre se encargó, y bien, de que el resultado de ninguna observación se apartara de lo trazado espiritualmente por los Santos Padres. Así, cuando Galileo habló de las manchas solares, a algún guardián de la fe se le entrecerró aviesamente un ojo más que otro mientras advertía que aquello era ir contra la perfección del Sol. ¿Por qué tenía que ser perfecto el Sol? Porque así lo quiso Dios. Ante tan inquietante respuesta, lo único que pudo hacer Galileo fue mostrárselas con su telescopio a quien el olor a chamuscado no le preocupara demasiado, o sea, a algunos animosos colegas y siempre en secreto. Como no se podía mirar al Sol directamente con el telescopio porque la ceguera quedaba garantizada, Galileo proyectaba astutamente la luz recogida por el instrumento sobre una hoja de papel aceitado.

Desde entonces no se ha parado de observar las manchas solares. Baste decir que un alemán, astrónomo aficionado, las observó durante treinta y tres años y no se aburrió. Digo yo. Se llamaba Samuel Schwabe y fue el primero que concluyó, allá por 1850, que el número de manchas variaba periódicamente cada diez años. No acertó por poco, ya que unos años después se estableció el periodo en 11,2 años. Supongo que habrán escuchado que desde entonces siempre ha habido agoreros que han correlacionado ese periodo con cataclismos, hecatombes, guerras, plagas y demás desgracias acontecidas en la Tierra. En algunas partes de la Tierra, claro. Pues ni una correlación se puede establecer seriamente. Ni una, y para colmo, ya veremos que el periodo de verdad de las manchas solares no es ese sino, en rigor, el doble: veintidós años y pico. Y si se me apura, el cuádruple, casi cuarenta y cinco.

Vamos a ver primero qué son esas errantes y misteriosas manchas. Cuando un átomo (ya estamos otra vez con Ouroboros, la serpiente cósmica que relaciona lo pequeño con lo grande) se sumerge en un fuerte campo magnético, por ejemplo entre el polo norte y sur de un potente imán, los estados de los electrones de la nube se alteran de una forma precisa y fina que está muy bien medida. Es lo que se llama *efecto Zeeman*. Pues cuando se orienta un telescopio solar, al que se ha adaptado un instrumento apropiado para ello, a una mancha del Sol, se observa que sus átomos presentan tal efecto. O sea, que los campos magnéticos en las manchas son muy intensos, algo así como mil veces más fuertes que en los alrededores. Se sabe que un campo magnético de ese calibre inhibe la convección de calor, es decir, que enfría el gas e impide que el caliente suba. Así, la mancha es una zona más fría que el entorno. Tiene mil o mil quinientos grados menos. Esto, en términos de luminosidad, implica que esa zona se oscurece y se produce la mancha que no es más que una región irregular una quinta parte más oscura que el entorno de la superficie. Ahora ocurre una cosa curiosa. Vista desde fuera, el material se mueve en las manchas en un sentido o en el contrario, digamos de dentro a fuera, o de abajo arriba, y viceversa. O sea, que el campo magnético que la produce es norte-sur o sur-norte. Pues cuando se repiten las manchas cada once años, tienen la polaridad cambiada, por eso decía que el ciclo completo es de veintidós años y no de once. Vamos a ver cómo es este ciclo.

Las manchas aparecen, tanto en el hemisferio norte como en el sur, a unos 30° de latitud. Van emigrando hacia el ecuador solar y, cuando están todas agrupadas allí, a los once años, se forman nuevas manchas a la misma latitud, pero con la polaridad cambiada. A los veintidós años, todo vuelve a estar como estaba. Interesante, ¿no?

Como las manchas solares se llevan observando tanto tiempo, se puede trazar un bello diagrama que se llama de mariposa. Se pone en el eje horizontal la fecha de observación. En el vertical la latitud a la que aparece una mancha. Se pinta un punto por mancha. Si se hace eso desde 1880, se ve claramente todo lo que he dicho.

Por cierto, ¿cómo de grande es una mancha típica? La umbra, el centro más oscuro, tiene una anchura de 20.000 km; la penumbra, el borde que la circunda y es algo más claro, unos 35.000 km. Del porte de la Tierra.

EL INTERIOR DEL SOL

Ya hemos visto que el Sol es un astro muy activo, pero queda por saber cómo funciona, porque eso es de verdad lo apasionante. Además, el Sol es una estrella tan normalita y de mediana edad que su estudio nos va a servir para entender lo que ocurre en todas las demás ya que son muy parecidas. Lo que diferencia fundamentalmente una estrella de otra es el estado de evolución en que se encuentra. Centrémonos por ahora en una estrella en plenitud de facultades.

Lo más llamativo del Sol, quién lo duda, es la gran cantidad de energía que libera. A la hora de hacer hipótesis y modelos sobre el origen de esa prodigiosa energía lo primero que hemos de armonizar con su edad es el tiempo que el Sol puede mantener ese ritmo de emisión. Lo más portentoso de todo lo que hemos mencionado del Sol es su masa, por lo tanto, el origen de la energía del Sol podría ser gravitatorio. La gravedad tiende a que toda la masa se contraiga hacia su centro. Bien pudiera ocurrir que esa contracción fuera tan paulatina que durara los cuatro mil quinientos millones de años que tiene el Sol. La diferencia entre la energía gravitatoria en un instante dado y la posterior cuando el radio del Sol fuera menor, se convertiría en calor. La energía irradiada a causa de este calor podría coincidir con la que libera el Sol en todo momento. Para hacer un cálculo con este modelito, tendríamos que tener en cuenta un teorema que lleva el interesante nombre de Virial. (Confieso que no tengo idea de cuál es el origen de tan bella palabra a pesar de lo familiar que es para los físicos.) El teorema es muy sencillo: la energía total de un sistema de partículas en equilibrio gravitatorio es la mitad de su energía potencial media. Referido al Sol, el teorema exige que sólo la mitad del cambio de energía potencial gravitatoria cuando se contrae queda disponible para ser irradiada, y la otra mitad suministra la energía térmica que calienta la estrella. Si se hace un cálculo muy simple, resulta que en ese plan el Sol quedaría exhausto en diez millones de años. Y el Sol tiene la edad que tiene, o sea, cuatrocientas cincuenta veces más viejo que eso. No vale.

Supongamos ahora que el origen de la energía solar es químico. Eso se ha creído hasta anteayer. En las reacciones químicas, por ejemplo las de combustión, sólo intervienen los electrones de la nube atómica. Esos están ligados con tan poca energía a los núcleos que, por más virulenta que sea la combustión, no da para explicar ni la milésima parte de la edad del Sol. Estaría hecho una bola infame de carbón y escoria desde hace...

Como ya he dicho muchas veces que el origen de la energía de las estrellas es nuclear, ninguna sorpresa espera al lector. Ya veremos. Por lo pronto, si suponemos que la fusión nuclear es la que hace funcionar todo, lo que hemos de hacer es demostrarlo. Como ya esbozamos en el capítulo anterior, la reacción nuclear más frecuente en el Sol es la de fusión de cuatro protones (los simples núcleos de hidrógeno) en un núcleo de helio que, una vez más, son dos protones y dos neutrones unidos. En una unidad que tiene un nombre tan poco original como *unidad de masa atómica*, cuatro hidrógenos tienen una masa total de 4,031280 y el helio 4,002603, lo que supone un 0,7% menos. Esta diferencia de 0,028677 es la que hay que multiplicar por la c^2 de la fórmula de Einstein. Simplificando mucho las cosas, suponemos que inicialmente el Sol era todo hidrógeno (ya sabemos, y bien, que no, porque en tal caso no estaríamos aquí). Imaginemos, de propina, que sólo un 10% de todo ese hidrógeno es el que se está convirtiendo termonuclearmente en helio. Multiplicamos, dividimos por la luminosidad del Sol que conocemos muy bien y... ¡zas! nos salen mil millones de años. Ya estamos en razón, porque una energía de origen nuclear concuerda en orden de magnitud (número de ceros) con la edad del Sol. Pero ahora viene la sorpresa.

Como dijimos en su momento, para que dos protones fundan, o se aceleran en una máquina y se lanza uno contra otro, o se calienta el gas. Y es porque como los dos tienen el mismo signo de carga eléctrica, se repelen. El gas tiene que estar, para que salgan las cuentas, a diez mil millones de grados. Fallo absoluto, porque hemos dicho que el interior del Sol está a unos quince millones nada más. Pero entonces interviene el principio de indeterminación y, en consecuencia, el efecto túnel. ¿Se acuerdan? Pues eso es lo que mantiene al Sol tanto tiempo irradiando energía a una temperatura moderada. La energía cinética térmica de los protones no tiene por qué ser tan grande como para que puedan superar la barrera repulsiva entre ellos, sino que la atraviesan de vez en cuando por efecto túnel. Recuérdese el ejemplo del coche sin gasolina en la cuesta. Teniendo en cuenta la mecánica cuántica, la fusión de hidrógeno en el interior del Sol se lleva a cabo plácidamente a una temperatura como la que sabemos que está la estrella en su corazón. Además, como explicamos en su momento, la fuerza que interviene en la fusión de los protones era la nuclear débil, lo que atenúa también mucho su virulencia. En aquella ocasión utilizamos analogías casi sexuales para explicar la fusión. Vamos a hacerlo ahora de forma más detallada y seria.

Cuando un protón se acerca a otro después de haber atravesado la barrera repulsiva por efecto túnel, la fuerza nuclear fuerte se inhibe y, despertándose la fuerza nuclear débil, uno de los dos protones se transforma en neutrón. Este proceso casi instantáneo libera un positrón, la antipartícula del electrón, y un neutrino. La diferencia de masa entre los dos protones iniciales y el deuterón final (la pareja protón-neutrón) se multiplica por la c^2 y ya tenemos energía abundante.

El positrón avanza poco, porque se encuentra inmediatamente con uno de los muchos electrones del plasma y recordemos que en cuanto una partícula choca con una antipartícula se aniquilan las dos convirtiéndose en fotones. Ya tenemos luz además de energía, que es lo que produce de verdad el Sol. También tenemos un neutrino y a ese le pasa todo lo contrario que al positrón: no es que llegue lejos, sino lejísimos. O sea, que un neutrino es tan elusivo que se escapa del Sol sin chocar con nada e incluso es capaz de atravesar la galaxia enterita sin que nadie lo note. Dejamos los neutrinos para el final del capítulo porque exigen atención particular.

El deuterón formado se mueve en el seno de un medio de protones, por lo que no ha de extrañar que muy pronto se le junte uno más. Ya tenemos un núcleo de helio-3, o sea, constituido por dos protones y un neutrón. Este proceso libera un fotón (más luz) y, por supuesto, energía. Ahora viene una reacción poco probable, porque para que se dé ha de haber cierta abundancia de este helio-3: la fusión de dos de ellos. Cuanto tiene lugar, se forma un núcleo de helio-4, dos protones y dos neutrones, quedando libres otros dos protones dispuestos para seguir reaccionando termonuclearmente. Esta es la que se llama primera cadena protón-protón o, abreviadamente, *PP I*. Hay otras dos cadenas: la *PP II* y la *PP III*, pero son primas hermanas de la primera.

Hay una sutileza en el último eslabón de la cadena que hemos esbozado. He dicho que un helio-3 se une a otro. ¿Por qué, ya que estamos en un medio riquísimo de protones, este helio-3 no permite que se le una otro protón, aunque sea exigiéndole que cambie de sexo, es decir, que se convierta en neutrón al igual que en el primer paso? Y daría otro positrón y otro neutrino. La naturaleza es sabia. Esta reacción se llevaría a cabo por la fuerza nuclear débil, como la primera, y esto significa que es muy poco probable que tenga lugar. La cadena se detendría y el Sol se apagaría. Aunque haya menos helio-3 que protones, es más probable que fundan debido a la fuerza nuclear fuerte liberando dos protones que retroalimentan la cadena. Las cosas son como son y no le falta astucia y delicadeza al hecho de que sean así.

Éste es el *ciclo del hidrógeno* responsable de la mayor parte de la energía generada en el Sol. Pero hay otros, por ejemplo, el llamado *ciclo del carbono* o CNO. ¿Cómo, cómo? ¿De dónde sale ese carbono? Bueno, ya dijimos que el Sol tiene generaciones de estrellas detrás y que la abundancia de elementos pesados no es despreciable por pequeña que sea. Además, sobre cómo se sintetiza el carbono en las estrellas hablaremos bastante porque el proceso triple-alfa, que es el que da lugar al carbono, es de lo más fascinante de la astrofísica. Y téngase en cuenta que el carbono es la base de la vida. Tenga paciencia el lector y crea que hay carbono en el Sol en cantidad apreciable. Pues el carbono, a base de absorber protones del medio y hacer que algunos de estos se transformen en neutrones, es capaz de producir más helio sin despeinarse, es decir, dando energía y recuperándose al final la misma cantidad de carbono. Funciona como *catalizador* en el sentido de que anima a que tengan lugar reacciones nucleares implicándose en ellas, pero quedando a la postre incólume.

El transporte de calor en el Sol

Bien, ya sabemos cómo se quema la gasolina en los cilindros, ahora hay que saber cómo funciona el motor del coche. Por cierto, ¿cuánto combustible consume el Sol? Cuatro millones setecientas mil toneladas por segundo. Tranquilos: esto significa diez billonésimas partes de la masa del Sol por año. Tiene cuerda para rato, en concreto, otros cuatro o cinco mil millones de años. Su extinción no nos pillará.

Recordemos lo que es la *convección* y la *radiación*. La candela de una chimenea calienta por radiación y la calefacción central por convección. Así, el calor irradiado lo transporta ondas electromagnéticas como la luz de las llamas o la luz que nos llega del Sol. La convección es, digamos, por contacto. El agua caliente llega al (mal llamado) radiador porque la fría la ha empujado. Las moléculas del aire en contacto con el «radiador» se agitan al estar éste más caliente y esa agitación se la transmite a sus vecinas. El aire caliente se eleva y deja paso al frío que se acerca al radiador. Éste se enfría, pero le llega más agua caliente. Al final toda la habitación alcanza una temperatura casi uniforme y sólo queda pagar la factura del combustible que se ha utilizado para calentar continuamente el agua que circula por el circuito de toda la casa.

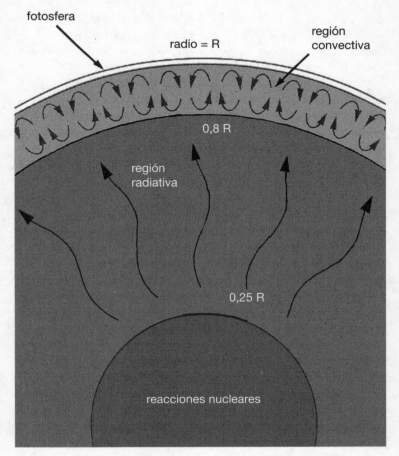

Fig. 14. *Estructura interna del Sol donde se aprecian a escala (excepto la delgada fotosfera que está muy ampliada) las zonas donde el calor se transmite por radiación y por convección.*

157

Aunque hay estrellas puramente convectivas y otras puramente radiactivas, en la mayoría hay dos zonas relativamente bien diferenciadas en las que el calor se transmite predominantemente por una de las formas anteriores. En una estrella joven como el Sol, la zona de radiación es el interior donde se dan las reacciones termonucleares. Es una esfera intensa de radio una cuarta parte que el del Sol. A quince millones de grados está, lo cual recuérdese que no es mucho. Curiosamente, esta prodigiosa caldera es extraordinariamente tranquila, calma y estable. Se podría pensar que los fotones que se generan en las reacciones nucleares son los que producen la luminosidad del Sol. Ni mucho menos. De esa brillante caldera no salen más que los neutrinos. La luz también sale, pero tarda ciento setenta mil años en emigrar del interior hasta la superficie. Esto es muy interesante, porque parece increíble. La luz que se genera en las reacciones nucleares está en el rango de la radiactividad gamma, ¿recuerdan? Esos fotones se absorben con mucha facilidad por los núcleos que andan por doquier. E inmediatamente se liberan de nuevo, pero en cualquier dirección. Así, absorbiéndose y emitiéndose, los fotones llevan un camino errático, interrumpido centímetro a centímetro, que muy difícilmente se orienta hacia una dirección concreta y privilegiada como es hacia el exterior de la bola interna incandescente. Por eso tardan tantísimos años en llegar hasta zonas más superficiales. Allí han perdido mucha de su energía inicial la cual se ha transformado en calor y en soportar la inmensa atracción gravitatoria de toda la estrella. Esta luz más «debilitada», por razones sutiles pero bien explicadas, contribuye favorablemente a que el calor se transmita en la superficie de la otra manera: por convección. Entonces se empiezan a formar corrientes bastante ordenadas de material que fluye en bonitos tubos curvos hacia la fotosfera, la superficie del Sol. Esta convección de masas muy electrificadas es la que provoca tantos fenómenos distintos en la superficie y atmósfera solares como los que hemos apuntado. Así, el intenso corazón de la estrella es muy estacionario y la parte superficial bastante agitada. Cuando las estrellas envejecen, las cosas cambian en el sentido opuesto: la zona central se hace convectiva y la cercana a la superficie radiativa. Ya lo veremos.

LOS MISTERIOSOS NEUTRINOS SOLARES

A veces se escribe de ciencia con tal aplomo (seguramente yo manifiesto a menudo ese defecto) que parece que lo sabemos todo, ¿verdad? Pues apañados estamos.

Los cálculos que esbocé antes son un buen ejemplo de cómo se trabaja en física. Aunque lo que sigue lo haya apuntado ya de alguna manera, creo que no está mal insistir en ello, porque cuando nos enfrentamos a misterios profundos es bueno saber cuál es el método que estamos aplicando, no vaya a ser que el error sea radical, o sea, de raíz.

¿Por qué he hablado con el desparpajo que lo he hecho del interior del Sol si no podemos verlo? Porque en realidad no he hablado del interior del Sol, sino del modelo actual del interior del Sol. Tenemos unos datos observacionales que obtenemos enchufándole aparatos muy sofisticados e ingeniosos a los telescopios solares. Pero esos datos son en forma de luz, o mejor, de radiación electromagnética. Vemos, en todo el rango de la radiación, lo que nos llega de la superficie del Sol, porque del interior ya he dicho que no nos llega la luz por lo de la absorción, emisión y camino aleatorio de la luz allí dentro. Así, vemos manchas, fulguraciones, medimos la abundancia de elementos pesados, obtenemos datos de la energía que nos llega, la temperatura de la superficie, de todo. Pero del interior y de su funcionamiento tenemos que hacer modelos. Por ejemplo, el de las reacciones químicas o el de la contracción gravitatoria. Planteamos ecuaciones que dimanan de esos modelos y calculamos las cosas que sí se detectan. No salen. Hacemos otro modelo: el de las reacciones nucleares. Todo concuerda, magnífico, seguramente el interior del Sol es como indica el modelo termonuclear. Pero... del corazón del núcleo escapan los neutrinos que se generan masivamente en las

159

reacciones nucleares. Si los consiguiéramos detectar, obtendríamos información directa del centro del Sol. ¿Cómo vamos a detectar neutrinos si ya dije que atraviesan cualquier cosa sin alterarse? Concretemos. El flujo de neutrinos solares es de sesenta mil millones por segundo y por centímetro cuadrado. O sea, que por nuestro cuerpo pasan unos seiscientos billones cada segundo de nuestras vidas. Un núcleo de cualquier átomo de cualquier molécula de nuestro cuerpo sentirá uno de esos neutrinos cada doce horas. A ver cómo nos damos cuenta de eso.

Por muy sofisticado e ingenioso que sea el detector que inventemos para contar neutrinos, éste tiene que estar hecho de algo, de algún material que exista en la galaxia, y si los neutrinos son capaces de atravesar la galaxia sin colisionar con nadie, pues ya me dirán cómo va a colisionar con algún núcleo o átomo o lo que sea de cualquier material que se pueda construir en un laboratorio. Pues se ha hecho, pero antes de explicar cómo son esos sutiles detectores de neutrinos, vamos a explicar por qué son éstos tan escurridizos.

Recordemos que la mecánica cuántica es magnífica y que engloba de alguna manera a la mecánica clásica. La energía, sin ir más lejos, cuánticamente va a saltos, pero sin violar el principio clásico de que ni se crea ni se destruye sino sólo se transforma. Se transformará pues a saltos, pero terminando cualquier proceso físico con un balance perfectamente equilibrado. Pues esto fallaba en la desintegración beta que explicamos en su momento. El proceso de transformación de un protón en neutrón o viceversa fallaba porque cuando, por ejemplo, un neutrón se convertía en protón, se detectaba un electrón que salía con unas energías muy diversas en las que no se apreciaba el más mínimo saltito. O ese proceso del micromundo atómico y nuclear se apartaba de la mecánica cuántica, que tan bien explicaba todo lo demás, o el principio clásico y asumido de la conservación de la energía se violaba. Un lío. Pauli (el austríaco del principio de exclusión) y un italiano formidable llamado Enrico Fermi, que entre mil cosas inventó el reactor nuclear, propusieron una salida en la que ni ellos creían por más que solucionara el asunto. En la transformación de un neutrón en protón, además de un electrón se emitía otra partícula que no se veía por ninguna parte. Para que todo cuadrara tenía que ser una partícula eléctricamente neutra y su masa... tenía que ser cero o casi. A ver qué diablos era ese nuevo ente que no tenía ni carga eléctrica ni masa. Nada. O casi nada, porque algo de energía se tenía que llevar para que, repartida con la del electrón, se cumpliera el principio de la conservación de la energía y el modo cuántico de transformarse ésta. El italiano fue el que la bautizó y la llamó neutrino, en español quizá neutroncito. La fuerza que gobierna este proceso es la nuclear débil y por eso, por ser tan débil y además de muy corto alcance, se manifiesta muy raramente. El neutrino tendría que ser insensible a las demás fuerzas de la naturaleza: la gravitatoria (no tiene masa), la eléctrica (no tiene carga) y la nuclear fuerte (no tiene nada que ver con ella). Así pues, esos neutrinos no interaccionan apenas con la materia. Por eso atraviesan grandes masas, como planetas y estrellas sin que se alteren en absoluto. Pero alguna vez interaccionan, así que es cuestión de agudizar el ingenio para construir detectores cazaneutrinos. Vamos allá.

Intentemos provocar el proceso inverso a la desintegración beta: un neutrino choca con un núcleo y uno de sus neutrones se convierte en protón. Como lo que le da carácter químico a un elemento son los electrones de su nube cuyo número es precisamente el mismo que el de protones del núcleo, al cambiar el número de éstos, el elemento químico cambia. Así, si un neutrino le da bien dado, aunque sea por una casualidad extraordinariamente improbable, a un protón de un núcleo de, por ejemplo, cloro, éste se convierte en argón que es un elemento de propiedades químicas bastante distintas a aquél. Así pues, lo que tenemos que hacer es poner una cantidad de cloro en cualquier sitio, tener paciencia, y de vez en cuando mirar a ver si se ha generado algún átomo de argón. ¿Por qué en cualquier sitio? Ya hemos visto la cantidad de estrellas que hay en una galaxia, todas están produciendo neutrinos en las reacciones que le dan vida, éstos no interactúan con casi nadie, por lo que deben an-

161

dar, como digo, por todas partes, así que ¿para qué orientar el detector al Sol o colocarlo en algún lugar privilegiado por algo?

Este experimento esbozado tiene varios problemas. Uno, que la paciencia que hay que tener es infinita, o sea, que el experimento puede durar más que la edad del Universo, a menos que la cantidad de cloro sea enorme. A mayor número de núcleos candidatos a que un neutrino le desgracie uno de sus neutrones, menos paciencia es necesaria, porque más probable se hace el suceso.

Otro problema, quizá más grave, es que los neutrinos están por todas partes, pero muchísimas otras partículas también. Habrán oído hablar de los *rayos cósmicos*. No son otra cosa que partículas generadas de mil maneras en las estrellas y galaxias que vagan a velocidades fabulosas. Cuando chocan con la atmósfera terrestre forman una ducha extraordinaria de muchas otras partículas secundarias que caen a la Tierra por todos lados. Así que nuestro detector de cloro puede degradarse en poco tiempo. Nuestro cubo de cloro lo tenemos que enterrar para protegerlo de esas duchas de partículas.

Otro problema más y ya paro de poner dificultades. Hemos de tener mucho cloro y buscar en su seno átomos de argón uno a uno. ¿Recuerdan el número de Avogadro? Cada cien gramos de cloro tiene un cuatrillón de moléculas. Hay que buscar una entre muchísimos cuatrillones. Lo sensato es dejar el asunto, ¿cierto? Pero los físicos siempre hemos sido unos osados que lo único que nos frena es la falta de fondos. Los norteamericanos, que tienen una pasta larga y alegría para gastarla en estas cosas, se animaron a ello y un tal Davis con un montón de jóvenes se dedicó a cazar neutrinos durante veinte años con un detector fascinante. El tío metió un tanque de cien mil galones (cuatrocientos cincuenta mil litros) de tetracloruro de etileno purificado, que es un líquido de limpieza muy barato, en el fondo de una antigua mina de oro en Dakota del Sur a mil quinientos metros de profundidad y cada pocos meses buscaban químicamente el argón. Al primer intento encontraron quince átomos de argón entre un quintillón largo de átomos de cloro que había allí. Ahí estaban los neutrinos solares. El detector ha estado funcionando des-

de 1970 hasta 1988. Uno puede decir que tan pocos sucesos, un átomo de argón entre tantísimos de cloro no suponen una buena estadística para concluir nada. Cierto, no es una buena estadística, pero
una única huella de pie humano le bastó a Robinson Crusoe para
saber que no estaba solo en la isla y el susto le duró mucho tiempo
y justificadamente. Un acontecimiento diario de cierta clase entre una
pareja no es mala estadística, es más bien una proeza si el ritmo se
mantiene durante un periodo largo.

Hoy día hay varios detectores de neutrinos en todo el mundo
mucho mejores que el de Davis, pero no digan que el hombre no
tuvo mérito. Estos detectores están en Italia, Japón, Canadá... bueno, en un montón de sitios. Hasta en España tenemos uno en un
túnel ferroviario protegido de los rayos cósmicos por una montaña
del Canfranc. No es una maravilla pero ahí está sirviendo para muchas otras cosas. El mejor de todos estos detectores de neutrinos, el
llamado Superkamiokande japonés, acaba de derrumbarse (noviembre
de 2001) suponiendo tal accidente una desgracia muy importante
para el avance de esta especialidad científica.

Pero yo hablé de un misterio del interior del Sol, ¿cuál es? Pues
que todos estos detectores grandiosos y subterráneos detectan menos neutrinos de los que deberían detectar si el interior del Sol fun-
cionara según el modelo del que tanto hemos hablado. Podrán decir que el problema sería que se detectaran más, no menos, porque
la explicación podría ser que hubiera fallos en los detectores. ¿No son
tan complicados y de una estadística tan pobre? Pudiera ser, pudiera
ser, pero casi todo el mundo está convencido de que funcionan bien.
Además, lo que detectan unos y otros están más o menos de acuerdo y, cuando veamos cómo se muere una estrella en plan supernova
veremos que se pusieron a prueba sin querer algunos de estos detectores y funcionaron bien.

Si aceptamos que los detectores subterráneos e inmensos son
fiables, tenemos un problema serio. Las tres respuestas, digamos más
sensatas, al enigma son las siguientes. Nuestro modelo del Sol no es
correcto, los neutrinos se esfuman de alguna manera en el camino

desde el Sol hasta nosotros o… el papel que le atribuimos a los neutrinos en el Sol lo está cumpliendo otra partícula que no sabemos cuál es.

Es raro que el modelo del Sol falle, porque explica muy bien todo lo demás que sabemos de él. Alteremos de él lo que alteremos para acoger el déficit aparente de neutrinos, fastidia todo lo demás. Por más vueltas que se le ha dado a esta hipótesis, aún no se ha ajustado el modelo satisfactoriamente.

Los primos de los electrones son dos partículas igualitas a ellos pero de masa cada vez mayor. Se llaman *muón* y *tau* (debería decirse tauón, porque los nombres vienen de las letras griegas mu y tau, pero me suena raro). Cuando digo igualitas es porque sus propiedades prácticamente coinciden. Cada una de ellas lleva asociada un neutrino a los que les pasa lo mismo: son casi idénticos entre sí, pero son diferentes. Los detectores de los que hablamos antes están preparados para detectar sólo el neutrino del electrón. Ocurre una cosa curiosa entre algunas partículas tan parecidas como esas: cambian espontáneamente unas en otras. Pero para ello han de tener masa, y los neutrinos no tienen. ¿O sí? Si los neutrinos tuvieran una masa, la que fuera siempre que sea distinta de exactamente cero, matábamos dos pájaros de un tiro, es decir, resolveríamos dos de los grandes enigmas actuales. A saber. Desde el Sol hasta aquí, los neutrinos electrónicos se convertirían en muónicos e incluso en tauónicos y ya no los detectaríamos. Se explicaría así el déficit y se salvaría el modelo solar. Pero además, por pequeñita que fuera la masa del neutrino, en el Universo hay tantísimos que ya estaría explicada la materia oscura que sabemos que es un porcentaje enorme de la que se ve. Y no habría que cambiar ningún modelo ni teoría que tantas satisfacciones nos han dado hasta ahora.

En junio de 2001, la gente del detector de Sadbury, el canadiense, proclamó que habían encontrado un límite inferior a la masa del neutrino electrónico. Es decir, al parecer tenían pruebas de que no era exactamente cero. Hay que confirmarlo aún, pero es gente seria y lo han publicado como deben, es decir, primero en una revista profesional, *The Physical Review Letters*, y después en la prensa. Así que a lo mejor llevan razón, ya veremos.

La tercera hipótesis, ya algo más peregrina, es que hay una partícula que interactúa débilmente, o sea, como el neutrino, pero desconocida aún. La idea es que esta misteriosa partícula desempeñaría en el interior del Sol el mismo papel que los neutrinos pero que, al ser distinta, no se pueden detectar con los tinglados preparados para aquellos. Muy raro. Habrá que esperar al nuevo acelerador europeo que se está construyendo en el CERN, cerca de Ginebra, para ver si se encuentran esas hipotéticas y, en mi opinión, peregrinas partículas.

EL SOL COMO UNA CAJA DE MÚSICA

No estaría bonito concluir un capítulo con tanta incertidumbre y tanto despiste, porque quizá diera lugar a pensar que lo que sabemos del interior del Sol está en entredicho. Sabemos mucho, pero como queremos saber muchísimo más, nos encontramos con problemas por doquier. Pero también con hallazgos maravillosos.

¿Saben cómo funciona un instrumento musical? No es sencillo. Pensemos en uno que tenga una cavidad resonante como son la mayoría: desde una guitarra hasta una flauta pasando por un contrabajo. Ya se lo pueden imaginar. El músico lo que hace al tañer una cuerda o soplar por una embocadura es provocar ondas. Éstas se propagan a través del aire en todas direcciones, entre ellas hacia las paredes de la cavidad: la caja de la guitarra o el tubo de la flauta. Esas ondas, al principio pueden ser longitudinales, a lo largo de una cuerda, y después esféricas a través del aire. Pero cuando entran en la cavidad chocan con las paredes de ésta y se hacen superficiales. Las paredes de la cavidad vibran y devuelven el sonido al aire en una especie de rebote. Allí se forma un batiburrillo enorme si chocan unas ondas contra otras a lo loco. Pero si el lutier (guitarrero le llaman en mi tierra al que hace guitarras) ha seguido bien la tradición de los artesanos, o es japonés y utiliza máquinas robotizadas programadas finamente, la caja propaga las ondas de manera que las devuelve con alta probabilidad de que interfieran constructivamente con las ondas que le llegan. Más despacio. Una onda ya saben cómo es: una sucesión suave y periódica de valles y crestas. Si una choca con otra, si pilla el valle de una con la cresta de otra se dice que ambas interfieren destructivamente. Lógico. Pero si chocan de forma que sus valles y sus crestas coincidan, éstos se suman, el sonido se refuerza y purifica. Se produce lo que se llama resonancias. Ahí está la belleza del sonido de un buen instrumento. El músico lo que hace, modificando la longitud de la cuerda o el recorrido del aire soplado en el tubo a base de utilizar llaves, es provocar ondas de distinta longitud (distancia entre dos valles o dos crestas), y el instrumento genera el bello sonido que acompaña a ese quehacer. ¿Que qué tiene esto que ver con el Sol? Pues que al Sol se le está empezando a atribuir la condición de cavidad resonante. O sea, que indagamos sobre cómo es el interior del Sol, porque los neutrinos nos traen locos, y… mira por donde.

El efecto Doppler del que hablamos en el capítulo anterior se refleja en una formulita sencilla la cual, si sabemos cómo cambia la longitud de onda, nos dice a qué velocidad se acerca o se aleja el emisor de esa onda.

Vayamos ya al Sol de una vez. Desde hace unos años, no muchos, se está observando que la superficie del Sol vibra. Se ha averiguado por efecto Doppler. Con unos instrumentos maravillosamente ideados (y caros) adaptados a los telescopios solares se ha concluido que la superficie del Sol se levanta y se hunde, o sea, se aleja y se acerca a nosotros periódicamente a un ritmo de unos cinco minutos. Estamos hablando de desplazamientos ondulatorios de diez centímetros por segundo… a una distancia de aquí al Sol. ¿Son maravillosos o no los instrumentos de medida?

Como estos movimientos son tan lentos, hay que observarlos por periodos prolongados de tiempo sin interrupción. A ver cómo se hace eso si el Sol desaparece cada no muchas horas. De dos maneras. Una, yéndose lo más cerca posible de uno de los polos y observarlo desde allí. En el norte de Suecia hay días que duran meses. Otra, más razonable y bonita por lo que significa la ciencia de fraternidad humana (ahí queda eso) es poner de acuerdo a los astrónomos interesados en el asunto de observatorios repartidos por todo el mundo y que en todo instante se comuniquen lo que están midiendo. Hay varios proyectos de estos, pero el más sonado, como su propio nombre indica, es el GONG (Global Oscillation Network Group) formado por gente de observatorios situados en Australia, Hawai, Estados Unidos, Chile, España (en Canarias, claro) y la India.

Lo que se espera aprender al analizar las vibraciones superficiales del Sol ya se puede adivinar: cómo es el interior que las provoca. Es como estudiar cómo vibra la caja de una guitarra para deducir lo que ocurre dentro de ella y quizá hasta averiguar cómo funciona el instrumento. Es complejo pero no difícil. Con esta frase marxista (de los hermanos Marx) quiero decir que la física de los movimientos ondulatorios se conoce perfectamente desde hace un montón de años, siglos, y como hoy día tenemos los ordenadores que tenemos, calcular cosas será complicado, pero no conceptualmente difícil que es lo que de verdad obstaculiza el avance científico por más apasionante que lo haga.

¿Cómo se producen ondas superficiales en la Tierra? A causa de los terremotos. Así pues, estudiar las vibraciones de la superficie del Sol es estudiar sus... heliomotos. Como tal nombre suena a cualquier cosa menos a lo que debe, digamos que lo que se estudia es la sismología solar. Ya mencionamos que a esa nueva especialidad se le llama *heliosismología*.

Las sutiles ondas superficiales tienen que estar provocadas por los movimientos convectivos de la zona que hay entre la superficie del Sol y el corazón tranquilo y radiante donde se consume el hidrógeno termonuclearmente. La tarea a hacer es la de siempre en física: elaborar un modelo, escribir sus ecuaciones y calcular con ellas cómo las ondas esféricas del interior se han de propagar por la superficie. Si coincide con lo que se observa, seguramente el interior del Sol funciona como hemos supuesto al elaborar el modelo. Así, sin neutrinos ni nada, estamos averiguando muchas cosas del interior del Sol.

Está resultando que el modelo solar que teníamos no hay que modificarlo apenas, por lo que lo de las oscilaciones de los misteriosos neutrinos como explicación al déficit detectado y a la materia oscura del Universo se está abriendo paso. De camino, averiguamos que el Sol es también una maravillosa caja de música. Y, lógicamente, este espléndido atributo es patrimonio de todas las estrellas jóvenes. ¿No acerca esto la ciencia al arte y la poesía?

6

La vida de las estrellas

La benedicta Virgen   es estrella clamada,
estrella de los mares,   guïona deseada,
es de los marineros   en las cuitas guardada,
ca cuando éssa veden   es la nave guiada.

GONZALO DE BERCEO,
Milagros de Nuestra Señora,
entre 1246 y 1252

¿Son todas las estrellas como el Sol? La respuesta lógica es que depende con qué grado de similitud nos quedemos satisfechos en la comparación, pues siempre ocurre lo mismo cuando hablamos de conjuntos grandes de objetos homogéneos. Una buena primera aproximación al comparar todas las personas del género humano es decir que son iguales, aunque analizadas con cierto detalle sólo resultan ser idénticas ante la ley, siendo esto más un noble ideal que un hecho. Ni siquiera los átomos de un conjunto de la misma especie isotópica son exactamente iguales a menos que estén todos precisamente a la misma energía. Con las estrellas ocurre igual: tienen muchas similitudes pero son distintas entre sí.

Durante la mayor parte de su vida, al igual que el Sol, todas las estrellas mantienen un delicado equilibrio entre la energía que irradian al exterior dándoles fulgor, la energía liberada por las reacciones termonucleares de su corazón y la energía gravitatoria que contrarresta a la anterior. El parámetro esencial que regula este equilibrio es la masa de la estrella y todo está supeditado a ella. La razón ya la sabe el lector, pero hay que insistir. Así, a vuelapluma, diremos que a mayor masa, mayor fuerza gravitatoria que, para contrarrestarla y evitar que todo se derrumbe hacia el centro de la estrella, exige mayor temperatura y por eso un ritmo de reacciones nucleares que harán brillar más a la estrella. Naturalmente, se consumirá mucho «combustible» y quizá la vida de una estrella grande se acorte respecto a una más pequeña, aunque no hay que olvidar que aquella tiene más masa que quemar. En resumen, puesto que es lógico que miles de millones de estrellas se diferencien entre sí, esencialmente porque sus masas son diferentes, es de esperar que sus vidas transcurran de modo diverso. Lo que veremos es que, más concretamente, la mayor parte de la vida de las estrellas transcurre de modo bastante parecido a la del Sol y en lo que se diferencian es en su muerte y destino final.

Para ver este prodigio no tenemos más remedio que hacer lo que se ha hecho toda la vida, es decir, observar a las estrellas una a una. Cual si fuera una fauna cuya riqueza y variedad pueden ser grandes, el estudio de la vida de las estrellas nos exigirá en primera instancia clasificarlas y agruparlas si es que se puede. Para ello considero que no está de más hacer un poco de historia de cómo ha evolucionado el enfoque del problema.

LOS MAPAS ESTELARES

El gran Copérnico situaba a las estrellas en el cielo y las clasificaba de la siguiente manera: en la Osa Mayor, «la que está al oeste, en los ojos» tantos grados y tantos minutos de longitud y latitud, y tal magnitud; «de las dos que hay en el pie izquierdo, la que está al norte» tanto, tanto y tanto; en la constelación del Boyero, «la que está más al norte en el extremo de la túnica»... y así todo.

En su *De Revolutionibus Orbium Coelestium, Libri VI* (Johann Petreius, Norimbergae, 1543), Nicolai Copernici Torinensis presentaba primorosas tablas de posiciones de estrellas, así como figuras geométricas y conclusiones maravillosas e inquietantes. La biblioteca de la Universidad de Sevilla tiene una primera edición del libro y yo he tenido el placer y privilegio de haberlo hojeado. Lo de Johann Petreius viene a cuento de que en aquella época el editor e impresor era casi tan importante como el autor. Hoy lo es mucho más.

Aparte de su espléndido contenido, lo que más me llamó la atención del libro fueron dos cosas. Una, que debajo del nombre de Copérnico pone «Nepos Episcopi», sobrino del obispo. Y la otra lo de 1543, porque precisamente ese fue el año en que murió el polaco de Torún. Lo de la alusión a su tío Lucas, obispo de Ermland en el castillo de Heilsberg, puede tener tres interpretaciones malignas. La primera, obviamente, está relacionada con la jocosa e irreverente definición de cura: aquel al que todos llaman padre salvo sus hijos, que le llaman tío. La segunda es que el nepotismo formaba parte del sistema jerárquico de la Iglesia y de muchos estados europeos con tal naturalidad que era un blasón ser beneficiario de las prebendas que tal circunstancia conllevaba. Copérnico obtuvo una canonjía de por vida gracias a su tío y no le dolían prendas en que se supiera y bien. La tercera es más sutil y quizá más acertada, porque podría estar relacionada con la fecha de la publicación del libro en que se demostraba que la Tierra no era el centro de nada siendo el Sol quien regía el mundo. Por herejías de este estilo (y otras) quemaron a más de uno. Sin ir más lejos, al pobre Giordano Bruno cincuenta y siete años después. Así que Copérnico se guardó muy mucho de desafiar a los Santos Padres y no había mejor vía para ello que quedarse calladito y sin publicar nada que pudiera molestar. Pero como él sabía que lo que había descubierto era bueno de verdad, publicarlo cuando ya intuía que estaba listo tampoco iba a reportarle nada peor que morirse. Así controlaba la edición, porque después de muerto bien pudiera ser que ni el tal Petreius ni nadie se atreviera a publicar semejante herejía. En todo caso y por si las moscas: «Nepos Episcopi».

Fig. 15.   *Fragmento de un cuadro al óleo de Copérnico que cuelga en el ayuntamiento de Torún, su ciudad natal. Está pintado a partir de un dibujo del propio Copérnico. En el fondo se ve una parte de su horóscopo elaborado a partir de la fecha, la hora y el minuto en que nació. Los doce triángulos construidos a partir del cuadrado central son las «casas» del zodiaco. El destino de Copérnico lo definían las posiciones que ocupaban los planetas en esos triángulos en el momento de nacer y complejas interrelaciones que entre ellos se establecían. Naturalmente, nada de lo predicho por el horóscopo se cumplió.*

Antes de Copérnico y hasta hace muy poco, lo que ha hecho la humanidad desde siempre respecto al cielo ha sido trazar mapas de él. Empezaron los sumerios, allá por entre el Tigris y el Éufrates, en lo que con los milenios se denominaría Babilonia y varias cosas más hasta terminar llamándose Irak. Allí se empezó a escribir, sobre tablas de arcilla, y ya no se paró. Seguramente el derecho y la astronomía son los dos quehaceres intelectuales más antiguos del hombre, porque en esas tablillas era de eso de lo que se trataba fundamentalmente.

Cuando la zona ya era Babilonia, con Hammurabi de emperador ilustrado se dio la primera correlación entre las estrellas y el devenir humano, o sea, la astrología. Grandioso fallo, pero aquellos astrólogos también tuvieron algunos aciertos de los cuales aún hacemos uso: la manía de hacer calendarios exactos, la división del círculo en 360 grados y otros múltiplos del 60 tan famosos que no hay ni que nombrarlos (los babilonios numeraban en base 60 con la misma naturalidad que nosotros lo hacemos en base 10), el agrupamiento de estrellas en las primeras constelaciones, y cosas así.

Como en este libro la historia de la astronomía, la física y la ciencia en general se presenta de forma licenciosa y poco respetuosa, permitámonos divagar escapando de la cronología. Así, al socaire del pensamiento antiguo, démosle más leña a la astrología de la que ya le dimos con las interacciones físicas.

Para los antiguos, los únicos cuerpos celestes que se movían en el cielo eran los planetas. Las estrellas errantes, como les llamaban, eran pocas porque a simple vista sólo se distinguen cinco. El movimiento de la Tierra en torno a sí misma y alrededor del Sol hace que sea muy complicado dilucidar el movimiento relativamente simple de los planetas en torno al Sol. Lo admito y ninguna crítica haré a los desvaríos de los antiguos, porque además tampoco estaban tan despistados en esto. En lo único que deliraron, y bien, fue en atribuirle influencia alguna a sus posiciones relativas respecto a nuestras vidas. Pero todos aquellos sabios están muertos y en paz descansen. El problema son los vivos, vivillos, que hacen creer a demasiada gente de hoy día que algo de esto hay. Como no es cuestión de fe religiosa o placer místico sino que hay dinero por medio, los nuevos «astrólogos» se tornan imaginativos e incluso arrogantemente agresivos respecto a los científicos.

Una vez que la astronomía dejó establecidas las distancias entre los cuerpos celestes, desde los planetas hasta las estrellas, las galaxias y demás, haciendo inútil todo esfuerzo por achacarles influencia real alguna sobre nuestras vidas, la astrología retomó con fuerza sólo un aspecto de la creencia antigua: la sincronía.

Cómo influyen los cuerpos celestes en nuestras vidas lo dice el horóscopo completo de una persona. Éste se traza en función a los doce signos del zodiaco, las doce «casas» astrológicas y las diez luminarias o decanos que son el Sol, la Luna y ocho planetas. No sé por qué hoy día sólo intervienen éstos y no los que faltan o incluso algunos de los satélites de ellos que son más importantes que varios planetas. Los signos del zodiaco no son más que las doce constelaciones que se alinean con la Tierra y el Sol a lo largo del año. Las «casas» son ellos mismos pero considerados como el domicilio de uno de los decanos. Son las conjunciones de los planetas. Como el lector seguramente se ha perdido, paro porque además el asunto tiene poco interés, pero baste saber que los astrólogos modernos (?) subdividen estos «alojamientos» en varios compartimientos con diversas propiedades predictivas, agoreras o todo lo contrario. Así pues, quedémonos nada más que con lo dicho.

En principio, la fecha de nacimiento (incluso la hora) de una persona, podría definir su horóscopo, o sea, el libro de su vida o al menos el guión ya estaba escrito. Pero esta correspondencia uno a uno, es decir, un horóscopo dejaba sentada una predicción vital de una persona, fallaba miserablemente y en según qué situaciones esto podía conllevar un peligro real para el astrólogo.

Se trata entonces de elaborar el Horóscopo (así con mayúscula es como los astrólogos exigen que se escriba) para extraer de él la profecía correspondiente a la persona que lo solicite y pague. Pero le asalta una duda. ¿Habrá un horóscopo para cada persona en el Horóscopo sin repetirse?

En el sistema más simple, tenemos diez objetos combinados de doce maneras que se pueden agrupar en conjuntos de doce. Estadísticamente nos salen unos 10^{34} horóscopos que, insistimos hasta la exasperación, es la mejor forma de expresar un uno seguido de 34 ceros. Se calcula que ha habido 10^{10} personas (eso son diez mil millones, o sea, que pronto habrá más gente viva que muertos desde

Adán y Eva según las estimaciones más recientes del número de estos últimos).

¿Es necesario hacer comentario alguno para que la astrología se desplome por su propio peso? Baste uno: entre las 10^{34} posibilidades, generaciones absolutamente aleatorias de números (u horóscopos) en conjuntos de 10^{10} darían correlaciones indistinguibles unas de otras, lo cual imposibilita extraer conclusiones de carácter predictivo. Dicho de manera más sencilla: todas las predicciones sobre el acontecer futuro hechas basándose en el Horóscopo tienen exactamente la misma probabilidad de que ocurran, pero una en concreto es inmensamente más probable que _no_ ocurra a que sí. Continuemos con nuestros entrañables sabios antiguos.

Los griegos siguieron haciendo «mapas» del cielo y llevaron a su esplendor toda la tradición y conocimientos heredados de los asirios, caldeos y demás mesopotamios, que así les llamaban a los habitantes de allá por el Tigris y el Éufrates. Dejando aparte el nimio detalle de que empezaron creyendo que la bóveda celeste era una gran burbuja que al igual que la Tierra flotaba en agua, desde Homero (si realmente existió, la mayoría de los historiadores lo sitúan entre 900-800 a.C.) hasta el gran maestro Hiparco (entre el 200 y el 100 a.C.), los griegos nos dejaron una base formidable para llegar a la comprensión del Universo que ahora tenemos. Voy a poner varios ejemplos elegidos exclusivamente según mi criterio personal en cuanto a relevancia de los descubrimientos griegos.

En primer lugar Pitágoras. Su gran acierto fue convencer a jóvenes brillantes de que todos los fenómenos naturales podían describirse con números y relaciones entre ellos. Fantástico. Lo malo fue que a la hora de la verdad se despachó diciendo que las distancias entre los planetas correspondían exactamente a las longitudes de cuerdas vibrantes que producían sonidos armónicos y bellos. Aquello era la armonía de las esferas, la música celestial…

Uno de aquellos discípulos listos de Pitágoras fue Anaxágoras. Estamos ya entre el 500 y el 400 a.C. Éste dedujo, a partir de observación, deducción y liberación de creencias, que la Luna no producía

175

luz sino que brillaba porque reflejaba la del Sol. Esto le llevó a explicar los misteriosos eclipses tanto de Sol como de Luna.

Otro grandioso maestro pero que no dio ni una salvo alentar a jóvenes seguidores a que pensaran, calcularan y dedujeran, fue Platón. Vivió desde el 428 hasta el 347. Naturalmente tuvo un gran maestro, Sócrates, que junto con Jesucristo y Buda, quizá fueron los hombres más famosos e influyentes de la historia que no han dejado escrita ni una palabra. A Platón le dio por decir que el mundo material era un reflejo imperfecto del mundo ideal creado sin mácula ni irregularidad alguna. Grecia era una democracia y en tal sistema político y social se puede decir lo que se quiera, así que ningún problema, salvo que la conclusión que extraía de semejante hallazgo era que todas las propiedades de ese universo ideal, que era el que interesaba de verdad, se podían descubrir empleando sólo la razón. La observación, decía Platón, era mala consejera, porque sólo nos daría información sobre lo impuro e imperfecto. Menos mal que sus estudiantes no le hicieron mucho caso en eso y sí en otras cosas grandiosas que les enseñó, por ejemplo a pensar por sí mismos mucho y bien.

Uno de ellos, llamado Eudoxo, hizo la primera cosmología matemática prestándole más atención al antiguo Pitágoras que a su propio maestro. Éste fue el primero que hizo mover a los planetas en torno a la Tierra en círculos perfectos. No estaba mal, entre otras cosas porque así se explicaban conjuntamente, de manera aproximada, la sucesión de días, meses, años, fases de la Luna, etc.

Pero el gran discípulo de Platón, quién lo duda, fue Aristóteles. Los fallos y aciertos de éste sí que influyeron en la visión del mundo hasta anteayer. En mi opinión, lo que hizo de verdad grande Aristóteles, que todos los estudiosos de su obra me perdonen, fue introducir el concepto de ley física, porque esto es equivalente a lo de enseñar a pescar en lugar de regalar peces. Aunque todavía estaba muy influido por el desprecio de Platón hacia la observación y la experimentación, Aristóteles sentó las bases de la física a pesar de que fuera Galileo quien le asociara un método a esas bases y la hiciera realmente productiva. Baste sólo un ejemplo. En plan platónico, o sea, así porque sí, Aristóteles dedujo que tanto la Tierra como el Universo eran esféricos. Pero lo demostró con dos observaciones que le llevaron a decir que en realidad la Tierra era esférica porque la posición de las constelaciones cambia cuando se viaja al norte o al sur, y porque durante los eclipses lunares se puede ver que la forma de la Tierra es curva. Muy bien, ¿verdad? Lo pasmoso es que sin seguir observación alguna también dedujera cosas magníficas. Por ejemplo: sólo en las esferas caen los cuerpos buscando su centro. Ahí es nada lo que suponía esto de antelación a la idea básica de Newton sobre la gravitación universal.

Aristarco de Samos, además de la proeza de llegar a los ochenta años porque vivió desde el 310 hasta el 230 a.C., calculó muchas distancias, a la que estaban el Sol y la Luna sin ir más lejos, pero lo prodigioso fue que lo hizo con el primer modelo heliocéntrico de la historia. Es curioso que ya un místico de su época, Cleantes el Estoico, declaró que «sus pensamientos estaban dictados por la impiedad».

Un colega de Aristarco, Eratóstenes, otro genio geométrico, calculó muy bien el radio de la Tierra y... vayamos a Hiparco y Ptolomeo, porque estamos ya casi en la modernidad y para lo que quiero mostrar después, esta breve, parcamente autorizada e irreverente introducción histórica puede ser suficiente sin necesidad de cansar.

Hiparco fue el primer astrónomo, mejor dicho, científico moderno. Aunque no sé casi nada de su vida, varias cosas que hizo están claras: dedicó dinero para montar un observatorio permanente en la isla de Rodas; utilizó instrumentos sofisticados preexistentes algunos e inventados y construidos por artesanos otros; partió de hipótesis y modelos previos, algunos atacándolos como los de Aristarco y Eratóstenes (con uno falló, porque menospreció su heliocentrismo y con el otro no, porque calculó mejor el radio de la Tierra); y muchas de sus conclusiones fueron atacadas por otros colegas. Además, lo dejó todo escrito y parece que vivió de su trabajo. Así pues, Hiparco fue el primer buen profesional de la ciencia.

Lo que hizo bien de verdad Hiparco, siempre en mi opinión, fue clasificar 850 estrellas, es decir, que se percató de que lo primero que hay que hacer cuando uno se encuentra una fauna de lo que sea que puede ser rica y variada es clasificar y clasificar, después ya se verá. Hasta entonces, con cada estrella se hacían sólo dos cosas relacionadas entre sí: asociarla a una constelación y dar su latitud y longitud. En resumen, situarla en el cielo trazando así, poco a poco, un mapa de éste. Hiparco añadió la *magnitud*. La magnitud es una medida del brillo de una estrella. El griego lo hacía de la siguiente manera: miraba al cielo a través de un velo tenue. Muchas estrellas dejaban de verse, las más débiles. Después cogía otro velo, lo superponía al primero y volvía a mirar. Se veían menos estrellas. Así, hasta seis velos, a través de los cuales sólo se veían las estrellas más brillantes. Con siete de sus velos, por lo visto, ya no veía nada de nada. De esta manera le asignaba un número del 1 al 6 a cada estrella. Y, por supuesto, les asociaba los dos números que las situaban en la bóveda celeste. La magnitud se usa todavía, aunque de manera mucho más amplia y precisa, como se puede imaginar.

¿Por qué falló tan miserablemente Hiparco, siendo tan cuidadoso como era, en lo de que el centro de todo era la Tierra y no el Sol? Porque decía que si fuera la Tierra la que se movía, tendría que observar que las estrellas más cercanas se movían periódicamente y nada de eso observaba. Lo cual es correcto. El fallo estaba en que él no se imaginaba que esas estrellas más cercanas están en realidad tan lejísimos que ese movimiento no se podía detectar con los instrumentos que usaba. Imposible.

Trescientos años tuvieron que pasar, y ya estamos en el ciento y pico después de Cristo, para que se avanzara significativamente en el trabajo de Hiparco. Lo hizo Ptolomeo en Alejandría. En muchas enciclopedias y libros de historia que no sean específicamente de historia de la astronomía, se verá que a Ptolomeo lo describen como el recopilador del saber astronómico de la Grecia antigua. No es del todo acertado y mucho menos justo. Ptolomeo recopiló mucho, citó su procedencia y trató a Hiparco con cariño y una humildad tal que el único fallo en sus escritos fue que de su lectura no se deduce fácilmente que había sido trescientos años antes cuando trabajó su colega, pero a pesar de todo esto, las contribuciones propias de Ptolomeo fueron extraordinariamente significativas. Todo está en los trece libros del *Almagesta*, su obra magna de recopilación y elaboración. Entre otras cosas, son 1.022 estrellas las que cita agrupadas en 48 constelaciones y no sólo las 850 de Hiparco.

¿Qué pasó entre los tiempos de Ptolomeo y los de Copérnico? Catorce siglos son muchos siglos. Pues pasó poco, y lo poco que pasó no fue bueno para la ciencia. Para demostrar que no le tengo ningún rencor a la astrología en sí, sino a los astrólogos actuales, a continuación voy a hablar maravillas de ella.

La astrología convivió de forma bastante pacífica con las distintas religiones. No he hablado nada de los chinos, ni de los indios, ni de los americanos, pues todos ellos siguieron unas pautas parecidas a los babilonios, griegos y demás. O sea, que trazaron mapas del cielo con sus constelaciones y todo, amén de hacer mil hipótesis y medidas. Pero es que, por si no ha quedado claro, no soy historiador ni deseo hacer más énfasis en la historia de la astronomía que el que considero necesario para situar el objetivo final del libro.

La creencia en la astrología fue muy beneficiosa para el desarrollo de la astronomía. Tanto que no estoy yo muy seguro de que muchos astutos astrólogos no embaucaran a sabiendas a reyes y grandes sacerdotes con sus profecías para que les permitieran hacer tranquilamente su trabajo astronómico. En ocasiones sus fallos les costaban la vida, pero merecía la pena jugar al azar pues, si se tenía buena labia, a lo mejor colaba la explicación del augurio fallido.

Pero a los griegos y sus primos los romanos los sucedieron los cristianos. Harina de otro costal, porque el cristianismo, pocos siglos después de Cristo, inventó lo del cielo y el infierno. ¡Qué augurios dictados por las estrellas ni qué gaitas! En la Tierra, a padecer es lo que toca, porque así lo quiere Dios. Y como éste es bueno, el que se porte bien y no se entretenga con mandangas irá al cielo. El que haga lo contrario se las verá con nosotros aquí y en el infierno con Satanás. Es broma, no simpleza.

La Edad Media, a pesar de todo, no fue tan árida científicamente como se puede imaginar, pero lo que salvó de verdad a la astronomía fue que las cosas prácticas que aportaba eran indispensables. Por ejemplo, el establecimiento de calendarios exactos para su uso en la agricultura, la administración, etc. Tanto fue así que un papa, Gregorio XIII (aunque ya nada menos que en 1582), decretó un nuevo calendario que sustituía al aprobado por... Julio César.

En medio de estas épocas oscuras, en el siglo VII, nació Mahoma, el profeta de Alá y fundador del islam, al cual también le iba bastante al pairo la influencia de las estrellas en nada, porque todo el devenir estaba trazado y bien trazado en el Corán. Pero, pasando un tupido velo al hecho de que le metieran fuego a lo que quedaba de la biblioteca de Alejandría, cuna del pobre Ptolomeo, los musulmanes de aquellas épocas no eran demasiado intolerantes y además tenían necesidad de calendarios exactos porque eran expansionistas. (Tiene que ver, tiene mucho que ver una cosa con la otra.) Los árabes ocuparon buena parte del Mediterráneo, o sea, mucha tierra donde habían estado asentados griegos y romanos, así como también España. Ello les permitió recuperar parte del saber de los griegos y, lo que fue casi más importante, se apropiaron del sistema hindú de numeración que les permitió inventar el álgebra y otras sutilezas matemáticas.

Lo que hicieron bueno de verdad los árabes con la astronomía fue transmitirle a los españoles los conocimientos griegos. Sí, señor, lo mantengo con ausencia total de patriotismo y consciente de mi demostrada tendencia a simplificar la historia. En el siglo XIII, Alfonso X, bien llamado el Sabio, sacó de los árabes y muchas otras culturas lo mejor que tenían y, respecto a lo que nos interesa, decretó que las viejas tablas de Ptolomeo eran demasiado inexactas. Puso a trabajar a un grupo de astrónomos y, aún basándose en epiciclos, se elaboraron las Tablas Alfonsinas, una maravilla que se usó durante más de trescientos años. Para colmo de dicha, los astrónomos árabes también habían descubierto y preservado a Aristóteles y sus leyes físicas que fueron aceptadas por los cristianos. Así, como quien no quiere la cosa, la cristiandad se empapó indirectamente de la filosofía griega. El Renacimiento estaba servido, sólo había que vencer, poquito a poco, a los recalcitrantes aficionados a la hoguera.

Qué puedo decir yo, pobre de mí, de Galileo, de Kepler, de Brahe, de... ¡Newton! Si yo y todos los físicos somos sus herederos, nada más que apasionamiento se puede esperar de nosotros al escribir de ellos. Hasta el bueno de Alexander Pope se pasó de la raya en su exaltación diciendo: «La naturaleza y sus leyes estaban ocultas en la noche. Dios dijo: "¡Hágase Newton!". Y hubo luz». (Yo, mordazmente, añado que el malvado Newton disfrutaba de la potestad que tenía de mandar a la horca a los falsificadores cuando fue director de la fábrica de moneda de Inglaterra. ¿Saben que fue él quien inventó las ranuras de los bordes de las monedas para saber si una de oro había sido limada en su entorno o no?)

Abundaré solamente en un aspecto que ha quedado un tanto libre entre el «expansionismo» y la astronomía para ir ya a lo que nos interesa en este capítulo, que no es otra cosa que mostrar cómo se hacen hoy día los mapas de las estrellas.

Desde que los españoles descubrieron América se impuso navegar por todo el ancho mundo. Pero para navegar mucho y bien hacen falta las estrellas, las matemáticas y los relojes. La náutica incentivó con decisión la astronomía. El observatorio de San Fernando de Cádiz, el de Greenwich y muchísimos más tuvieron esa finalidad principal, lo que conllevó que se trazaran más mapas del cielo y se situara la Tierra cada vez mejor en el firmamento de estrellas. Ello unido al desarrollo de la física, tanto teórica como experimental, dio como resultado la astrofísica, que ya no se contentaba con situar a las estrellas sino que aspiraba a descubrir sus propiedades y mecanismos de funcionamiento. Entre otras cosas, como ya he dicho, porque se superó al ojo como detector de la luz que nos envían las estrellas.

Los primeros mapas modernos se hicieron en la primera década del siglo XX. Los hicieron, independientemente, un danés y un norteamericano. El primero se llamaba Ejnar Hertzsprung, y el otro Henry Russell. Veamos lo que es un *diagrama Hertzsprung-Russell* o, simplificadamente, diagrama H-R.

Un diagrama de estos tiene tan poco que ver con un mapa como las distribuciones cuánticas de probabilidad de presencia. Se trata de representar en un gráfico la temperatura y la magnitud de cada estrella en lugar de dos coordenadas de posición. Hiparco, con sus velos, le asignaba una magnitud del 1 al 6 a cada estrella. Obviamente, él no podía tener en cuenta la distancia a la que están las estrellas. Por eso a magnitudes como las suyas se les llaman *magnitudes aparentes*.

La luminosidad de una estrella no es más que la energía que irradia su superficie en todo el rango de longitudes de onda. Dicha luminosidad decrece con la distancia con una ley muy simple: proporcional inverso del cuadrado de la distancia. Esta es una dependencia matemática muy frecuente en física y el lector recordará que la he citado ya por lo menos tres veces en contextos muy distintos.

Hoy, con instrumentos mucho más sofisticados que el ojo y el velo, podemos abrir el rango de magnitudes de luminosidad, digamos desde -30 hasta $+30$. Hay que distinguir las *magnitudes absolutas* de las *magnitudes aparentes*. Las primeras tienen en cuenta la distancia a la que están esos objetos y las segundas son simplemente cómo las observamos nosotros. Por ejemplo, una galaxia brillante puede tener una magnitud visual absoluta de -25. La Luna llena tiene una magnitud de $+32$. No hay que confundirse, esto no significa, aunque parezca lo contrario, que la Luna llena es más luminosa que la galaxia, porque estaríamos hablando de magnitudes aparentes y para eliminar el efecto de la distancia, las mencionadas son las magnitudes absolutas que les corresponderían si las dos estuvieran igual de lejos de nosotros. Para terminar de aclararlo: una bombilla de 100 vatios tendría una magnitud de $+66$, naturalmente, colocada a la misma distancia fija a que estamos situando la Luna y la galaxia. Y esta distancia es, por convención, 10 parsecs, que son unos 32 años luz.

Con nuestros instrumentos no sólo podemos medir muy bien la cantidad de luz que recibimos de las estrellas, sino también analizarla. Esto significa lo siguiente. Con un aparato llamado *espectrómetro* se disecciona la luz de manera que sabemos cuáles son los átomos que la producen. Porque, al fin y al cabo, ¿cuál es el origen de la luz? Una estrella está caliente y eso significa que sus átomos se mueven mucho. Colisionan entre sí excitándose, que no es más que los electrones de sus nubes pasan a estados superiores de energía. Al desexcitarse los átomos, o sea, al regresar sus electrones a los estados inferiores de energía, la diferencia energética se emite en forma de fotones: las partículas de luz. Pero como la mecánica cuántica es tan precisa y va a saltos, cada fotón que recibimos de una estrella tiene una energía exacta que corresponde al salto que han dado los electrones en el átomo que la emitió. Si tenemos una buena base de datos y un ordenador, podemos averiguar, inmediatamente, la composición atómica de la superficie de la estrella a la que estamos apuntando con nuestro telescopio enchufado al espectrómetro y el ordenador. Averiguamos así, entre otras cosas, a qué *clase* o *tipo espectral* pertenece la estrella. Me voy a permitir una disgresión feminista a propósito de esta cosa tan fría.

Ya he dicho que los diagramas H-R empezaron a hacerse en los albores del siglo xx. En 1913 apareció el primero. Espectrómetros sí había ya, pero de ordenadores, nada de nada. Como el trabajo de analizar la luz de las estrellas era extraordinariamente rutinario aunque tuviera que ser muy cuidadoso y sistemático, en época tan temprana del siglo xx era común el deplorable espíritu reflejado en las siguientes consideraciones: ¿Quién mejor para hacer tal faena que las mujeres? ¿Cómo todo un señor astrónomo se iba a dedicar a semejante tarea tediosa y sin vislumbrar la más mínima gloria? Además, ¿no se habían empeñado las mujeres en ir a la universidad y habían tenido la osadía de matricularse incluso en materias tan poco femeninas como la astronomía? Pues hala, a medir espectros y clasificar estrellas. Remito al lector a la foto que he conseguido que el editor permita que se reproduzca. Es del observatorio de Harvard. Las mujeres están haciendo lo que les he dicho, pero llamo la atención sobre el gesto adusto del «astrónomo» y la carita de «estricta gobernanta» con que la jefa del equipo controla que ninguna mujer se distraiga en su labor.

Pero, claro, lo que no podía evitar el sistema machista era que se le

Fig. 16. *Equipo de mujeres del Observatorio de Harvard analizando fotografías para clasificar estrellas. En 1890 se publicó el catálogo que elaboraron conteniendo las clases espectrales y magnitudes de unas 10.000 estrellas.*

colaran muchas listas de verdad (no me extrañaría que lo hubieran sido todas) y que, por ejemplo, a una llamada Annie Cannon, que clasificó el espectro de varios centenares de miles de estrellas durante cincuenta años, hoy día se la considere la auténtica madre de la clasificación espectral de las estrellas y casi la fundadora de la astrofísica moderna.

Para colmo de desdicha, la regla mnemotécnica que se inventaron los astrónomos americanos para agrupar las estrellas en tipos espectrales fue:

¡*Oh, Be A Fine Girl and Kiss Me*!

Porque las estrellas se pueden dividir en grupos de temperatura decreciente llamados O, B, A, F, G, K y M dentro de cada cual se numera en orden creciente. Así, a una estrella bien se le puede adjudicar la clase B3, o K5, etc. (Nuestro Sol es una G2.)

El caso es que cuando en un eje de un gráfico se coloca la magnitud absoluta (o la luminosidad) absoluta y en el otro la clase espectral, cada estrella que observemos se sitúa en un lugar dando así un diagrama H-R. Hay tantísimas estrellas que se podría pensar que tal diagrama iba a resultar una nube de puntos llenando todo el papel. Pues ni mucho menos. La mayoría de las estrellas se colocan a lo largo de una curva suave que lo atraviesa casi en diagonal. Es lo que se llama la *secuencia principal*. Por ahí en medio está nuestro Sol. Abajo, a la izquierda, aparece otra nube de puntos correspondientes a las llamadas *estrellas enanas blancas*. Por arriba a la derecha están las *gigantes* y las *supergigantes rojas*. Por supuesto, hay estrellas por casi todas partes, pero las mayores densidades de puntos se concentran donde he dicho.

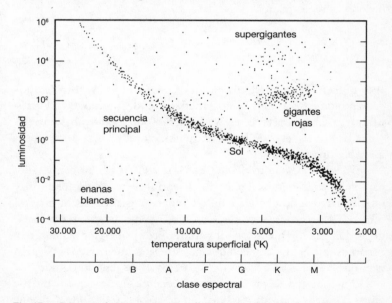

Fig. 17.   *Diagrama de Hertzsprung-Russell. La luminosidad de cada estrella está referida a la del Sol.*

185

Mucho más interesante que lo anterior es que una estrella en concreto vaya emigrando en el diagrama H-R a lo largo de su vida. Cuando nace se coloca en el extremo superior izquierdo de la secuencia principal. Desciende a lo largo de ella y, cuando se le acaba el hidrógeno apagándose así termonuclearmente, se va hacia la zona de las enanas blancas o bien hacia las gigantes, depende de la masa. Y luego... sobre la muerte de las estrellas tenemos mucho que hablar en su momento.

Así pues, los mapas modernos de estrellas son muy distintos a los que trazaban los antiguos y de ellos se puede aprender mucho más. Pero en el fondo la tarea de los astrónomos sigue siendo la misma: observar el cielo, apuntar y extraer conclusiones, aunque hoy se haga con telescopios espaciales, espectrómetros impresionantes, detectores CCD (*charge-coupled device* o dispositivo de cargas acopladas) y ordenadores estremecedores.

La evolución de las estrellas

¿Por qué emigra una estrella en un diagrama H-R? Veamos el fundamento de este cambio de magnitud, o sea, de luminosidad, y temperatura o clase espectral que ya he dicho que están ambas correlacionadas por las leyes de la física. Dicho de otra manera, ¿por qué es inestable una estrella?

El Universo, así a lo grande, está a unos 270 grados centígrados bajo cero, ya lo hemos dicho. En el seno de este gélido medio hay estrellas irradiando energía a unas temperaturas altísimas. Si hiciéramos el balance energético de una estrella como sistema termodinámico, con su teorema del virial y unos pocos principios básicos más, veríamos que la inestabilidad de una estrella es inevitable, o casi; pero para qué meterse en ecuaciones si la cosa es de sentido común.

El mecanismo de producción de la energía nuclear que mantiene viva a la estrella conlleva la irradiación de luz al exterior que se pierde, o sea, se disipa en un medio frío, muy frío. Así pues, el equilibrio se mantendrá mientras la energía nuclear no falte. Y puede llegar un momento en que falte, porque lo de $E = mc^2$ no falla, o sea, que masa se está convirtiendo continuamente en energía que se va por ahí, y por favorable que sea esa conversión, si se pierde masa se altera la gravedad y eso debe provocar la descompensación de todo. Todo esto es cierto, pero no es el problema, sino el siguiente.

En el ciclo del hidrógeno, lo que pasa a grandes rasgos es que cuatro protones se convierten en un núcleo de helio como dijimos con detalle. Recordemos que debido a la repulsión eléctrica de los protones, para que éstos se aproximaran y fusionaran liberando energía nuclear, tenía que entrar en juego la temperatura y el efecto túnel. Si en lugar de ser dos simples protones los que tienen que superar esa barrera repulsiva son dos núcleos de helio, que tienen dos protones cada uno, los que se han de acercar tanto que se pongan en contacto, la temperatura tiene que ser mayor. Así, cuando una estrella genera muchas «cenizas» de helio, la cosa se empieza a complicar, porque puede llegar un momento en que la temperatura a la que está la estrella no alcance para fusionar el helio y el hidrógeno ya empiece a escasear. Cuando el ritmo de fusión de hidrógeno decrece, la gravedad se anima y puede llegar a vencer a las otras dos energías. La estrella puede «apagarse» y la gravedad gana contrayéndola hasta colapsarla a menos que otras circunstancias le paren los pies. Una es el principio de exclusión, la otra es la fusión nuclear de elementos más pesados que el hidrógeno.

Casi toda la materia de una estrella está hecha de fermiones, o sea, protones, neutrones y electrones. Recordemos que el principio de exclusión exigía que estos fermiones ocupen un estado distinto de energía por nimia que sea la diferencia entre ellos. Así, puede llegar un momento en que todos los niveles de energía estén ocupados y, como en la sesión de cine de asientos numerados, allí no quepa nadie más. La temperatura pinta poco o nada en esto. Ése es el equilibrio en que se mantiene un planeta como la Tierra. Ya está contrarrestada la gravedad. La estrella se irá enfriando poco a poco radiando la energía que le quede en función de su temperatura y sanseacabó.

Pero como en todo sistema que se contrae, la estrella aumenta su densidad y también su temperatura. Antes de llegar a la situación descrita brevemente antes, podría ocurrir que la temperatura que alcance la estrella al encogerse fuera lo suficientemente alta como para «encender» termonuclearmente las cenizas. Ya tenemos a la estrella brillando otra vez aunque de forma, obviamente, distinta a cuando lo que quemaba era hidrógeno. Así puede continuar su historia, la cual detallaremos en los dos capítulos siguientes, pero por ahora queda explicado por qué emigran las estrellas a lo largo de su vida en un diagrama H-R: porque su luminosidad y su temperatura, esto es, su clase espectral, va cambiando.

¿De qué depende todo esto? Lógicamente, al ser la gravedad la que sempiternamente está amenazando a la estrella, su vida dependerá de la masa que tenga cuando se formó. Así pues, una buena pregunta es: ¿de qué depende que las estrellas tengan distinta masa? Y otra aún mejor: ¿cómo diablos se «pesa» una estrella? Hemos apuntado cómo se calculaban las masas de cúmulos de galaxias e incluso de galaxias aisladas, pero la masa de una simple estrella ¿cómo podemos averiguarla? Empecemos contestando a la última pregunta.

La masa de las estrellas

En su momento insistí bastante en el hecho de que los nucleones, protones o neutrones, así como otras partículas en otros sistemas, tienden a emparejarse. Pues a las estrellas les pasa lo mismo. Como suena. Más de la mitad de las estrellas están emparejadas formando los llamados simplemente *sistemas binarios*. Cuando estos sistemas son *eclipsantes* adquieren un nombre más bonito que es el de *algólidas*. Veamos qué es todo esto.

Por mecanismos que no son sencillos de describir matemáticamente pero que se pueden intuir con facilidad, una estrella puede quedar atrapada gravitatoriamente por otra. Esto significa que una orbita en torno a la otra (y al revés). Pueden estar tan juntas que casi se toquen o situarse a gran distancia, pero una gira en torno a la otra. Pueden ser estrellas de lo más variado las que formen parejas, pero son extraordinariamente frecuentes las parejas de grado de evolución y porte muy distintos. ¿Por qué no se agrupan tres o mil estrellas en lugar de sólo dos? Se agrupan sí, pero las distancias son las que son y la física hace improbables grupos de más de tres. Salvo en los cúmulos globulares, como ya contamos en su momento, donde se asocian miles e incluso millones de estrellas, o en Alfa Centauri, sin ir más lejos porque es la estrella más cercana al Sol, que no es una sino un sistema triple. Pero lo normal es que se formen parejas de estrellas dispares entre sí y no demasiado lejanas una de la otra. Esta noche, si quieren, pueden hacer un ejercicio muy bonito y sencillo para ver cómo andan de vista.

¿Quién no sabe distinguir en el cielo la Osa Mayor llamada popularmente en ciertos sitios el Carro? La constituyen, fundamentalmente, cuatro estrellas que forman un cuadrilátero irregular, la caja del carro, y tres que se alargan de él que se pueden considerar la lanza. Hay que mirar a la de en medio de estas tres últimas. Pueden ocurrir dos cosas: que se vea una estrella o que se vean dos. En el primer caso, el lector no habría podido ser un buen guerrero indio ni tampoco un explorador de muchos ejércitos europeos antiguos. Esta prueba de distinguir Alcor de Mizar, que así se llaman las estrellas de ese sistema binario, se la hacían a los reclutas para saber si tenían buena vista o no.

En muchas, muchísimas ocasiones, las parejas no se pueden distinguir ni con los mejores telescopios, entre otras cosas, como dije, porque una de ellas puede ser muy pequeña o muy poco luminosa. Sin embargo, los movimientos las delatan. Supongamos que seguimos concienzudamente la trayectoria de una estrella. Lógicamente, si está suficientemente aislada de las demás en la galaxia, y recuérdese que eso es lo que ocurre, seguirá un camino recto o muy suavemente curvado. Si detectamos que, en realidad, la estrella a la que seguimos los pasos oscila leve pero claramente en torno a su trayectoria, no hay duda: lo que la hace oscilar es la atracción gravitatoria de una compañera. Medimos el periodo de esa oscilación y aplicamos primorosamente las leyes de Newton y Kepler. Como en estas leyes las incógnitas que nos quedan son las masas de esas dos estrellas no es difícil averiguarlas, sobre todo porque la de la brillante la podemos deducir por otros medios basados en su clasificación espectral gracias a la luz que nos envía. Ya hemos pesado una estrella a la que ni siquiera vemos.

Ahora puede ocurrir un caso muy frecuente y bonito. Las estrellas de un sistema binario están girando una en torno a la otra orientadas de tal manera que desde la Tierra una eclipsa a la otra con cierta frecuencia. Estas parejas son las llamadas algólidas porque la llamada Algol es un buen ejemplo de ellas. (Algol es la estrella del demonio para los árabes y llevaron razón al bautizarla así, porque su comportamiento era diabólico hasta que se descubrió de qué iba.) ¿Qué detectarán nuestros medidores de luz?

Cuando las dos estrellas están separadas, detectarán la luz de ambas. Cuando la más chica está detrás de la otra, sólo recogerán la luz de la que vemos. Cuando la chica se pone delante de la grande, como una suele ser menos luminosa que la otra, recibiremos menos luz que cuando están separadas pero más que cuando la chica está eclipsada. Pues con todos estos datos, averiguar la masa de ambas no es difícil. Como un diagrama H-R nos muestra que la fauna estelar es variada pero no demasiado diversa, con trucos de este estilo terminamos sabiendo muy bien no sólo la masa sino un montón de propiedades de las estrellas de nuestra galaxia. Un auténtico montón.

Queda por contestar la pregunta más peliaguda de por qué las masas de las estrellas no son parecidas entre sí. Si el destino de una estrella lo marca la masa que alcanza cuando nace, responder a esta pregunta es fundamental, pero, ¡ay!, la respuesta es complicada si uno desea ser preciso.

190

LA FUNCIÓN DE MASA INICIAL

Los astrofísicos han definido una función matemática que, aunque no explica el origen de la diversidad de masa, la sitúan en el origen de las estrellas y a partir de ella calculan muchas cosas y ninguna fácilmente. Definir una función de masa no es difícil pues se puede establecer, por ejemplo, como el número de estrellas de la secuencia principal que tienen una masa igual y determinada por unidad de cierto volumen (muy grande) y por unidad de masa. Y la función inicial describe la distribución de masas estelares en el momento del nacimiento de las estrellas.

Una función de distribución es una expresión de matemática estadística que puede ser simple o complicada dependiendo del sistema de muchos cuerpos que trate de describir. No entraremos en detalle porque lo que nos interesa es lo siguiente: una función de esas tenga la forma que tenga, siempre empezará a valer algo en cierto número, después crecerá presentando un abultado centro y finalmente decrecerá hasta hacerse cero. Lo que no hace casi nunca es crecer y decrecer al mismo ritmo. O sea, que es como la joroba de un dromedario poco agraciado. La función de masa inicial más plausible para una galaxia como la nuestra es tal que indica que las masas de las estrellas contenidas en ella cuando se formó iban desde una centésima de la masa de nuestro Sol hasta diez veces ésta. Así, la función, en unidades de la masa del Sol, empieza en 0,01, sube rápidamente hasta el entorno de 1,5 y después baja suavemente llegando hasta 100.

Para resumir sin marear y evitar así que me lluevan denuestos: inicialmente, en nuestra galaxia la mayoría de las estrellas que se formaron eran parecidas a nuestro Sol, pero había muchísimas estrellas mucho mayores. Hasta cien veces mayores, siempre que se entienda que estamos hablando de masa, no de radio ni de volumen.

Hay muchos fenómenos naturales familiares en los que intervienen estadísticamente una enormidad de cuerpos. La lluvia, por ejemplo. Cae una infinidad de gotas que casi ninguna tiene la misma masa o volumen que otra, pero son todas muy parecidas. No vale. Otros fenómenos de estilo parecido, como por ejemplo la erosión o la cristalización, pueden ser mejores. Pensemos en el primero, la erosión. Si ha sido continuada, de determinadas características y vieja, puede dar lugar a una homogeneidad muy grande, así, los granos de arena de una playa son parecidos entre sí. Sin embargo, pensemos en un desierto pedregoso. Toda la roca de la que proceden los pedruscos que nos encontramos ha estado sometida al mismo sufrimiento provocado por el sol, la lluvia, el viento y demás, pero si el tiempo que han estado sometidas las piedras a este tormento no es excesivamente prolongado, pueden tener un tamaño muy diverso llegando a encontrarse en casos extremos diferencias entre ellas de sesenta o cien veces entre las más grandes y las más pequeñas. La formación de estrellas no tiene absolutamente nada que ver con esto, salvo que por diferencias circunstanciales no demasiado grandes ni extrañas, en ciertos procesos estadísticos de generación de sistemas éstos pueden alcanzar una diversidad de propiedades básicas pero no esenciales, por ejemplo su tamaño. Me he escapado de malas maneras, pero cuando veamos cómo nace una estrella, quedará más claro. Espero.

7

La agonía de las estrellas

El cielo estrellado vive, palpita, no es inmutable, le sucede lo mismo que a la Tierra. Aquí abajo todo se mueve, arriba también.

ELENA PONIATOWSKA, *La piel del cielo*

Gases perfectos o ideales, gases reales y gases... degenerados. Los más interesantes, por supuesto, son los degenerados, pero no hay que alarmarse, porque su interés reside en que es la mecánica cuántica la que le da su inapropiado nombre que nada tiene que ver con ningún tipo de depravación.

Un gas perfecto o ideal es aquel que obedece a un modelo simple de ese estado de la materia. Las moléculas son puntuales y sin interacción entre ellas, de manera que simplificando así las cosas se obtienen unas ecuaciones sencillas que reproducen el comportamiento global de los gases bastante bien. Este comportamiento no es más que lo que les pasa a las tres propiedades termodinámicas más importantes cuando éstas cambian por lo que sea. Estamos hablando de la presión, el volumen y la temperatura. Esas ecuaciones son tan sencillas que nos las enseñaron en la escuela, aunque puede que a muchos se les hayan olvidado. Recordémoslas porque tienen mucho de sentido común. Si se mantiene el volumen constante y aumenta la temperatura, la presión también aumenta. Es el caso de la olla exprés.

Si disminuye el volumen aumenta la temperatura y también la presión. Es el caso de la bomba de la bicicleta cuando la manejamos con decisión (aunque en este caso hay también un calentamiento debido a la fricción). Y cosas así.

Las ecuaciones que describen los gases reales son, lógicamente, más complicadas, pero el resultado que nos ofrecen sobre el comportamiento de los gases no difiere mucho del de los ideales. Pero un gas degenerado sí, porque, por lo pronto, la presión y la temperatura se desacoplan, lo cual no quiere decir más que dejan de tener que ver la una con la otra. O sea, que por más que se caliente el gas la presión no varía. A menos que los componentes del gas se hagan relativistas, es decir, que enloquezcan del todo. Entonces la historia cambia de nuevo, pero este caso lo veremos más adelante porque también rige el comportamiento de ciertos objetos estelares que nos interesan.

A un nivel energético cuántico se le llama degenerado si cuando se le somete a alteraciones externas se demuestra como formado por varios estados próximos entre sí en lugar de uno solo. Recordemos, una vez más, el principio de exclusión: los fermiones de un sistema han de estar cada uno en un estado distinto. Cuando un gas llega a unos extremos en cuanto a presión y temperatura en el que todos sus fermiones ocupan todos los estados disponibles, ambas propiedades se desacoplan como dijimos. Esto, insisto, no significa otra cosa que se hacen independientes y, por lo tanto, la presión se mantiene haga lo que haga la temperatura. Y ahora vayamos a lo que le ocurre a una estrella cuando agota su combustible nuclear de hidrógeno.

Lo que vamos a narrar a continuación se observa en buena medida, pero lo más espectacular, el flash de helio que describiremos, no se ve. Aunque es seguro que ocurre.

Sea una estrella como el Sol. A los nueve o diez mil millones de años de existencia, el hidrógeno empieza a escasear, lo que implica que el helio es abundante. Recordemos que la estructura de la estrella era una caldera radiante y tranquila en una esfera interior de radio un cuarto del total, el corazón le llamamos, y una zona donde el calor se transmitía por convección, como la calefacción, dando lugar a los hermosos fenómenos que tenían lugar en la superficie. Cuando el hidrógeno no da más de sí, la estrella sufre una reestructuración muy drástica. Que no dé más de sí no significa que haya desaparecido, ni mucho menos. Cuando la estrella está en todo su esplendor la composición es de un 73% de hidrógeno y un 25% de helio; ahora el helio ha llegado a poco más del 30%, lo que ocurre es que el efecto túnel es extraordinariamente sensible a esto, es decir, el ritmo termonuclear depende de las repulsiones eléctricas de los núcleos que han de fundir y el helio, una vez más, tiene dos protones en lugar de uno solo que tiene el hidrógeno.

El delicado equilibrio entre la energía radiada al exterior, la gravitacional y la termonuclear, se ha ido rompiendo paulatinamente antes de que el hidrógeno deje de «arder». El corazón se ha vuelto más denso y caliente e incluso la luminosidad ha aumentado. La estrella empieza a emigrar en la secuencia principal en un diagrama H-R. Con el corazón encogido, la estrella se apaga. Encogido es un decir, porque como estamos hablando de una estrella como nuestro Sol, el corazón puede tener un tamaño del doble que la Tierra. Lo cual es realmente pequeño, pero ése es su porte.

La gravitación gana y toda la materia se va hacia el centro, pero entonces puede ocurrir una cosa preciosa si la estrella es algo mayor que nuestro Sol: renace aunque no de sus cenizas. Al disminuir el volumen, aumentan la presión y la temperatura porque todo el gas aún se comporta casi como ideal. El corazón es principalmente de helio inerte, o sea, apagado, pero la temperatura puede llegar hasta tal punto que el hidrógeno que aún resta comience a fundir de nuevo, pero lo hace en una capa que rodea al corazón. Éste se sigue encogiendo y por ello calentándose, ayudado además poderosamente por la capa termonuclearmente activa de hidrógeno que lo rodea.

Hacia fuera, esta nueva fuente de energía expele la materia que se le iba viniendo encima y la estrella alcanza unas dimensiones enormes. Además, como esas capas relativamente tenues y poco densas se están enfriando al aumentar de volumen, enrojecen. La estrella se ha convertido en una *supergigante roja*. La luminosidad aumenta simplemente porque su sección ha aumentado. La estrella se ha movido hacia arriba en un diagrama H-R. Y también hacia la derecha, porque la temperatura superficial ha disminuido. La expansión de la zona que está por encima de la capa ardiente de hidrógeno es curiosa y compleja, porque el material en ella está continuamente subiendo y bajando en corrientes convectivas.

A su vez, el corazón se está enriqueciendo aún más de helio por el producido en la capa de hidrógeno además de estar aumentando la densidad. Y el gas se degenera. Esto es lo importante.

¿Qué gas es el que se degenera? El de electrones. Recordemos que el interior de una estrella está, fundamentalmente, en estado de plasma, es decir, los núcleos sólo retienen muy pocos electrones y la mayoría están por ahí sueltos formando una especie de gas. Los electrones son fermiones, o sea, que han de obedecer el principio de exclusión. Se coloca cada uno en su estado cuántico y aquello no hay quien lo comprima, porque comprimirlo supondría, en buena medida, hacer que bajen a estados inferiores de energía y, como éstos están ya ocupados por otros colegas, el corazón de la estrella se puede calentar y la gravedad apretar lo que quiera que aquello se ha estabilizado de nuevo.

Esta noche, si es invierno, pueden hacer una observación agradable. Supongo que reconocen la constelación Orión. La estrella que está en el hombro izquierdo según se la mira es Betelgeuse. A simple vista se ve grande y rojiza. Está en el estadio de supergigante roja y es tan grande como la órbita de Júpiter.

El calor suministrado por la capa de hidrógeno ardiente que envuelve al corazón sigue calentándolo y suministrándole más helio aún. Pero no encoge más porque la «presión» del gas degenerado lo mantiene firme. Y ahora viene lo bueno.

La temperatura es tan alta que los núcleos de helio se mueven a una velocidad suficiente para que en algún lugar del corazón su energía venza la barrera eléctrica repulsiva entre ellos. Entonces funden termonuclearmente. La energía que desprende esta fusión calienta el corazón aún más acelerando el proceso de fusión del resto de helio. Se desarrolla casi una reacción en cadena y, el corazón, literalmente, estalla. Esto es el mencionado *flash de helio*. Pero lo hace de una forma curiosa, porque es un estallido que no expulsa materia alguna al exterior. Ni siquiera aumenta la luminosidad de la estrella, o sea, que nada se ve con ningún tipo de telescopio. El brillo del corazón debería llegar a ser tan brillante como... la galaxia completa, pero no se ve nada desde el exterior porque la portentosa energía disipada se distribuye rápidamente entre la materia de las capas externas. Tómese consciencia de las dimensiones pensando en lo dicho en cuanto al tamaño de la estrella (órbita de Júpiter) y el del corazón (el doble que la Tierra). ¿Que por qué sabemos que ocurre si no se detecta? Porque la física es grande.

Como siempre, se hacen modelos de los fenómenos que ocurren en la naturaleza. Se escriben las ecuaciones, se observan bien aquellos y se miden todas las magnitudes que se puedan. Se calculan estas magnitudes con las ecuaciones. Si todo cuadra, el modelo seguramente es bueno. Con esas ecuaciones podemos calcular otras cosas aunque no las podamos medir ni observar directamente. Incluso podemos predecir consecuencias de esos fenómenos «ocultos». Si al cabo de un tiempo (también predicho) esas consecuencias dan la cara, aquellos fenómenos seguramente tuvieron lugar.

Lo que hacen fundamentalmente las detonaciones de helio es romper la degeneración del gas de electrones del corazón de la supergigante roja y entonces la presión y la temperatura se emparientan de nuevo. La ruptura de la degeneración ha hecho que, debido a la enorme temperatura alcanzada, aparezcan muchos más niveles energéticos disponibles para que los electrones los ocupen sin violar el principio de exclusión. El helio se empieza a «quemar» de forma más apacible

Naturalmente, la fauna estelar es lo suficientemente variada como para que no todas las estrellas se comporten igual, porque, según hemos dicho, todo depende de la masa de la estrella, pero eso ya lo detallaremos y, al fin y al cabo, casi todas las estrellas dignas pasan por esta etapa que hemos descrito.

En cualquier caso, las capas superiores de la grandiosa estrella vuelven a caer lentamente y la estrella se convierte en una simple *gigante roja* en cuyo corazón se está fraguando... el fundamento de la vida: el carbono y el oxígeno.

El proceso ααα

Vamos a fantasear un poco. Al piloto del helicóptero de una estación internacional de la Antártida lo mandan a... comprar tabaco, por ejemplo. Le pilla una ventisca violenta de verdad y se ha de alejar del lugar hasta que se queda sin combustible. Tres horas de vuelo errante ha realizado. Logra posarse suavemente y descubre, pasmado, que allí cerca hay un pueblo bastante grande. Se llama Castimonia. Sus habitantes lo acogen y el despistado piloto se alegra porque aquella parece ser muy buena gente. No hay radio, ni siquiera teléfonos móviles.

La gente de Castimonia es tan tranquila que el piloto se empieza a aburrir soberanamente. Además, no fuman. Se distrae observándolos y charlando con ellos porque son muy listos y aprenden rápidamente el idioma del piloto. Son tan tranquilos a causa de su timidez. Quizá también es debido al frío. Al poco tiempo y ya con buenas amistades entre ellos, el piloto explora las posibilidades de ligue con las mozas del lugar pero descubre, pasmado, que aquella gente es tan casta que el proceso de seducción, cortejo, enamoramiento y glorioso remate final entre un hombre y una mujer dura un promedio de cuarenta años. Los más lanzados tardan no menos de treinta y cinco años y los más pudorosos casi cincuenta. Las leyes y costumbres entre ellos son estrictas y lo mejor es que nadie se pase ni un pelo. Cuando al piloto se le fue pasando el disgusto causado por semejante descubrimiento, quedó aún más boquiabierto que cuando lo hizo al preguntarse lo siguiente: ¿cómo diablos había tantos niños por allí? No le salían las cuentas.

De pronto, paseando por las inhóspitas calles de Castimonia un día en que la temperatura era agradable, veinticinco grados bajo cero, descubrió algo que le dio la pista definitiva para resolver el enigma: una mujer joven embarazada. El piloto formulaba una hipótesis tras otra mientras continuaba febrilmente buscando más mujeres jóvenes embarazadas. No eran raras. Desechando que le hubieran engañado en cuanto a tradiciones y leyes, el piloto llegó a la siguiente conclusión: tiene que haber un día o periodo a lo largo del año en que... todo valga. Se fue al bar donde estaban los amigos castimonios con los que tenía más confianza y les planteó abiertamente sus cuitas. Todos se rieron con complicidad y le confirmaron que, efectivamente, cada barrio de Castimonia celebraba una conjunción distinta de planetas con la Luna de manera que durante tal día, el anterior y el posterior, las relaciones sexuales eran absolutamente libres con tal de que hubiera consentimiento mutuo. El piloto preguntó ansiosamente dónde y cuándo se celebraba la próxima conjunción. Aquella misma noche había fiesta en el barrio de La Recatada, le informaron los castimonios jocosamente. El piloto abandonó el bar a buen paso y frotándose las manos.

Lo que viene a continuación no tiene absolutamente nada que ver con la historia de Castimonia, entre otras cosas porque el escenario está a una temperatura de millones de grados, excepto en un punto: el ajuste de la escala de tiempos en los procesos físicos es fundamental. Es tan fundamental que si las cosas no cuadran desde ese punto de vista, no hay nada que hacer excepto echarle imaginación al asunto, o sea, plantear hipótesis que después se confirmen.

Estábamos en que en el corazón de la estrella gigante roja se estaba quemando helio. Quemar significa fundir nuclearmente y eso conlleva que dos núcleos ligeros dan uno más pesado. El helio-4 se une a otro helio-4 y da lo que se llama berilio-8. Dicho de otra manera: dos partículas alfa (nunca deje de pensar el lector que núcleo de helio y partícula alfa son exactamente la misma cosa y emplear una expresión u otra es simplemente para evitar reiteraciones) se unen para dar un núcleo de berilio equilibrándose la energía según la ecuación de Einstein. Muy bien, salvo que la cosa no funciona porque el berilio-8 tiene una vida media de 10^{-16} segundos (cero coma y quince ceros antes del uno, o sea, cien trillonésimas de segundo). De hecho, el berilio-8 no existe en la naturaleza. Obviamente. Así pues, en el corazón de una gigante roja, en cuanto dos núcleos de helio funden, se separan casi instantáneamente. La primera hipótesis que se formuló para salir del lío fue la siguiente. A la temperatura a la que está el ambiente de helio, un núcleo tarda unos 10^{-19} segundos en pasar junto a otro una distancia que se puede considerar de contacto. Es un tiempo mil veces más breve que la vida media del berilio. Esta diferencia de tiempos entre la formación del berilio a partir de dos alfa y su desintegración posterior quizá fuera suficiente como para que entre el instante en que se forma y el que le «toca» desintegrarse, absorbiera otra alfa y se llegara al ansiado carbono. Nada, saldría una abundancia de un núcleo de berilio por cada mil millones de núcleos de helio y tal escasez no da para que se forme apenas carbono. Aparte de que ese ritmo de fusión no aporta energía extra ni para encender un cigarrillo. Y estamos hablando de un medio que está a cien millones de grados y una densidad cien mil veces mayor que la del agua.

Para mayor lío, recordemos que el movimiento de las moléculas de un gas o de átomos, núcleos y electrones en un plasma es completamente aleatorio y que los núcleos son extraordinariamente pequeños. Que en un intervalo de tiempo compatible con la física estadística y la vida media del berilio, además en un lugar determinado y pequeño, confluyan tres partículas alfa es más que improbable. Cuatro (para formar oxígeno), no digamos, porque la cosa no va en proporción ni muchísimo menos. Pero, bueno, no queda más que calcular a ver qué pasa. Resulta que, como era de suponer, la abundancia de carbono que sale es ridícula en comparación con la que sabemos que existe.

La respuesta al enigma la dio un inglés entrañable que en su última etapa profesional anduvo un poco desquiciado: Fred Hoyle. Hablaremos de él y, como lo haremos en un contexto algo delirante, no quiero que nadie piense que lo menosprecio, porque sostengo que ha sido uno de los grandes de la astrofísica moderna e incluso de la cosmolo-

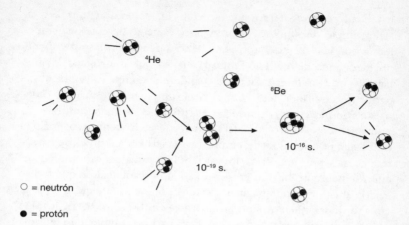

Fig. 18. *El tiempo de interacción entre dos partículas alfa (núcleos de helio) a una energía suficiente para que produzcan el núcleo de ^8Be es de 10^{-19} segundos. Este núcleo vive en promedio sólo 10^{-16} segundos, tiempo mil veces más largo pero aún tan breve que hace que no exista ese isótopo de berilio en la naturaleza al desintegrarse tan fácilmente en dos alfas.*

gía. Para colmo, si en sus postreros desvaríos hubiera llevado razón, algunas hojas de este libro se podrían utilizar para encender barbacoas. Ya verán cuáles. Y lo inquietante es que muchas de las hojas que queden se deben en buena medida a los trabajos de Hoyle realizados en las décadas de los cuarenta y cincuenta.

Hoyle dedujo lo equivalente al día de fiesta de los castimonios. En las condiciones físicas del corazón de una estrella gigante roja, dos alfa podían fundir dando berilio-8 e, inmediatamente, casi simultáneamente, fundirse ese berilio con otra para dar carbono… pero en un estado excitado resonantemente. A ver qué es esto.

Las resonancias en física, y por lo tanto en la vida, juegan un papel fundamental. Todos, cuando éramos pequeños, hemos hecho el siguiente experimento: cimbrear un arbolito. Lo empujamos y nos cuesta cierto esfuerzo; deseamos mantener el cimbreo que el empujón le ha producido y formamos un lío. Pero si tenemos paciencia y habilidad, comprobaremos que podemos mantener un ritmo de oscilación amplia del arbolito con muy poco esfuerzo siempre que empujemos con la cadencia apropiada. Hemos encontrado instintivamente una resonancia de oscilación forzada a la vez que amortiguada. Quien haya hecho la mili recordará que cuando una compañía o unidad superior iba desfilando y tenía que cruzar un puente, los mandos ordenaban romper el paso, porque si el ritmo de las pisadas entraba en resonancia con la estructura del puente, éste podía venirse abajo. En el caso de las reacciones nucleares una resonancia se da cuando, de repente, a cierta y precisa energía, los núcleos que van a chocar «aumentan» enormemente de tamaño creciendo así la probabilidad de que lo hagan. Es una forma de imaginar las cosas, porque lo que crece no es el tamaño de los núcleos, sino la superficie «útil» en torno a ellos que define la probabilidad de reacción. Por eso a esa superficie se le llama *sección eficaz*.

Lo que aventuró Fred Hoyle fue lo siguiente. Si el carbono tuviera una energía de resonancia de 7,68 MeV (esto se llama megaelectrón voltio, unidad de andar por casa de la física nuclear que equivale a un millón de veces la energía que adquiere un electrón cuando lo acelera un potencial de un voltio, o sea, que los electrones que provocan la imagen de nuestros televisores tienen unos cuarenta mil electrón voltios, según nos dicen las instrucciones cuando previenen de andar huroneando por el tubo amenazando con que nos podemos quedar tiesos), decía que si el carbono tuviera un estado excitado a 7,68 MeV, una alfa se podía unir al berilio-8, porque ya no sería improbable el suceso por breve que fuera la existencia del berilio. Para imaginar el proceso hagámonos la siguiente sucesión de imágenes. En un medio con partículas alfa enloquecidas a muchas energías distintas, chocan dos y, en un lapso brevísimo, alguna otra alfa que lleva cierta energía ve a ese berilio de forma gigantesca. Las que llevan otra energía no ven nada especial. Aquella se une al trío y forma un carbono excitado que ya no se rompe en tres partículas alfa, sino que se desexcita emitiendo luz. Desexcitarse significa que sus nucleones (protones y neutrones, o sea, fermiones) «caen» a los estados más bajos que les permite el principio de exclusión. La diferencia de energía entre aquel estado a 7,68 MeV y el de menor energía se emite en forma de dos fotones sucesivos e incluso de pares de electrones y positrones que, a la postre, también terminan aportando luz. El mecanismo puede sonar raro, pero en física nuclear es muy corriente. Pues entonces ¿dónde está el mérito de Hoyle al imaginar un proceso tan vulgar? Primero, en que aunque muchas pistas se las habían dado otros, como un alemán llamado Salpeter, él era quien mejor sabía cuánto carbono había que explicar que tenían las estrellas gigantes rojas, porque Hoyle era astrónomo y Salpeter

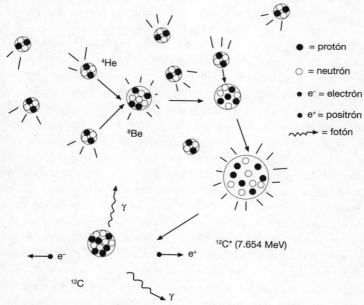

Fig. 19.   *En el breve lapso de tiempo que vive el ^{8}Be, 10^{-19} segundos, puede fundir con un tercer núcleo de helio si la reacción tiene lugar a través de un estado excitado del carbono de energía 7,654 millones de electrón voltios. El núcleo de carbono así formado, en lugar de desintegrarse en partículas alfa, se desexcita emitiendo fotones, electrones y positrones llegándose al carbono en su estado fundamental y estable.*

físico nuclear, y deducir una abundancia determinada de un mecanismo de reacción no era fácil ni siquiera para Salpeter, que también
era uno de los grandes. Segundo, que los físicos nucleares de aquella
época (1953) tenían bastante bien estudiado el núcleo del carbono
y no constaba que tuviera una resonancia a siete y pico MeV.

Como Fred Hoyle era ya famoso por su modelo cosmológico
contrario al Big Bang (y por muchas otras cosas más), lo invitaron
a dar una charla de astronomía en el Instituto Tecnológico de California. La dio y quedó muy bien, pero él se escapó de los agasa-
jos y se fue a visitar a Fowler, que era un físico nuclear que trabajaba en otro edificio de aquel complejo. Se conocían desde hacía
tiempo y habían colaborado muy fructíferamente. Lo que parecía ser
un saludo entre amigos derivó hacia el dichoso estado excitado del
carbono. Fowler, que llevaba mucho tiempo interesado en la abundancia de los elementos en el Universo y en los mecanismos por los
que se sintetizaron en las estrellas, o sea, de lo que va este libro, le
confirmó que el carbono no tenía tal resonancia. Hoyle insistió y
Fowler, displicente pero amablemente, invitó a Hoyle a hablar con
su equipo, que no eran más que seis o siete físicos que trabajaban
con un pequeño acelerador. Insistió tanto el extravagante inglés que
los jóvenes idearon sobre la marcha un experimento para buscar la
misteriosa resonancia. No era muy complicado, pero se tardaría unos
días en prepararlo. Hoyle canceló sus compromisos con tal de ver el
resultado. Lo que planearon los chavales de Fowler era concluyen-
te: si tras bombardear unos núcleos determinados con otros no salía un pico determinado en un diagrama, Hoyle deliraba. Éste aceptó
el desafío y el pico salió. El carbono tenía un estado excitado resonante exactamente a 7,65 MeV, sólo tres centésimas menos de lo
predicho por Hoyle. A Fowler, merecidamente porque su labor en
astrofísica nuclear ha sido intensa, le dieron el premio Nobel muchos años después. A Hoyle no, a lo más que llegó fue a sir inglés,
aunque hay infinidad de físicos y astrónomos que lo respetamos y
le teníamos gran cariño. Eso no es poco.

Cuando basándose en observaciones, teorías y ecuaciones se hace una predicción precisa y ésta se confirma, el fenómeno natural que describen aquellas es tal como nos lo imaginamos. Así pues, el carbono que hay en el Universo se ha formado en el interior ardiente de una estrella moribunda en su estadio de gigante roja. Naturalmente, queda por aclarar si este es el único mecanismo o hay otros. Es el único, porque el Universo primitivo tenía unas condiciones físicas que jamás hubieran permitido generar un núcleo tan pesado como el carbono. Lo que resta por aclarar es cómo sobrevivió este carbono a unas condiciones tan extremadamente hostiles como las que existen en el corazón de las estrellas viejas y cómo se crearon los restantes elementos pesados que hacen posible la vida. El oxígeno, sin ir más lejos.

LA SUPERVIVENCIA DEL CARBONO Y LA CREACIÓN DEL OXÍGENO

El carbono que se va generando en el corazón de helio de la estrella, lógicamente, se verá sometido a un bombardeo constante de partículas alfa. Si se fusiona un carbono (seis protones y seis neutrones) con un núcleo de helio, ambos dan un núcleo de oxígeno (ocho protones y ocho neutrones) seguramente emitiendo un fotón para equilibrar la energía de todo el proceso. Lo lógico, pues, es que el carbono desaparezca con el tiempo y que sea sustituido a la larga por oxígeno. Incluso la supervivencia de éste será dura y difícil, porque en cuanto se forme asimilará otra alfa y dará el neón-20 (diez protones y diez neutrones), y así todo. Pues aquí intervienen otra vez las maravillas de la física nuclear.

El carbono es el cuarto elemento más abundante del Universo después del hidrógeno, el helio y el oxígeno. Hay dos átomos de carbono por cada tres de oxígeno, o sea, que en el corazón de las gigantes rojas sobrevive una buena parte del carbono formado en el proceso triple alfa y es por lo siguiente. La temperatura es lo suficientemente alta para que una alfa supere la barrera repulsiva eléctrica de los núcleos de carbono, por lo que la fusión es energéticamente posible, pero los mecanismos de captura de la alfa por el carbono pueden ser sólo dos, ninguno de los cuales es a través de una resonancia. O sea, que la fabricación de oxígeno es bastante tranquila, porque la probabilidad de fusión no es muy alta. Esto es debido a que la estructura del oxígeno es como es, o sea, que la compleja interacción nuclear entre los ocho neutrones y los ocho protones que lo componen, sometidos todos al principio de exclusión, da unos niveles de energías permitidos que no se alcanzan fácilmente (aunque tampoco con grandes dificultades) a la temperatura del corazón de una gigante roja.

El lector se podrá preguntar por qué son tan distintos los núcleos entre sí a pesar de tener los mismos componentes, protones y neutrones, aunque el número de ellos sea parecido. Es una buena pregunta. Tan buena que si recordamos el caso del berilio-8, que dijimos que no existe más que durante un miserable fracción de segundo, el berilio-9, que tiene idéntico número de protones, cuatro, y sólo un neutrón más, cinco en total, es un metal estable, valiosísimo en muchas tecnologías de punta y más venenoso que la cicuta. La diferencia entre un berilio y el otro no es más que un neutrón que es una partícula eléctricamente insensible por lo que sólo actúa con las demás a través de la interacción nuclear que no se siente más allá del propio núcleo.

Todo lo anterior es debido a que la fuerza nuclear es tan extraordinariamente compleja, como apuntamos en su momento, que cualquier alteración, como puede ser la admisión de un miembro más, puede alterar decisivamente el colectivo nuclear que constituye el núcleo en su conjunto. Uno, yo por ejemplo, se podría pasar toda la vida observando la Carta de los Núcleos, donde se expresan cuatro o cinco propiedades básicas de cada uno, y no desdibujársele del rostro el gesto de lelo.

Más cosas curiosas ocurren en la zona central de una estrella vieja. Supongamos que ésta no es de primera generación, sino que nació de un polvo ya enriquecido por la muerte de otra estrella. Así, no sería raro encontrar en la gigante roja otros elementos pesados ya preexistentes. Por ejemplo nitrógeno–14, que lo forman siete neutrones y siete protones. Los núcleos de helio también van a por ellos y funden dando flúor–18. Un neutrón de los nueve de este flúor se transforma en protón dando lugar al oxígeno–18 (un isótopo del oxígeno corriente) emitiendo, recordémoslo, un positrón y un neutrino. Este oxígeno–18 capta otra alfa y… zas, tenemos neón–22. ¿Que a qué viene este mareo? Pues a que el neón–22, cuando capta otra alfa, da el magnesio–26 y, finalmente, cuando éste agarra otra alfa más, da el silicio–28 y, ¡tachán!, dos neutrones.

Por lo pronto, el silicio–28 es la base de las rocas, el mundo mineral, tal como el carbono–12 es la base de la vida, el mundo animal y vegetal. Pero es que esos neutroncetes son fundamentales para todo lo que va a venir después. En todo el lío anterior de capturas de partículas alfa sólo se emitían fotones, luz, pero justo en la última reacción indicada se emiten dos neutrones que se van a fundir fácilmente con los núcleos porque a esos no lo repele nadie al ser eléctricamente neutros. La *nucleosíntesis* de elementos más pesados empieza justo ahí.

¿Y si la estrella es de primera generación y no tiene aquel nitrógeno–14? Hay otras cadenas de reacciones posibles que evolucionan dando algún que otro neutrón, pero no deseo aburrir al lector porque lo que quería resaltar ya lo he hecho: la importancia de que en ciertos procesos nucleares que tienen lugar en el corazón de las estrellas moribundas se generen neutrones.

La cuestión final a mencionar en este estadio de la evolución de una estrella es la siguiente. Los núcleos que están fundiendo son cada vez más complejos en muchos sentidos, pero lo más importante es que cada vez tienen más protones, es decir, que cada vez exigen más energía para superar una creciente repulsión eléctrica mutua. La temperatura del corazón de la gigante roja depende de la capa de hidrógeno que está fundiendo a su alrededor y de la energía liberada en la «combustión» del helio dando todo lo indicado. Las «cenizas» empiezan a ser abundantes y, como ya ocurrió una vez, el corazón puede llegar a apagarse. Todo depende de la masa inicial de la estrella como hemos dicho muchas veces. Si seguimos hablando de una estrella como nuestro Sol, su historia está empezando a llegar al final.

LAS ESTRELLAS ENANAS BLANCAS

Se acabó el combustible nuclear de la estrella. Esto ocurre cuando el hidrógeno de la capa externa al corazón de la gigante roja ya no puede aportarle más energía y su temperatura disminuye de manera que no es suficiente para mantener reacciones de fusión entre núcleos tan pesados como los que se han ido criando allí. El equilibrio entre las energías radiante, termonuclear y gravitatoria se rompe de nuevo siendo esta última la que gana otra vez. La estrella colapsa, es decir, todo su material se derrumba hacia el centro. Pero el corazón, no lo olvidemos, está a temperaturas próximas al millón de grados y, para colmo, la energía gravitatoria que se va perdiendo también se convierte en calor. Esto hace que la materia más tenue de las capas superiores de la gigante roja se vean esparcidas por un corazón tan extraordinariamente caliente. El resultado final es majestuoso: una *nebulosa planetaria*. Esto no es más que un grandioso halo de materia en cuyo centro nada se ve a menos que el telescopio con el que observemos sea bastante poderoso. Esas nebulosas son de los espectáculos más serenos y bellos que pueden verse en el cielo. Es un viento estelar expelido por el intenso calor del remanente de la estrella. Se descubrieron a mitad del siglo XIX y con aquellos telescopios parecían planetas del estilo de Urano y Neptuno. A lo que queda en su centro se le llama enana blanca.

Una estrella enana blanca es de los objetos más interesantes y útiles del Universo. Por lo pronto, tienen la masa de una estrella aunque hayan expelido un porcentaje notable de la materia inicial, pero su tamaño es el de un planeta pequeño, por ejemplo, la Tierra. O sea, que su densidad ha de ser portentosa. Digamos ya que es un millón de veces la del agua y que nada hay más denso en el Universo salvo las estrellas de neutrones y, de alguna manera, los agujeros negros. Ya hablaremos de estos dos. Pero antes vamos a detallar un poco estos objetos tan compactos como son las enanas blancas.

Una vez apagadas todas las reacciones nucleares (en algunas aún puede haber algo de fusión de hidrógeno en su superficie pero es cuestión de tiempo que éste quede también exhausto), la caída libre de la materia hacia el centro se ve detenida, una vez más, por el principio de exclusión, esto es, los electrones del plasma de helio, carbono, oxígeno y quizá elementos algo más pesados aunque no mucho más, se sitúan cada uno en su nivel convirtiéndose nuevamente en un gas degenerado. Esta situación actúa otra vez como una presión que contrarresta a la gravedad. Ocurre una cosa curiosa con el *gas degenerado* que no hemos apuntado con precisión: mientras mayor es la presión que se ejerce sobre él más encoge aunque ni de forma tan simple como lo hace un gas ideal ni de manera ilimitada, pero esto es lo que ocurre, o sea, que mientras mayor es la masa de la estrella progenitora de una enana blanca, más pequeña y más densa termina siendo ésta. Estamos hablando de estrellas de masas como nuestro Sol hasta el doble o como máximo el triple que él. Pero con un límite entre estos extremos llamado *límite de Chandrasekhar* en honor a un físico indio al que, por cierto, le robaron más de una idea y además no lo trató muy bien algún que otro colega famoso. Pero ésa es otra historia. Los pocos amigos que tenía le llamaban por su primer nombre, como debe ser, aunque no era fácil de pronunciar: Subrahmanyan.

Chandrasekhar trabajó mucho con la mecánica cuántica y con la teoría especial de la relatividad porque era un excelente físico teórico. Una de las cosas que encontró fue en qué circunstancias se podía vencer la presión de un gas degenerado. Esto que he dejado medio ambiguo en el párrafo anterior del juego entre la presión externa y la densidad del gas degenerado, se puede cuantificar muy bien utilizando las dos teorías apuntadas, y se encuentra que si los electrones entran en un régimen energético tan alto que es del dominio relativista, el principio de exclusión no se altera, pero las características esenciales del gas cambian. ¿Que cómo cambia? Digamos que yéndose todo al garete, porque otra vez aparecen muchos más niveles energéticamente permitidos a los electrones. Esto, aplicado a una estrella, significa que si la masa es superior a cierto límite, la presión debida a la gravedad llegará a ser tal que el gas de electrones no la pueda soportar y la estrella se derrumbe de nuevo rompiéndose otra vez el equilibrio y encogiéndose hacia el centro. El límite de Chandrasekhar es aproximadamente una vez y media la masa de nuestro Sol. La conclusión es que si la estrella tenía una masa menor que esa cuando lucía en todo su esplendor en la secuencia principal de un diagrama H–R, terminará sus días como una enana blanca; si era superior, aún puede sufrir nuevos estertores de muerte de los que ya hablaremos.

La enana blanca, pues, es una estrella como la Tierra, más o menos, pero con una masa que es un buen porcentaje de la masa del Sol envuelta por una cada vez más lejana y tenue nebulosa.

Hablemos de diamantes para relajarnos. Las diferencias que hay entre el diamante y el grafito son abismales: uno tizna y el otro raya, uno es negro y el otro brillante, uno cuesta mucho dinero y el otro casi nada, etc. Por todo ello el diamante termina engastado en bellas joyas y el otro en simples lápices. Lo cual parece mentira, porque ambos son carbono puro. En realidad, la única diferencia que hay entre ellos es que los cristales básicos del primero están formados por cuatro átomos de carbono situados en un tetraedro (una pirámide de aristas exactamente iguales) y el otro, el pobre grafito, sólo tiene tres átomos equidistantes y el cuarto en una capa superior distante algo más que aquellos tres. Una pena.

A algún astuto químico le dio por tratar de acercar esas capas para transformar así grafito en diamante, aunque sabía que «apretar» átomos es algo realmente complicado y que exige mucha presión ya que las fuerzas eléctricas actúan intensamente a distancias tan pequeñas y encima está el sempiterno principio de exclusión poniendo orden en la naturaleza. Pero si el diamante respeta tal principio ¿por qué no iba a respetarlo el grafito «apretado»? Los químicos pusieron ingeniosamente grafito en el seno de hierro fundido a una temperatura altísima y lo dejaron enfriar. Al enfriarse, el hierro se contrae y aprieta poderosamente las capas de grafito. Sí, señor, lo consiguieron. El único problema era que aquello producía unos diamantes que eran una birria, había que extraerlos del interior de una barra maciza de hierro, se veía rodeado de grafito hecho cisco, qué sé yo. El caso es que era más barato comprar diamantes en una joyería, incluso ya tallados y luciendo en bonitos anillos, que producirlos de estas maneras.

Esta historia viene a cuento de provocar en el lector una imagen de la composición de una enana blanca: una esfera del tamaño de la Tierra de carbono y oxígeno a una temperatura del orden de los centenares de miles de grados que en cuanto se enfríe cristalizará en estado diamantino corrompido. Así va a terminar nuestro Sol, aunque ¿cuál es el destino final de una enana blanca aislada? Terminar como *enana negra* y hasta esto tiene su gracia, aparte de que en su seno pueda haber diamantes del tamaño de una luna.

Sé, porque en alguna ocasión lo leí, que fue un astrónomo y físico aficionado el que calculó por primera vez cuánto tiempo podía estar una enana blanca irradiando su energía térmica en un Universo a doscientos setenta grados bajo cero. Por más que he buscado no he encontrado el nombre del diletante, lo cual sospecho que no es sólo impericia mía sino que seguramente tiene algo de injusticia corporativa entre los científicos profesionales. Pero que conste que lo he intentado. El caso es que los profesionales han confirmado su predicción de que pueden ser varios miles de millones de años los que tarde una enana blanca en enfriarse completamente convirtiéndose en negra. Esto tiene su importancia. Digamos antes qué es esto de blanca y negra.

A las enanas se les llaman blancas, azules, morenas (éstas, como indiqué una vez y ya insistiré en su momento, no tienen absolutamente nada que ver con todas las demás) o negras en función de la zona del espectro de radiación dominante de la luz que nos llega de ellas. Las negras, obviamente, son tan frías que nada nos envían. Las descubriremos, en todo caso, por sus efectos gravitatorios sobre otros objetos estelares, o sea, por la alteración de los movimientos regulares de éstos. El caso es que si las enanas blancas tardan tantísimo tiempo en enfriarse... no debe haber ninguna enana negra. Me explico. Se está confirmando por medios muy variados que el Universo tiene una edad de entre doce y quince mil millones de años. Ya hemos llamado eones a los miles de millones de años para no aturdirnos. (*Eón* es una bonita, breve y contundente palabra que para algunos filósofos es un periodo de tiempo tan indefinido que no puede medirse, y para otros pirados es un ente que ocupa un estado intermedio entre el espíritu y la materia.) Hagamos las cuentas. Una estrella dentro del límite de Chandrasekhar vive unos nueve eones. Una gigante roja no dura más de uno. Y una enana blanca tarda en enfriarse, según el ilustre y desconocido aficionado, cuatro o cinco eones. Estamos en vena: podemos usar las enanas blancas como relojes cosmológicos. Por eso se buscan con denuedo y se miden sus propiedades tan finamente como se pueda y hoy día se puede hacer muy bien. Imaginen que se encuentra una enana blanca tan fría, y para colmo con indicios de elementos pesados que indiquen que es de segunda o tercera generación, que sale que tiene una edad mayor que la del Universo. Adiós a todo lo que sabemos de cosmología. El descubrimiento provocaría un desbarajuste tan grande que no creo que se produzca. Pero hay que buscarlas por si las moscas.

Como ejemplo de lo que se puede medir de las enanas blancas, citaremos sólo dos propiedades, por ahora, que se han encontrado en ellas.

La atmósfera que las envuelve es curiosa. Dejamos entrever que es de hidrógeno y helio. Pero a tal presión y tal densidad la atmósfera ha de ser muy delgada. Efectivamente: en las enanas blancas en las que se ha detectado atmósfera, ésta no se levanta más allá de unos cientos de metros. Como la enana es del porte de la Tierra, estamos hablando de una atmósfera que no sobrepasa las torres de la televisión o los rascacielos.

Se han detectado también terremotos, perdón... enanomotos, o estelarmotos, o lo que sea, en su superficie. Como siempre, lo que se detectan son cambios periódicos en el brillo de la estrella. Pero como a base de observar el Sol y estudiar la heliosismografía, como indiqué en su momento, se han desarrollado modelos teóricos de cajas de música estelares, éstos se aplican a las enanas blancas y resulta que explican muy bien esos cambios de luminosidad. Por eso sabemos que esos cadáveres de estrellas ricos en diamantes, calientes, errantes y compactos también tienen su actividad musical. Sobre lo de errante ya hablaremos, porque con la tendencia tan natural que tienen las estrellas a emparejarse, como todo hijo de vecino, se puede dar la circunstancia de que una enana blanca se asocie con una estrella en todo su esplendor. Entonces puede llegar a renacer y enviarnos mucha de su riqueza interior, pero esa es otra historia tan bella como casi todas las que tienen lugar en el cielo.

LAS ESTRELLAS GRANDIOSAS

Hemos dicho en numerosas ocasiones que nuestro Sol es una estrella medianita en mitad de su vida. Así son la mayoría del firmamento, aunque en todo instante debemos recordar las dimensiones del Sol.

Supongamos una estrella mucho más grande que el Sol. De una masa ocho veces mayor, por ejemplo. La presión que ha de soportar el corazón de carbono y oxígeno cuando está en la fase de consumir el helio es tan grande que la temperatura puede llegar a encenderlo. Se repite, de alguna manera, lo que había ocurrido en la estrella normalita cuando se le acabó el hidrógeno, salvo que ahora estamos hablando de densidades de varios millones de gramos por centímetro cúbico y de temperaturas de centenares de millones de grados. Cuando el carbón del corazón se enciende termonuclearmente, la estrella sufre fuertes convulsiones, como es de esperar, pero no en la forma secretamente espectacular como eran los flashes de helio, en los que la mayor parte de la energía generada se escapa en forma de neutrinos y éstos ya sabemos lo invisibles que son. El caso es que tras varios estertores violentos y vistosos, la estrella llega a un estadio estacionario en que los núcleos de carbono funden entre sí dando magnesio (doce protones y doce neutrones) y un montón de núcleos más: neón, sodio, e incluso magnesio y aluminio. Esta variedad es debida a que algunos canales de reacción dan partículas alfa, aumentando todo el helio que hay aún por allí, y se dan asimismo transformaciones de neutrones en protones y viceversa (fuentes de neutrinos). Además, el oxígeno también puede formar parte del juego de fusión enriqueciendo el surtido de productos finales. Dos cosas interesa resaltar. La primera es que la estrella desarrolla la incipiente estructura de cebolla que empezaba a tener una estrella pequeña. Es decir, el corazón es ahora de elementos más pesados que el carbono y el oxígeno. Éstos están envolviéndolo en una capa ardiente que a su vez se ve envuelta de una de helio que seguramente está también fundiendo. E incluso ésta se envuelve del hidrógeno que aún resta y que a tal temperatura, si no es demasiado escaso, también se estará quemando aportando calor interior y neutrinos a mansalva.

Como dijimos, a pesar de esta estructura tan compleja (y a la vez simple), externamente la estrella tiene casi el mismo aspecto de supergigante roja que si la progenitora hubiese sido más modesta. Y es porque, insistimos, la gigantesca caldera interna que está produciendo elementos cada vez más pesados como libera energía hacia el exterior es a base de expulsar neutrinos más que radiación. El «aspecto» lo da la luz, no los neutrinos.

El segundo hecho notable de la agonía de estas estrellas masivas es que muchas de las reacciones que tienen lugar en su corazón ardiente de carbono y oxígeno dan lugar no sólo a elementos más pesados, sino a muchos neutrones sueltos. Muchísimos. Y éstos, además de participar en bastantes reacciones en el corazón, emigran hacia la superficie y pueden incluso escapar de allí enriqueciendo el medio interestelar. Por ejemplo, haciéndose abundantes en el bello halo de nebulosa planetaria que se va formando y que se acentuará más cuando... todo reviente.

La gravedad continúa luchando tenaz y pacientemente contra toda la algazara termonuclear que ruge (es un decir) en el interior.

Cada vez que la fusión flaquea, la gravedad trata de contraer toda la estrella, aumenta la temperatura, se acelera el ritmo de fusión, la gravedad se retira esperando la oportunidad de un nuevo ataque, las convulsiones se hacen cada vez más agónicas… ya se agotarán los núcleos, ya se agotarán. ¿Conseguirá la gravedad asaltar el último bastión de la estrella que es el gas degenerado? Hasta ahora siempre ha utilizado el principio de exclusión como último baluarte contra la pertinaz gravedad, ¿será siempre así?

LA FORMACIÓN DEL HIERRO

Se dice que el de hierro es el núcleo más estable de la naturaleza. El de hierro y el de sus vecinos el níquel, el cobalto y cosas así. Estable no es la palabra quizá apropiada, porque una cosa o es estable o no lo es, ni más ni menos. O sea, que un cuerpo, un sistema o lo que sea, es susceptible de permanecer inalterable indefinidamente o es cuestión de tiempo que se transforme en otra cosa de manera espontánea. Esa es la diferencia entre que sea estable o no. En la escuela nos enseñaban que un lápiz apoyado sólo por su punta (jamás lo conseguí) estaba en equilibrio inestable, apoyado por su base, en equilibrio estable y tumbado sobre la mesa, en equilibrio indiferente. Un desastre de ejemplo. En física nuclear decimos que un núcleo es estable cuando no sufre ningún tipo de desintegración radiactiva. De forma más precisa: cuando su vida media es infinita. Pues ni siquiera ésta es una manera de medir la estabilidad, porque hay un montón de núcleos estables, así pues la pregunta es ¿por qué se dice que el hierro es el más estable de todos? Porque es el que más vigorosamente tiene unidos sus protones y neutrones. Estamos hablando de un núcleo de hierro en concreto, el que tiene treinta neutrones, porque como tenga unos pocos más ya es un hierro tan inestable que dura unos pocos segundos. ¿Curioso, no? Un lector fantasioso y con inquietudes sociales puede establecer paralelismos con un grupo humano que mientras más unido está más estable es, aunque su equilibrio a veces dependa frágilmente del comportamiento de unas minorías.

Esto viene a cuento de lo siguiente. Si el hierro es el núcleo más estable en el sentido que hemos dicho, todas las reacciones nucleares tenderán a formar hierro. Aún más, hay quien dice que si el Universo tuviera tiempo suficiente terminaría siendo una descomunal masa de hierro frío. Se puede encontrar escrito por gente autorizada que si ya no lo es, la causa no es otra que el Universo está en expansión, siendo ello, por tanto, prueba irrefutable de la hinchazón que está padeciendo. En fin, cosas más raras se dicen. El caso es que el hierro es extraordinariamente abundante en el Universo. O sea, que en la curva de la abundancia de los elementos, que va decreciendo paulatinamente desde el hidrógeno hasta los más pesados, se presentan varios picos pronunciados de entre los cuales el que más resalta es el del hierro y sus vecinos.

Volvamos al corazón de una gran estrella en fase agónica para ver cómo se forma el hierro en ella. Por cierto (más agua a mi molino), cuando pensamos en hierro nos imaginamos algo sólido, quizá oxidado, incluso manufacturado en forma de locomotora, qué sé yo, pero también es el hierro el que le da color rojo a nuestra sangre. Pensemos en éste mientras vemos cómo y dónde se sintetiza.

Después de la fusión termonuclear del oxígeno, el corazón de la estrella es fundamentalmente de silicio. Este núcleo tiene 28 nucleones, así que si se funden dos de ellos podemos alcanzar el hierro 56. Ni hablar. La barrera eléctrica que se ha de superar es demasiado alta incluso para la temperatura a la que está ya el corazón de la estrella. Se exigirían unos 3.500 millones de grados y apenas estamos todavía a 2.000 millones. Incluso si se alcanzara tal temperatura, y se alcanzará, el silicio antes que fundir se desintegra. Lo que ocurre es que a las energías que conlleva tal cantidad de calor los núcleos de silicio están inmersos en una intensa sopa de fotones. Recordemos que la fuente de luz no es sólo las reacciones nucleares, sino el cambio de movimiento de partículas eléctricas. El número de fotones crece con la cuarta potencia de la temperatura, por lo que ya se puede uno imaginar la cantidad de ellos que se están generando con cargas eléctricas tan grandes como las de los núcleos pesados (y los electrones que sempiternamente andan por allí sueltos cada vez más enloquecidos) a unas temperaturas como las apuntadas. Pues en ese medio y en dichas circunstancias, los núcleos de silicio se rompen antes que fundirse entre ellos. Es lo que se llama *fotodesintegración*, es decir, los fotones de luz degradan al silicio arrancándole un protón, un neutrón o incluso una partícula alfa. Entonces empieza una etapa progresivamente milagrosa.

Estos neutrones, protones y, sobre todo, las partículas alfa, reaccionan con elementos más ligeros, sin ir más lejos el propio silicio que queda abundantemente por allí, dando unos algo más pesados… pero más estables en el sentido apuntado anteriormente. Por ejemplo, azufre. Y si éste agarra otra alfa se convierte en argón. Y así sucesivamente se van sintetizando núcleos cada vez más próximos a la zona del hierro siendo éste, por supuesto, el que acaba siendo más abundante en todo este corazón ardiente y rico. Cientos de reacciones distintas se dan en esta fase de la agonía de la estrella grandiosa. Hoy día se pueden simular por ordenador y los resultados que salen en cuanto a abundancia final de elementos en torno al pico del hierro son muy buenos. En muchísimas de estas reacciones se transforman neutrones en protones, y viceversa, y ya sabemos bien las consecuencias de ello: neutrinos, muchos neutrinos que son los que se llevan la mayor parte de la energía liberada en este caldero auténticamente cósmico.

Vamos a tranquilizarnos un rato, o sea, enfriémonos y hagamos las cosas lenta, muy lentamente.

Los procesos s

¿Cómo se forman elementos cuyos núcleos son más pesados que el hierro? Con tranquilidad. Tengamos en mente tres cosas ya explicadas. Primera, que el magnesio, al fundirse con una alfa, daba lo que fuera y neutrones. Un montón de reacciones durante la «fundición» del silicio también dan neutrones. Segundo, lo que caracteriza, o al menos lo que le da nombre químico a un elemento es el número de protones, porque ese es el que cuando el plasma pase a uno de los tres estados tranquilos, gas, sólido o líquido, definirá el número de electrones que lo envolverá formando los átomos neutros. Y tercero, la radiactividad beta era la de las transformaciones de protones en neutrones y viceversa. Pensemos en la de un neutrón en protón. El núcleo que la sufre cambiará de carácter convirtiéndose en otro elemento que tendrá un protón más y un electrón más en el futuro átomo. Volvamos a las estrellas agónicas pero no a su temible y activo corazón, sino a las capas más altas y frías. Incluso en la superficie y la enrojecida «atmósfera».

Los neutrones generados en el corazón pueden emigrar hacia la superficie porque de donde vienen son las reacciones entre núcleos y partículas cargadas eléctricamente las que mandan. Los neutrones a esas energías reaccionan poco. Pero conforme se van ralentizando, la probabilidad de que se unan a núcleos preexistentes va creciendo. Así, lentamente, los núcleos van haciéndose cada vez más pesados. Y más variados, porque muchos de ellos sufren desintegraciones beta que les hacen cambiar de carácter. Este proceso se llama *s*, del inglés (cómo no) *slow*. ¿Tan lento es? Lo es. En una gigante o supergigante roja se puede crear un medio de, digamos, cien millones de neutrones por centímetro cúbico. Esto es muy poco y sólo hay que recordar el número de Avogadro: un cuatrillón. La escala de tiempo de la que estamos hablando en los procesos *s* es de cientos a miles de años. Es decir, para que un núcleo incorpore dos neutrones sucesivamente deberá esperar en promedio esa barbaridad de tiempo. A escala cósmica no es mucho, pero el proceso es lento de verdad. Todos esos núcleos cada vez más pesados van enriqueciendo las capas altas de la cebolla enviados allí por transporte convectivo. Algunos incluso escapan hacia las inmensas zonas rojas del exterior impulsados por el calor intenso irradiado por el corazón de la estrella.

Este proceso pausado y tranquilo tiene lugar, insisto, tanto en la

218

fase de supergigante como la de gigante, o sea, que las nebulosas planetarias que envuelven a las enanas blancas también han tenido este enriquecimiento pausado y tranquilo. Todo está preparado para la traca final.

8

La muerte de las estrellas

> *... descubra el cielo el camino,*
> *aunque no sé si podrá*
> *cuando en tan complejo abismo,*
> *es todo el cielo un presagio*
> *y es todo el mundo un prodigio.*

CALDERÓN DE LA BARCA, *La vida es sueño*

La biografía es un género literario que tiene, con razón, muchos seguidores. Menos razonable me parece que haya aficionados a las autobiografías porque, obviamente, todas distorsionan la realidad cuando no son francamente falsas. Sin autoridad alguna para afirmarlo, creo que el número de libros dedicados a la vida de personajes podría ordenarse de mayor a menor de la siguiente manera: reyes, políticos de etapas decisivas de la historia de ciertos países incluidos los profetas y los militares, artistas encabezados por escritores y pintores, exploradores, etc. Hasta llegar a los científicos. Lo cual es curioso, porque se podría discutir mucho sobre quiénes han influido más en el desarrollo de la historia y en el bienestar de la gente. ¿Qué fue más decisiva, la guerra de Corea con sus millones de muertos o el desarrollo del transistor que se llevó a cabo a la vez? ¿El accidente de tráfico de lady Di o el invento de la World Wide Web en el CERN, el centro europeo de investigaciones nucleares? Ya sé que la cosa no es tan simple y que estoy bordeando la argucia, pero no creo que sea malo reivindicar de vez en cuando, aunque sea desaforadamente, el protagonismo de los científicos en la historia. Lo que es indudable es que aprenderíamos mucho de la vida de los hombres de ciencia y no necesariamente de los excelsos como ya he indicado malignamente en alguna ocasión esporádica. Hablemos un poco, por ejemplo, de Bessel. Creo que a muchos jóvenes de hoy la biografía de Bessel les podría dar ideas alternativas a las dominantes en cuanto al pragmatismo desquiciado con que se plantean el futuro profesional.

Este prusiano de Brandeburgo, nacido en 1784, era de familia más que modesta porque su padre era un pequeñísimo funcionario del Estado. A los quince años se puso a trabajar, no tenía más remedio. Pero lo hizo como aprendiz en una empresa de importación y exportación de diversas mercancías. Las cuentas le salían de maravillas, era diligente, alegre y demás. Un encanto, y claro, empezó a prosperar porque en la empresa lo apreciaban como no podía ser de otra manera. Pero en ese trabajo, además de con ristras infinitas de cifras a sumar, restar y cuadrar, Bessel estaba en contacto, aunque fuera de refilón y siempre sentadito en su mesa, con países exóticos, pueblos variados, navegantes, etc. Pero a él, pobre oficinista dependiente de un salario y unas expectativas de progreso, le estaba vedado embarcarse, conocer gentes y sitios, porque no podía más que hacer cuentas... y soñar. Soñar de noche, claro, porque de día no tenía tiempo. Sus sueños de navegación mirando a las estrellas lo introdujeron en las matemáticas, aún elementales pero superiores a las sumas y las restas, y en la astronomía. Con menos de veinte años quedó fascinado por el cometa Halley que apareció de pronto en el cielo. Lo observó, lo escrutó, lo escudriñó... y en 1804, justo a los veinte años de edad, trabajando sin descanso por las noches, escribió un artículo muy torpemente, pero en el que se mostraba los cálculos que había hecho de la órbita del cometa con un rigor asombroso. Pero lo asombroso de verdad era que, como Bessel no tenía instrumento de medida alguno, lo hizo basado en las observaciones hechas y compiladas ¡en 1607! que eran las únicas de las que disponía. Bessel le envió el artículo al astrónomo más afamado de la época que había por allí, un tal Olbers, que por cierto fue el mejor cazacometas de la historia y el que formuló la paradoja de la oscuridad de la noche que ya tratamos. Olbers quedó tan impresionado con el trabajo de Bessel que hizo dos cosas: apañar su publicación y sugerirle al autor que solicitase una plaza de ayudante de astrónomo que había vacante en el observatorio de Lilienthal... sin estipendio, salvo quizá, ayudas esporádicas. Bessel saltó de alegría al recibir la carta del gran Olbers y hubo de soportar infinidad de palmadas efusivas en la espalda por parte de sus compañeros y jefes del trabajo. Las felicitaciones se tornaron en carcajadas cuando Bessel les dijo que iba a aceptar la propuesta. Pero qué dices, chaval, con el futuro que tienes aquí, yendo la empresa viento en popa y lo listo que eres, te vas a dedicar a mirar estrellitas por un tubito, y además por la cara, ¡anda allá! Bessel anduvo y se fue. No sólo se hizo un científico famoso, sino que vivió muy bien el resto de sus días. Y para el resto de los mortales no es que fuera afortunada tal decisión, sino maravillosa, porque de los casi cuatrocientos artículos científicos que dejó escritos muchos fueron extraordinariamente relevantes como, por ejemplo, el de las funciones de Bessel que físicos, matemáticos e ingenieros manejamos casi de oficio. Pero Bessel, lo que fue de verdad, es astrónomo y no matemático, pues entre otras cosas calculó las posiciones de cincuenta mil estrellas y nos dejó el método para calcular distancias interestelares.

¿Qué tiene que ver Bessel con la muerte de las estrellas? Vamos a ello, pero aún hay que tener un poco de paciencia. Esta noche, si viven en el hemisferio norte, miren al cielo y discutan cuál es la estrella más brillante. Estrella, no planeta, porque Júpiter les puede engañar. La que parpadea esplendorosamente es Sirio. Está sólo a 8,65 años luz y por ello es la más cercana a nosotros vista desde donde la estamos viendo porque para los sureños de verdad, o sea, los del otro hemisferio, es Alfa Centauri como ya hemos dicho y que está a medio camino de aquí a Sirio. Bessel estuvo fascinado durante diez años con Sirio. Diez años, que se dice pronto. No había noche que no midiera su posición entre las mil tareas que ya como astrónomo consagrado tenía cotidianamente. En 1844, dos años antes de morir, Bessel dedujo que Sirio no se movía en línea recta y que sus oscilaciones se debían a que estaba acompañada por otra estrella que no se veía. La llamaba el Cachorro de Sirio, la Gran Perra. Además, calculó el periodo de su órbita en torno a la madre: cincuenta años. El valor actual es 49,92 años. Todos le creyeron, claro, porque Bessel era muy respetado, pero en cuanto murió se enfrió todo entusiasmo por el Cachorro invisible de la gran Sirio.

Dieciocho años después, en 1862, el hijo del fabricante de lentes más famoso de Estados Unidos, Alvan Clark, estaba probando la nueva lente de 18 pulgadas de diámetro de un telescopio refractor que se había fabricado en los talleres del padre. Dieciocho pulgadas son algo más de 41 centímetros, a comparar con los 10 metros que hoy día son corrientes, pero aquella lente era tres pulgadas más grande que todas las lentes que había entonces. ¿Qué mejor estrella para probar la lente que la más brillante del firmamento? Allí estaba el Cachorro. Exactamente donde tenía que estar según los cálculos de Bessel. Lo pasmoso de toda esta historia es lo siguiente. Bessel había calculado que la masa de Sirio era de 2,3 veces la masa del Sol y la del Cachorro... igual a la masa del Sol. ¿Cómo podía ser que una estrella del porte del Sol estuviera ocluida por una poco más pesada que el doble que ella de tal manera que no la dejaba siquiera brillar? Clark calculó sus luminosidades y concluyó que Sirio era 23,5 veces más luminosa que el Sol y el Cachorro... 0,03 veces. La temperatura de la grande era de 9.910 grados y la de la pequeña 27.000, lo cual añadía más misterio al hecho de que parecía que el Cachorro era apenas del tamaño de la Tierra. El enigma de Sirio A y Sirio B, que así se llaman hoy día los miembros de esta extraña pareja, se extendió hasta bien entrado el siglo xx. El lector ya sabe cuál es la solución: Sirio A es una estrella madura, aunque aún en pleno esplendor, y Sirio B es una enana blanca.

Dijimos que las estrellas tenían una tendencia natural a emparejarse de manera que casi la mitad de todas ellas están formando sistemas binarios. Los sistemas gravitatorios, a diferencia de los cuánticos, tienen sus estados energéticos continuos, no a saltos. Quiere esto decir que en un sistema estelar doble una estrella se puede situar a cualquier distancia de la otra y mantenerse ambas en equilibrio estable cumpliendo las leyes de Newton y Kepler. Igual que los planetas en torno al Sol. Si están muy distantes una de otra el único nexo de unión es justo esta atracción gravitatoria que provoca que una orbite en torno a la otra. Una distancia entre ellas razonable, por decir algo, sería como la que separa el Sol de Júpiter pues, como hemos apuntado alguna vez, el gigantesco planeta no llegó a ser una estrella por los pelos, o sea, que su masa casi llega a la crítica necesaria para que en su interior se hubieran encendido termonuclearmente las reacciones del ciclo del hidrógeno.

Las estrellas de una pareja es raro que tengan la misma edad y el mismo porte, lógicamente. Así pues, en el cielo habrá muchas parejas como Sirio A y B en las que una de las socias esté ya liquidada y en la fase de enana blanca, o sea, un cadáver enfriándose lentamente. Muy triste. Pero ya le llegará el turno a la otra, y cuando le ronde la Parca ya sabemos qué es lo primero que hace: convertirse en una supergigante roja. ¿Cómo dijimos que era el radio de Betelgeuse? Como la órbita de Júpiter, o sea, que la materia de la estrella en sus primeras fases agónicas alcanza a su compañera ya fiambre. Entonces ocurren cosas apasionantes.

Novas enanas y clásicas

La enana blanca está muy caliente y es extraordinariamente densa porque, una vez más, tiene la masa de una estrella y el tamaño de un planetilla. Atrae ingentes cantidades de hidrógeno de la enrojecida «atmósfera» de su grandiosa amiga. Se forma una especie de anillo bellísimo que se llama de *disco de acreción* (debería llamarse de acrecimiento e incluso de acrecencia, pero a cualquier astrofísico le sonaría raro). En la superficie del ecuador de la enana inerte pero incandescente llega el hidrógeno dando lugar a formidables tempestades. Dependiendo de varias circunstancias como la distancia que separa a la pareja, la temperatura de la enana, la masa expelida por la gigante y pocas más, pueden ocurrir fenómenos distintos a cuál más vistoso y… más tierno, porque a quién no conmueve que la agonía de uno haga revivir, aunque sea efímeramente, a su compañera de toda la vida.

Entre la fricción de la masa que arriba a la enana, la alta temperatura a que se encuentra y los efectos gravitatorios que sufre al llegar, el hidrógeno puede hacer brillar de nuevo a la estrella muerta. Pueden tener lugar cataclismos variables en forma de novas enanas y novas clásicas, y el acabose: la desintegración completa de la enana en forma de supernova. Veamos, aunque sea escuetamente, cómo son cada uno de estos renacimientos de una estrella enana blanca, pues aunque la palabra nova parece indicar que son parecidos, poco tienen en común los tres.

Los dos cataclismos variables, las novas enanas y las clásicas, se presentan en forma de intensas llamaradas seguidas de periodos de calma absoluta. En una nova enana el brillo aumenta entre diez y cien veces, mientras que en una nova clásica puede llegar hasta un millón de veces más que en el periodo tranquilo. Que tenga lugar un tipo u otro depende críticamente de la masa de la enana blanca. Hasta ahora se han detectado unas trescientas novas enanas cuyas llamaradas duran entre una y tres semanas separadas por calmas que varían entre un mes y casi un año de duración. El mecanismo de liberación de energía durante los cataclismos aún no se conoce con detalle, incluso hay explicaciones que se pueden considerar alternativas y no complementarias.

La ingente cantidad de hidrógeno que llega a la enana blanca posee una dinámica global muy interesante y no demasiado complicada de explicar matemáticamente: el ventarrón se organiza casi como un anticiclón (o borrasca) con la estrella inerte en su centro. Lo complicado de verdad es la descripción de los fenómenos que ocurren en este disco de acreción en el ámbito atómico y molecular, porque parece claro que en ellos está el origen de la deflagración termonuclear que da lugar a las llamaradas periódicas.

Las novas clásicas se conocen mejor que las enanas y se detectan casi cada noche. Es un decir, pero nada más que en nuestra galaxia vecina, Andrómeda, se detectan unas treinta cada año. En nuestra Vía Láctea sólo se observan dos o tres al año, porque el polvo interestelar nos oculta mucho de lo que sucede en ella. Tómese nota de esto para ir haciéndonos a la idea de que este polvo no es tan tenue como uno se podría imaginar al conocer su escasa densidad.

La luminosidad de la enana blanca crece muy rápidamente, en cuestión de pocos días, hasta llegar a la equivalente a cien mil soles acompañada de una portentosa liberación de energía. En ese plan aguanta una temporada, o sea, unos tres meses, y empieza a apagarse más o menos lentamente. Este ritmo de decadencia es lo que define a una nova, de manera que las rápidas tardan semanas en serenarse y las lentas muchos meses. Las primeras reaparecen al cabo de los meses, las segundas en décadas. Estamos hablando siempre de la luz visible que nos envían, porque la radiación completa (ultravioleta, infrarroja y demás) sigue una evolución distinta, más mantenida en el tiempo, tanto en unas como en las otras.

El mecanismo de esta descomunal *bola de fuego* es, como dijimos, muy distinto al de las novas enanas y, en cierto modo, parecido al de las gigantes rojas. El hidrógeno enriquecido de la compañera que se va tragando la enana, en este caso más lentamente que en el anterior de forma que no se producen violentas deflagraciones, se acumula ingentemente en su superficie haciendo que aumente la presión y la temperatura. El carbón y el oxígeno de ésta se empiezan a mezclar con ese gas. Todo lo soporta el gas degenerado de electrones del interior. Llega a un punto en que la temperatura de las capas acumuladas en la superficie es tal que se alcanza la de ignición termonuclear del hidrógeno pero no a través de las cadenas que conocemos de una estrella joven, sino del llamado ciclo CNO en el que intervienen el oxígeno y el carbono.

Por un delicado mecanismo nuclear propio de este ciclo, no todo el material de la superficie se lanza al espacio tras la primera explosión, sino que mucho queda consumiéndose termonuclearmente. La eyección hacia el firmamento de gas enriquecido en metales algo pesados se hace más pausada. El brillo va decreciendo más o menos lentamente en forma paralela. Tras esta fase, la bola de fuego (así la llaman los astrofísicos) se va apagando y la enana empieza a tragar nuevo hidrógeno fresco y rico de su compañera preparándose así para la siguiente traca. El resultado es un renacimiento de la enana blanca de estas maneras y un enriquecimiento del polvo interestelar.

Ocurre una cosa curiosa que es de destacar. Este polvo tiene mucho carbono el cual se condensa en forma de grafito, no de diamante que sería mucho más interesante. Estos granos de grafito forman una especie de capullo que oculta casi completamente a la enana a pesar de que sigue irradiando su débil luz como siempre. El próximo renacer de la estrella enana blanca lo hará como vigorosa crisálida que se resiste a la muerte y el olvido.

Ahora hay que recordar de nuevo a Chandrasekhar, el indio que estableció que por encima de vez y media la masa del Sol no hay gas degenerado de electrones que aguante a la gravedad.

Supernovas

En la mili, como ya casi nadie sabe, se aprendían un montón de cosas que nos parecían inútiles. Una de ellas que aún recuerdo era la diferencia entre una *deflagración* y una *detonación*. Lo primero, fenómeno lento, era lo que hacía la pólvora y lo segundo, muchísimo más rápido, era propio de la dinamita. Si los cartuchos de pistolas, fusiles, cañones y todo lo que disparara proyectiles se cargaran con dinamita o cualquier detonante, el arma estallaría antes de que la bala saliese por el cañón. Un desastre. En cambio, las bombas de pólvora eran poco útiles porque tendrían más de fuego de artificio que de malas intenciones. Y punto, pues poco más nos enseñaban en la mili ya que el conocimiento, sin duda con razón, solivianta poco el ardor guerrero. Podemos precisar más los dos conceptos sin meternos en mucho lío. En la deflagración, la velocidad de la ignición del explosivo se mantiene siempre por debajo de la velocidad local del sonido. En la detonación se produce una *onda de choque* al propagarse la explosión a velocidades mucho´mayores que la del sonido en el medio que estalla. Lo de la onda de choque se puede entender recordando dos fenómenos relativamente familiares. Los aviones supersónicos y… los látigos. La velocidad del sonido en el aire es de unos 340 metros por segundo o, lo que es lo mismo, unos 1.200 kilómetros por hora. Cuando un avión pasa ese límite de velocidad, las ondas que provoca interfieren entre sí de manera que se produce un estampido formidable que, como lleva aparejada una alteración grande de la densidad del aire, puede ser bastante destructivo si el tránsito tiene lugar cerca de tierra. Al menos no queda un cristal sano en muchos kilómetros a la redonda. El restallido del látigo de un cochero, extraordinariamente efectivo para animar a un caballo un poco penco, tiene el mismo origen: con habilidad y una tralla de dimensiones apropiadas, el extremo de ésta supera la velocidad del sonido.

Las estrellas mueren por deflagración o por detonación. Esta es una buena definición para las *supernovas tipo I* y las *supernovas tipo II*. Un astrofísico purista dirá que en las primeras no aparece hidrógeno en su espectro y en las segundas sí. Otro dirá que las I las sufren enanas blancas en sistemas binarios y las II son típicas de las estrellas muy masivas. Los más refinados argüirán que las curvas de luz son distintas en unas que en otras. Todos llevarían razón, pero como yo fui artillero, ahí queda la definición mencionada. Además, si se define de las otras formas, a las supernovas hay que clasificarlas con subdivisiones, porque el cielo es tan rico que se presentan variedades respecto a sus curvas de luz, sus espectros, etc., pero ninguna de estas formidables explosiones, las más portentosas que se pueden imaginar después del Big Bang, viola lo de la deflagración, el tipo I, y la detonación, el tipo II.

¿Tan grandiosa es la muerte definitiva de una estrella? Una supernova es un estallido de luz en todo el rango del espectro de manera que sólo en el visible compite con la luminosidad de una galaxia completa. Hablamos de un resplandor de muchos miles de millones de soles. Miles de millones. En nuestra Vía Láctea se dan con tanta frecuencia como en cualquier galaxia: una tipo I cada 36 años y una tipo II cada 44, más o menos, pero como estamos donde estamos, o sea, cerca del borde, el resto de estrellas de la galaxia y el polvo interestelar impiden que las veamos apropiadamente. Sin embargo, hay descripciones antiguas de estrellas que aparecían en el cielo e iluminaban intensamente las noches. Y lo hacían durante un periodo de tiempo que es el típico que dura una supernova.

Vayamos a por las *supernovas tipo I*. Como se puede esperar, tienen lugar cuando la enana blanca de un sistema binario le ha robado poco a poco tanta materia a su vecina que llega a acumular una masa superior al límite de Chandrasekhar, es decir, que su corazón puede encenderse termonuclearmente de nuevo. Antes de detallar el mecanismo por el que se desencadena esta supernova digamos lo que se ve. De repente, en unos pocos días (deflagración) aparece el descomunal sol con una luminosidad como la que hemos indicado. La forma de la eyección de luz es esférica y uniforme. A partir de entonces y durante unos veinte días, conforme la expansión progresa, la esfera se estratifica formándose capas internas concéntricas moviéndose las interiores más lentamente que las externas. La luminosidad disminuye a ritmo distinto aunque constante hasta los cincuenta días después de la explosión. A los tres meses las esferas se vuelven casi transparentes y se forma una nebulosa espléndida por tenue que sea.

El mecanismo de la explosión que mejor se ajusta con lo observado es el siguiente: cuando la masa de la enana alcanza una vez y media la masa de nuestro Sol, el carbón de su corazón comienza a fundir nuclearmente. Puesto que lo que mantiene el equilibrio de la estrella es el gas degenerado de electrones y en este estado la presión y el volumen están desacoplados de la temperatura, el aumento de ésta debido a la energía liberada por las reacciones nucleares no se compensa con expansiones y consiguientes enfriamientos. Un frente de carbón en fusión nuclear se mueve hacia la superficie de la estrella. La fusión del carbón, quizá también del oxígeno, empiezan a dar núcleos cada vez más pesados llegando hasta los del pico del hierro, los más estables. Casi la mitad de la masa de la estrella se ha convertido en hierro y níquel. Entonces se rompe la degeneración de los electrones y no porque dejen de cumplir el principio de exclusión, sino porque se han convertido en relativistas debido al inmenso calor generado por la fusión de núcleos pesados y porque muchos de ellos se han absorbido en esas reacciones nucleares. En cuanto sucede esto y nuevamente se acoplan la presión y el volumen con la temperatura, el calor liberado provoca la expansión de toda la estrella desintegrándose ésta. El corazón de hierro y níquel se propaga de forma relativamente lenta, pero las capas ardientes que lo envolvían alcanzan velocidades de varios miles de kilómetros por segundo: casi el 10 % de la velocidad de la luz.

Muchos refinamientos se han hecho y se hacen de este modelo de la deflagración del carbono del corazón de una enana blanca como origen de las supernovas tipo I, pero en esencia es el más aceptado. Además, esta clase de supernovas es tan estándar que se consideran como patrones para medir distancias lejanas al igual que las Cefeidas (las luces intermitentes de los campanarios de intensidad y periodo conocidos).

La *supernova tipo II*, la detonación, es el fenómeno más violento que se da en la naturaleza. Es el destino realmente apocalíptico de una estrella que cuando estaba en su esplendor, o sea, en la secuencia principal de un diagrama H-R, tenía una masa de diez, veinte o cien veces mayor que la masa del Sol.

Quedamos en que una estrella de este calibre había adquirido una estructura en capas de elementos cada vez más pesados hacia su interior, siendo el corazón de hierro y níquel. Si la estrella era muy masiva, casi todas las capas están fundiendo termonuclearmente y la temperatura es cada vez mayor. Todo está soportado por la fusión termonuclear de los núcleos cada vez más pesados. La estrella sufre convulsiones en el sentido siguiente. Cuando empieza a flaquear un combustible nuclear, la gravedad vence, la estrella se encoge, esta disminución de volumen lleva aparejado el aumento de presión y temperatura; éstas favorecen la ignición nuclear del anterior combustible casi exhausto formando una capa que envuelve al corazón, lo cual ayuda a que fundan los núcleos más pesados de éste, la estrella se dilata de nuevo como cuando se convertía en una gigante roja. Así, con sucesivas igniciones de elementos cada vez más pesados, dilataciones de las capas externas, encogimiento del corazón y aumento de la riqueza de núcleos pesados, y con la gravedad siempre amenazadora, la estrella emigra en un diagrama H-R. El final se va a desencadenar vertiginosamente.

Para hacernos una idea de qué estamos hablando en cuanto a tiempo, diremos que si la estrella tenía veinte masas solares cuando estaba en su esplendor, su hidrógeno lo quemó en diez millones de años; su corazón de helio, cuando ya era supergigante roja, apenas le duró un millón de años; la combustión del carbón se llevó a cabo en trescientos años; el oxígeno se le agotó en seis meses y la combustión termonuclear del silicio casi se ha completado… ¡en dos días! No todo se ha quedado exhausto porque, como hemos dicho, muchas de estas capas aún pueden estar fundiendo, pero ya de forma residual.

A la temperatura y presión alcanzadas, unos diez mil millones de grados y la misma cantidad de gramos por centímetro cúbico, los núcleos de hierro deberían fundir, pero hemos de tener en cuenta que estos núcleos y los de sus vecinos, el cobalto, el níquel, etc., son los más estables, por lo que esas reacciones se darían con escasa probabilidad y además son *endotérmicas*, es decir, que absorberían calor en lugar de producirlo. Pero este no es el inconveniente, sino que una reacción mucho más absorbente de calor se produce con muchísima mayor probabilidad: la *fotodesintegración* del hierro. Resulta que los fotones, que recordemos que crecen en número con la cuarta potencia de la temperatura, además de ser abundantísimos tienen una energía formidable. La suficiente como para hacer estallar los núcleos de hierro. Un fotón es un campo electromagnético, lo cual quiere decir que tiene una componente eléctrica y otra magnética. Cuando la luz de tal energía penetra en el núcleo de hierro, agita a los protones, que están cargados eléctricamente. Los neutrones tratan de preservar la integridad del núcleo en su conjunto y también se desplazan violentamente para compensar el desequilibrio de masas. Estos desplazamientos pueden ser tan violentos que muchos nucleones, protones y neutrones, salen despedidos, incluso agrupados en partículas alfa. En concreto, un canal de reacción muy frecuente en estas condiciones extremas es la fotodesintegración de un núcleo de hierro en trece partículas alfa y cuatro neutrones. Incluso estas alfa, núcleos de helio, también se pueden fotodesintegrar en dos protones y dos neutrones cada una de ellas. Aún más, en cuanto se liberan estos protones encuentran unas condiciones físicas favorables para su transformación en neutrones liberando océanos de neutrinos y absorbiendo ingentes cantidades de electrones del mar degenerado que soporta a toda la estrella. El cataclismo está servido.

Si se analiza bien el galimatías anterior, se ve que, por una parte, la fotodesintegración del hierro ha de ser un proceso nuclear que absorbe energía en lugar de liberarla pues, se ha de insistir, el hierro es de una estabilidad excepcional y única. Por otra parte, en lo que terminan los núcleos de hierro es en decenas de neutrones cada uno de ellos, porque casi todos los protones se han transformado en ese proceso que se llama desintegración beta inversa. Y este proceso ha desequilibrado todo porque ha absorbido casi todos los electrones del gas degenerado que mantenía el corazón de la estrella. En resumen: no sólo se destruye el último bastión que había contra la gravedad, sino que ésta se ve favorecida por un consumo extraordinario de calor que actúa como una presión negativa. El corazón de la estrella colapsa, lo cual quiere decir que en poco menos de un segundo un volumen del tamaño de dos o tres veces la Tierra se comprime hasta alcanzar un radio de unos pocos kilómetros. Un planeta se ha convertido en una montaña.

La dinámica de este derrumbamiento del corazón es muy interesante. La masa que se mueve vertiginosamente hacia su centro lo hace de manera que la velocidad es proporcional a la distancia que la separa de dicho centro, movimiento muy distinto al de la caída libre que están sufriendo las capas altas de la estrella externas al corazón. A la distancia al centro en que la velocidad supere a la del sonido, el colapso del corazón vuelve a adquirir las características de la caída libre. La información mecánica no se puede transmitir a una velocidad mayor que la del sonido en el medio, lógicamente, por tanto las capas externas de la estrella de hidrógeno, helio, carbón, oxígeno, etc., no se enteran de lo que está pasando en el interior y quedan como en suspenso esperando a que se desencadene la catástrofe que sospechan que ha de estar a punto de acontecer. Estamos hablando de velocidades de 70.000 km/s, casi un cuarto de la velocidad de la luz en el vacío. El corazón se encoge de tal manera que la densidad llega a ser… ¡tres veces mayor que la de un núcleo atómico! Entonces interviene una propiedad formidable de la fuerza nuclear.

La fuerza nuclear fuerte es muy intensa, atractiva y de muy corto alcance. Ya lo dijimos. Pero no mencionamos que a distancias aún más cortas que su alcance se hace repulsiva. Esto implica que los nucleones (protones y neutrones) no pueden interpenetrarse. Son como frutas que tuvieran una semilla enorme y extraordinariamente dura: si choca una contra otra ambas podrán despachurrarse, pero las semillas duras impedirán que se superpongan.

Todos los neutrones se interpenetran un poco pero, inmediatamente, debido al carácter repulsivo de su corazón, la esfera de neutrones rebota un poco y adquiere su forma definitiva exigida por… el principio de exclusión otra vez, porque los neutrones son tan fermiones como los electrones y ningún fermión desacata la obediencia debida a tal principio. Aquel «ligero» rebote de la esfera de neutrones, hiperdensa e hiperdura, envía ondas de presión en contra de toda la masa de la estrella que se le está viniendo encima a velocidades vertiginosas. Estas ondas de presión alcanzan pronto la velocidad local del sonido por lo que se forma una onda de choque, el estampido del avión o el trallazo del látigo, que se encuentra en sentido contrario con la portentosa y ardiente lluvia también supersónica de núcleos pesados con la que choca frontalmente. La temperatura experimenta un subidón y la fotodesintegración del hierro que queda y otros núcleos se desencadena de nuevo. Y más protones se convierten en neutrones. Y más grandiosos y vastos son los océanos de neutrinos invisibles que escapan. Cuando la onda de choque global llega a las capas externas de la estrella se produce la gran explosión que arrastra tras de sí todo el material que caía hacía el corazón rígido de neutrones y rebotaba en él. Toda esta historia ha durado apenas veinte milésimas de segundo.

Cuando el material expelido, compuesto en buena parte del hidrógeno exterior aunque no únicamente, ni mucho menos, llega a una distancia de diez mil millones de kilómetros, se hace visible ópticamente con un brillo que, insistimos, compite con el de una galaxia completa. La estrella ha sufrido una muerte en plan supernova tipo II. Lo que queda es una estrella de neutrones, que ya veremos las características que tiene, y una esfera brillante y rica que se expande por el vacío interestelar.

SUPERNOVAS FAMOSAS

Si la estrella de Belén que guió a los Reyes Magos a su destino fue un simple cometa, como se cree, y no una supernova vecina como se merecía el evento que anunciaba, yo destacaría tres extinciones de estrellas a lo largo de la historia de la humanidad: la SN1054, la SN1987A y, creo, la llamada SN1993J. Esta nomenclatura no tiene nada de críptica porque la SN significa, obviamente, supernova, la cifra siguiente es el año en que se descubrió y la letra final ordena el descubrimiento a lo largo de ese año, o sea, la A es la primera supernova descubierta el año indicado, la J la décima, etc. La SN1054 no tiene letra final porque para qué indicar su orden si fue la única de la que tenemos noticia documentada no sólo de ese año, sino de todo el milenio. Empecemos por ésta, que la descubrió el 4 de julio de 1054 un tal Yang Wei–Té, astrólogo (¡vaya por Dios!) de la corte durante la dinastía Sung.

En los tiempos modernos nada ha habido más detestable y odioso que un golpe de Estado militar. Sus consecuencias siempre han ido acompañadas de cierta mejora de las cifras macroeconómicas (en demasiadas ocasiones ni eso) y mucha pena popular y pobreza intelectual. Pero unas pocas veces, siempre en la Antigüedad, algún golpe de Estado militar fue una bendición. Es el caso del que dio en el 960 el inspector general militar Chao K'uang–yin acabando con la dinastía Chou de la China mandarina. El tío, en vez de masacrar a la gente, convocó oposiciones. Chao fue un maestro, porque basó su poder en un funcionariado honestamente elegido entre el pueblo y una diplomacia astuta que le mantuvo en paz con sus vecinos. Además, vivió modestamente según las enseñanzas de Confucio y no cedió a nadie el mando del ejército, que una cosa es la amabilidad y otra permitir que los Diez Reinos del Sur se hicieran ilusiones respecto a China. Para remate, Chao fue, que yo sepa, el primer gobernante que instauró la Seguridad Social. Muy primitiva, sí, pero ahí estaba esa primera pica en las suaves cumbres del bienestar social. Así pues, con el beneplácito popular y geoestratégico, se convirtió en emperador y sus descendientes continuaron su labor engrandeciéndola hasta límites que él seguramente no sospechó. O sí, porque seguro que era un visionario bueno y afable. El caso es que durante los trescientos años que duró la dinastía que fundó Chao todas las manifestaciones del arte chino tuvieron gran esplendor, aparte de inventarse cosas tan curiosas y dispares como los billetes, las ciudades con más de un millón de habitantes y los sindicatos. En ese ambiente próspero y bullanguero, las ciencias no podían sino avanzar significativamente. La corte no sólo estaba en la capital Pien–Ching, sino en todas las grandes ciudades, las cuales tenían derecho a tener artistas y científicos subvencionados, o sea, funcionarios. Y uno de ellos fue el mencionado Yang Wei–Té, que dejó unos primorosos dibujos y leyendas de la SN1054.

Los anasazi, navajos para los amigos del cine, eran unos indios norteamericanos que vivieron desde el año 100 hasta hoy, bueno, digamos que hasta la Edad Moderna o algo así porque deben quedar muy pocos después del exterminio que sufrieron en el siglo XIX. Habitaban por lo que hoy es Nuevo México en su límite con Arizona y Colorado. Su cultura era más curiosa de lo que se podía esperar si consideramos que Hollywood nos tiene demasiado castigados con el arquetipo de indio pintarrajeado en sempiterna correrías tras la caballería yanqui. Pues los navajos eran sedentarios, agricultores y canasteros. Lo de las canastas no es broma, porque adquirieron tal habilidad haciendo esos enseres, útiles para infinidad de cosas, que algunos de los periodos de su historia se definen por el tipo de cestería dominante. Pero, en mi opinión, lo que de verdad inventaron los navajos fueron las casas adosadas de vecinos que hoy inundan las periferias de las grandes ciudades. Al principio vivían en cuevas y sitios así, pero como fueron agricultores ingeniosos, muy pronto empezaron a construir chozas de adobe cerca de los campos cultivados. Y después, por razones poco claras, al menos para mí, construyeron estructuras comunales que iban desde veinte habitaciones hasta mil todas sin solución de continuidad. Además, construían cámaras de ceremonias subterráneas por todas partes. Los restos de la mayor unidad urbanística de este estilo y que data del siglo XI se puede visitar hoy día en el Parque Histórico Nacional de Cultura del Chaco en Nuevo México y se llama Pueblo Bonito, así como suena. En aquel ambiente apacible (es un decir, porque el vecindeo debió de ser bastante alborotador) y próspero hubo vecinos que se dedicaban a pintar hábilmente y a estudiar las estrellas. La SN1054 la pintaron en una roca del cañón Chaco. No hay duda de ello.

Nos podríamos preguntar si los europeos no vieron aquella supernova que tanto llamó la atención de chinos y navajos. Pues claro que la vieron, pero aquellas eran épocas oscuras en las que el cielo, así porque sí, era inalterable y punto. Dejar constancia escrita o discutir mucho de una alteración tan llamativa de lo que era inmutable por dogma era jugársela, por lo que se consideró prudente correr un tupido velo sobre el asunto.

Hoy día, lo que queda de aquella supernova, que fue una tipo II, es una espléndida nebulosa, llamada el Cangrejo por su forma, situada en la constelación de Tauro a unos siete mil años luz. El Cangrejo aún se está expandiendo, 948 años después de la explosión, a una velocidad de 1.450 km/s y su luminosidad equivale todavía a decenas de miles de soles. Ochenta mil para ser más precisos.

La segunda supernova famosa sobre la que quiero llamar la atención es la 1987A. Tuvo lugar la noche del 23 de febrero de tal año, nueve siglos después de la antedicha. Las circunstancias que rodearon a esta supernova fueron extraordinarias en muchos sentidos. Primero, porque ocurrió muy cerca de nosotros, en la Gran Nube de Magallanes, que es una galaxia pequeña e irregular vecina nuestra. Está sólo a ciento sesenta mil años luz, que para los grandiosos telescopios que tenemos hoy día eso no es nada. Además, contábamos ya con una fabulosa tecnología de detección y procesamiento de imágenes, una instrumentación espléndida, unas comunicaciones tan fluidas que son casi instantáneas y, lo más importante, detectores de neutrinos como los que indicamos en su momento. Así pues, aquella misma noche de 1987, todos los grandes (y los pequeños) telescopios del mundo apuntaron a la Gran Nube de Magallanes. Mejor dicho, todos los del hemisferio sur. Fue una pena que el telescopio espacial Hubble aún no estuviera operativo.

La supernova se descubrió en el observatorio de Las Campanas, en Chile. Inmediatamente se puso en alerta a toda la comunidad internacional de astrónomos y físicos. Lo que más interesaba a estos últimos eran los neutrinos, porque se debían detectar en las instalaciones subterráneas y les darían pistas esenciales sobre ellos mismos y sobre el mecanismo de la explosión de una supernova tipo II a la que aquella, sin duda, pertenecía. Era la primera vez que se podrían detectar neutrinos que no fueran solares. Efectivamente, las primeras oleadas de neutrinos que nos envió la SN1987 se detectaron a razón de doce sucesos en el Superkamiokande japonés, recientemente destruido por accidente, y ocho en el detector americano de Ohio. Los neutrinos llegaron tres horas antes que los fotones. Así pues, el modelo de mecanismo de la explosión supernova tipo II que se había inventado parecía ser correcto. El lector debe recordar que durante el colapso del corazón, primero se desencadenaba la desintegración beta inversa produciendo los neutrinos durante la conversión masiva de protones en neutrones y después llegaba la onda de choque a la superficie iniciándose el estallido de luz. El retraso entre la llegada a la Tierra de los neutrinos respecto a la luz nos tendría que dar una idea bastante exacta del tamaño de la estrella progenitora. Además, si todo encajaba, podríamos tener pistas excelentes sobre la posible masa de los neutrinos que por pequeña que fuera podía explicar el enigma de la materia oscura del Universo. Todo iba bien, muy bien, salvo que había cosas que no encajaban. Por lo pronto, la estrella que había explotado no era una supergigante roja, como era de esperar, sino una supergigante azul. Muy raro. Para colmo, la luminosidad de la supernova no era tan grandiosa como predecía la teoría, y además el máximo de luz se produjo el 20 de mayo, casi tres meses después de la explosión. Otras cosas sí que concordaban bien con lo esperado, como la abundancia de los elementos eyectados, el espectro de radiación emitido (había dos telescopios espaciales en órbita aunque no en el rango del visible como el Hubble, sino el IUE —International Ultraviolet Explorer—, por cierto el análisis final de todo su archivo cuando quedó fuera de servicio se hizo en Sevilla en 1998, y el *Ginga*, un telescopio orbital japonés que cubría el rango de rayos X), la temperatura y dinámica de las capas expulsadas, etc., pero el caso es que la SN1987A volvió locos a montones de científicos. Aún quedan cosas por dilucidar de ella, como el curioso aspecto que tiene la nube remanente que forma dos curiosos anillos secantes, y algunas cosas más, pero en esencia se puede decir que la supernova tipo II está bastante bien comprendida. Y la masa de los neutrinos sigue pertinazmente pareciendo ser exactamente cero.

La tercera supernova que deseaba resaltar es la SN1993J. Lo que tiene de especial para mí es que la descubrió el 28 de marzo de 1993 un chaval gallego aficionado a la astronomía llamado Francisco García Díaz.

LOS PROCESOS r

Como hemos visto con detalle en el capítulo 3, la Gran Explosión que generó el Universo dejó como «cenizas» el hidrógeno, el helio y algún que otro núcleo ligero en cantidades vestigiales. Ningún otro núcleo se pudo sintetizar en aquellas condiciones extremas de presión y temperatura en un medio en expansión galopante. Aquellas cenizas se encendieron en las estrellas y dieron lugar a unos ambientes físicos en los que se fueron formando núcleos cada vez más pesados. Naturalmente, las repulsiones eléctricas entre núcleos con creciente número de protones cargados todos positivamente, hacía cada vez más difícil que se unieran entre sí para generar núcleos más complejos. Por ello, la abundancia decrece muy rápidamente con el número de nucleones que tienen los núcleos, con la excepción del hierro y sus vecinos, ya que éstos tienen una estabilidad tan grande que muchas reacciones nucleares en el interior de las estrellas grandes terminan produciendo algunos de ellos porque energéticamente les conviene. También hemos visto que los núcleos más pesados que éstos se pueden generar por captura lenta de neutrones que con el tiempo quizá se conviertan en protones por desintegración beta. Eran los procesos s ya descritos. Pero si las barreras eléctricas entre núcleos más pesados se hacen cada vez más formidables y los procesos s son tan lentos, no se podría explicar que en el Universo haya una abundancia de elementos pesados como la que hay. Dicha abundancia decrece con el número de nucleones de sus núcleos, sí, pero no tanto como para que el único mecanismo por el que se sintetizan sea el pausado proceso s. Hay otros mecanismos, en particular el r, escueto nombre que viene de rápido.

Estos lacónicos nombres de los procesos de nucleosíntesis son apropiados, porque en lo único que se diferencian esencialmente es en la escala de tiempo en la que transcurren. Es decir, un proceso r consiste, al igual que el s, en que un núcleo absorba un neutrón, y después otro, y otro... hasta que llegue a convertirse en un núcleo radiactivo. Éste será un emisor beta con toda probabilidad si no es demasiado pesado como para que sea energéticamente más favorable desprenderse de una partícula alfa de golpe. Recordemos una vez más que la desintegración beta es la transformación de un neutrón en protón (o viceversa, pero aquella es la que nos interesa ahora) con la emisión de un antineutrino y un electrón. Que un núcleo tenga un protón más significa que cambia de nombre, porque el átomo que se formará a partir de él cuando se envuelva del mismo número de electrones que de protones tendrá propiedades químicas distintas y esto es lo que define a un elemento.

Ahora nos hemos de enfrentar de nuevo con un problema de escalas de tiempo como el que se encontró el piloto de helicóptero en la helada y divertida Castimonia. Un núcleo radiactivo se puede desintegrar en cualquier momento, pero un número muy grande de ellos podrán definir un tiempo estadístico preciso, la vida media, que indicará el tiempo más probable que duren. Es como las personas: nadie sabe cuándo se va a morir pero sí que la vida media de un número muy grande, por ejemplo 40 millones de españoles, es de 78,3 años. Y lo mismo con las ranas, los elefantes o los mosquitos, pues tan variada o más que la de los animales es la vida media de los núcleos frente a la desintegración beta, ya que puede ir desde fracciones de segundo hasta muchos años. Si el ritmo de captura de neutrones por un núcleo semilla es tan pausado como en los procesos s, dependiendo de la vida media de los núcleos que así se vayan a formar tal hecho será fructífero o no. Lo contrario también sucede, es decir, que si la tasa de capturas de neutrones es mucho más rápida, como sucede en los procesos r, ocurrirá que los núcleos que tardan mucho en desintegrarse no prosperen, porque antes habrán absorbido otro neutrón convirtiéndose en el isótopo vecino que vaya usted a saber qué vida media tendrá. (Recordemos que dos isótopos son núcleos con el mismo número de protones pero distinto de neutrones.) Así pues, la riqueza de núcleos pesados se debe a un fino juego de escalas de tiempos en distintos escenarios.

Esto de los escenarios, eufemismo cursi y muy extendido que se utiliza para designar distintas condiciones físicas a las que se somete a un mismo sistema, se refiere a lo siguiente. El mayor o menor ritmo de absorción de neutrones dependerá, en último extremo, del número de éstos que haya disponibles para reaccionar con los núcleos. Es decir, de su densidad. Los procesos *s* vimos que se daban con preferencia en las capas altas de las estrellas viejas adonde llegaba cierto número de neutrones que se iban liberando en reacciones nucleares que se estaban produciendo en el corazón. Como no eran muchos, el ritmo de nucleosíntesis por esta vía era lento. ¿Dónde hay cantidades ingentes de neutrones libres? En los últimos estertores de muerte de una estrella muy masiva. Entonces se forma gran cantidad de elementos pesados que la portentosa explosión supernova se encarga de mandarlos bien lejos.

Sobre la abundancia de los elementos del Universo sintetizados en procesos estelares es de destacar una cosa curiosa. En física nuclear, al igual que en física atómica, se utiliza muy familiarmente el concepto de *número mágico*, nombre poco apropiado para la ciencia, pero qué le vamos a hacer. Un número mágico no es otra cosa que un número concreto de neutrones o protones, o en el átomo de electrones, que el núcleo que lo posee presenta una estabilidad notablemente mayor que sus vecinos. En los átomos, para quien lo recuerde, los números mágicos son los correspondientes a los gases nobles. «Anda, que ligas menos que un gas noble»; esta jocosa aunque amarga metaforilla viene a cuento de que los sistemas energéticamente estables presentan dificultades para cambiar su estado por asociación con otros (reacciones químicas) o desintegraciones radiactivas (reacciones nucleares). Por tanto, en la curva descendiente de elementos pesados se presentarán picos, aparte del hierro, que indicarán una abundancia mayor que la de sus vecinos en torno a los números mágicos de neutrones y protones. Efectivamente, aquellos elementos en cuyo núcleo hay 8, 20, 28, 50, 82 protones o los mismos neutrones y además el 126, serán más abundantes que sus vecinos puesto que éstos tenderán a tener estos números de nucleones en aras a alcanzar mayor estabilidad.

Debido a esta variedad de circunstancias y que hay otros procesos de nucleosíntesis, si bien secundarios en comparación con los *s* y *r*, es fascinante cómo los físicos nucleares que se dedican a esto van reconstruyendo el origen, las vías y los escenarios cósmicos donde se han producido cada uno de los casi mil cuatrocientos isótopos de los ciento veinte elementos que se conocen hoy día.

LA NUCLEOCOSMOCRONOLOGÍA

El primado de Irlanda James Ussher, arzobispo anglicano, acabó con toda controversia sobre la fecha de la Creación: «De la Biblia se deduce que Dios hizo el mundo el 22 de octubre de 4004 por la tarde. Y se acabó». «Pero, hombre, ¿y los fósiles?» «Los fósiles los ha diseminado el diablo por ahí para confundir a incautos y asegurarse así clientela para el Infierno.» «Está bien, Ilustrísima, pero el 4004 será antes de Cristo, ¿no?» «Ándate con ojo perillán, que estos asuntos toleran mal las bromas.»

Una preocupación intelectual y religiosa de primer orden a lo largo de la historia de la humanidad ha sido saber cuándo ocurrieron los hechos más notables como son la creación del Universo, nuestra galaxia (las demás seguramente se originaron más o menos a la vez), los elementos químicos, el sistema solar y la vida en la Tierra. Para numerosos especialistas, como arqueólogos, historiadores del arte, paleontólogos, etc., también es fundamental saber la edad de cosas más modernas como restos animales, vegetales y manufacturas. Obviamente, los núcleos radiactivos no pueden ayudar a conocer la edad del Universo, porque cuando éste se originó sólo se produjeron hidrógeno, helio y otros núcleos ligeros todos estables. Y para ello ya hubo de pasar un buen rato desde el Big Bang. Pero para todo lo demás, el estudio de los isótopos radiactivos ayuda mucho. Esto es debido a dos razones: la primera es que hay muchos isótopos y de vidas medias muy variadas; la segunda es que las leyes de la desintegración radiactiva son sencillas y exactas. Veamos cómo se pueden utilizar los núcleos como relojes.

Imaginemos un reloj de arena un tanto original. En la ampolleta de arriba hay una cierta cantidad de núcleos radiactivos beta, es decir, espontáneamente de sus neutrones se convierte en protón emitiendo un electrón y un antineutrino. En resumen, se transforma en un isótopo del elemento químico vecino en la tabla periódica. También valen los radiactivos alfa y en este caso el elemento nuevo salta dos lugares en la tabla. A través del estrechamiento sólo pasan estos últimos, así pues, en la ampolleta inferior sólo hay núcleos «hijos» de los de la superior. Además, sabemos con toda precisión cuál es la vida media de éstos. Ya está: si contamos cuántos núcleos hay y aplicamos las precisas leyes de la desintegración podemos averiguar cuándo se fabricó el reloj suponiendo, simplemente, que el artesano sólo puso material radiactivo en la ampolleta superior, como es lógico.

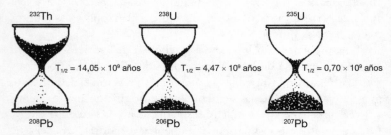

Fig. 20. *Esquema de un reloj radiactivo. En la ampolla superior, la arena representa el núcleo que se desintegra, o núcleo padre, y en la inferior su tataranieto, es decir, el último elemento estable de la cadena de desintegración. La $T_{1/2}$ es el período de semidesintegración, es decir, el tiempo transcurrido para que la mitad de los núcleos padre se desintegren.*

Para que el método sea factible se tienen que usar isótopos radiactivos con vidas medias apropiadas para lo que se quiere medir. En el caso del reloj de «arena» no tendría sentido usar isótopos de vidas medias de segundos o de miles de millones de años, pues en el primer caso toda la ampolleta inferior estaría llena y la superior vacía desde hace un tiempo imposible de saber, y en el segundo habría demasiados pocos núcleos abajo como para poder extraer ninguna conclusión ya que estamos usando métodos estadísticos con el enorme número de Avogadro de por medio. Pero con habilidad y sentido común se encuentran resultados muy útiles y precisos. También sorprendentes y jocosos, como por ejemplo la datación con métodos nucleares que se hizo de la Sábana Santa a la que se rinde culto en la catedral de Turín porque se suponía que fue el sudario con el que amortajaron a Jesucristo: resultó ser, indefectiblemente, del siglo XIV con un error de más o menos sesenta y cinco años. Más concretamente: la sábana se había hecho en una fecha entre 1260 y 1390. Lo de indefectiblemente es porque, como andaba la Santa Madre Iglesia de por medio y tal circunstancia provoca inquietud en medios científicos incluso hoy día, la medida se hizo en tres laboratorios nucleares de distintos países (los de Oxford, Arizona y Zurich) y la muestra se envió junto con otras tres de edades muy diferentes, bien conocidas y de manera secreta, es decir, ninguno de los tres equipos de físicos sabían a qué cosa pertenecía cada muestra que recibió. Todos coincidieron, dentro de ciertos márgenes como el indicado, en la edad de cada una de las cuatro muestras entre las que estaba la de la famosa sábana.

Este ejemplo no lo pongo por mor de la irreverencia, sino para llamar la atención sobre el error asociado a la medida. ¿No he dicho que las leyes de la radiactividad son exactas? ¿A qué viene lo del error en la datación mencionada y además tan apreciable? Con perdón, en muchas ocasiones no es por culpa de la física sino de la química. Resulta que al ser el «hijo» un elemento químico distinto al «padre» tras llevar a cabo éste una desintegración beta o alfa, aquél está sometido a procesos y degradaciones propios de las reacciones químicas distintos a los que sufre el padre. Por ello a veces es difícil saber las cantidades exactas de uno y otro que han entrado en juego. La nucleocosmocronología, magnífico palabrón de empaque germano, es la rama de la física nuclear que aplica el método anterior a averiguar la edad de las galaxias, de los elementos y de varios mecanismos físicos como la formación del sistema solar o la duración de los procesos *r* y *s*. Hasta ahora lo hace con mejor voluntad que resultados, pero lo hace y algunos de éstos parecen ser incómodos. El problema es que a diferencia de lo que se puede hacer en un laboratorio, los relojes de arena cósmicos tienen las ampolletas abiertas y por ambas pueden entrar y salir muchos núcleos «padres» e «hijos», con lo que el lío está asegurado. Quiero decir que cuando se observa una muestra cósmica de elementos radiactivos en algún escenario alejado no tenemos seguridad de que todos los «padres» hayan llegado allí al mismo tiempo, y lo mismo con los «hijos», porque las supernovas están continuamente enriqueciendo el medio galáctico.

Pero se han inventado trucos para averiguar eso, como por ejemplo observar simultáneamente isótopos del mismo elemento que se supone que se originaron a la vez y que se han degradado, si tal es

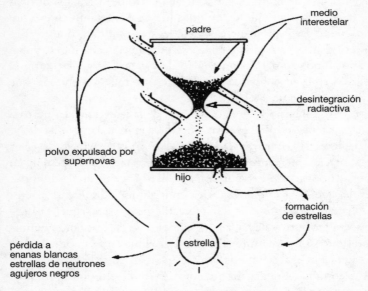

Fig. 21. *El esquema muestra las complicaciones que se presentan en la nucleocosmocronología a causa de la interrelación entre el contenido de las ampollas del «reloj» y diferentes procesos y medios cósmicos.*

el caso, de las mismas maneras por tener idénticas propiedades químicas. Vamos a ver sucintamente algunas de las cosas que se han conseguido hasta ahora con la nucleocosmocronología para que el lector vea que no tenemos grandes certezas de cosas básicas a pesar de lo poderosa que es la ciencia actual. Nos referiremos a algo parecido a la insolencia del perillán hacia el primado de Irlanda cuando le preguntó si se refería al año 4004 antes o después de Cristo en su dogma sobre la Creación del mundo.

Aunque sea de perogrullo, tenemos la certeza de que primero se generó el Universo, después las galaxias, en sus estrellas lo hicieron los elementos químicos y por fin se generó el sistema solar. Recuérdese que en nuestro Sol y su cohorte de planetas hay infinidad de elementos químicos, los de nuestras carnes y huesos sin ir más lejos, que no se han podido generar en él porque el hidrógeno funde para dar helio y poco más. Hablemos en eones, o sea, en miles de millones de años. Hablemos también en periodos de semidesintegración en lugar de vidas medias. Tal periodo, deducible trivialmente de la vida media, es el tiempo que ha de transcurrir para que la mitad de los núcleos de una muestra se desintegren radiactivamente. Para nuestros «relojes» tenemos que utilizar isótopos radiactivos de periodos del orden de los eones. Por ejemplo, el torio–232 cuyo periodo es de 14,05 eones, el uranio–238 que es de 4,47 eones, el uranio–235 de 0,7 eones, y cosas así. Todos estos se formaron en procesos r y terminan en isótopos estables del plomo corriente y moliente.

Estudiando bien algunas rocas terrestres, lunares y de meteoritos provenientes sin duda del sistema solar, se llega a la conclusión sin vuelta de hoja de que nuestro Sol se encendió hace 4,6 eones con un error de 0,1 por arriba o por abajo. No está nada mal, porque además coincide con otras apreciaciones hechas con métodos no nucleares.

La duración de los procesos s y r en las estrellas viejas, o sea, la síntesis de los elementos pesados, a pesar de estar sometida su determinación a incertidumbres muy grandes (ampolletas abiertas), coincide dentro de los márgenes de error con los modelos de evolución estelar que hemos explicado y que tan bien concuerdan con las observaciones. (Aunque ahí está la SN1987A que, entre otros galimatías, en vez de que su estrella progenitora fuera una supergigante roja fue una supergigante azul, pero no seamos quisquillosos porque ya dije que hoy día se sabe muy bien el mecanismo de aquella formidable explosión y completa más que contradice lo que sabíamos de las supernovas.) Ahora viene el lío de verdad.

Por más trucos que se inventan para determinar la edad de la Vía Láctea nucleocosmocronológicamente (veintisiete letras, lo cual ya es un franco desafío a los alemanes) y aseguro, créanme, que son ingeniosos y fiables, ésta no baja de 18 eones más o menos 4. Es decir, entre 14 y 22 eones. Ya sé que es poco preciso, pero así está el asunto. Además, las galaxias, se sabe bien por simulaciones con superordenadores, tardan como mínimo un eón en formarse a partir del «polvo» primigenio de hidrógeno y helio producido en el Big Bang. ¿Cuándo tuvo lugar éste?

Esto se trata de averiguar de multitud de maneras, aunque yo resaltaría sólo dos. Una es por observaciones de la velocidad con que se alejan entre sí los cúmulos galácticos más lejanos midiendo las luminosidades y espectros de sus galaxias más brillantes. Como éstas, por el tiempo que ha tardado su luz en llegar hasta nosotros, son las que más nos acercan al Big Bang, nos dan un límite inferior a aquella fecha gloriosa. El otro método es a base de reconstruir paciente y costosamente en los grandes aceleradores y departamentos de física nuclear y física teórica de las universidades las escalas de tiempo necesarias para reproducir las condiciones físicas del Big Bang. Si se revisa la tabla del capítulo 3 correspondiente a la cronología del Universo, se comprobará de nuevo que hay muchas etapas perfectamente delimitadas en el tiempo, pero que a lo que estamos aludiendo aquí se refleja en la incógnita X que aparece en dicha tabla. Así pues, la cosa está hasta hoy día entre 13 y 18 eones. Hay incluso indicios observacionales de que la edad del Universo está más cerca del 13 que del 18. ¿Es o no es un lío?

LAS ESTRELLAS DE NEUTRONES

Dejémonos de buscar problemas y vayamos a lo que sabemos bien. ¿Qué queda después de una supernova? Rico polvo interestelar y una estrella de neutrones.

En Sevilla la temperatura a lo largo del año es muy suave y en verano infernal. Estamos hablando de que cuarenta grados a la sombra no le pilla por sorpresa a nadie. Pues cuando yo era joven, a algún empresario brillante se le ocurrió instalar en las afueras de la ciudad una pista de patinaje sobre hielo. El Hielotrón. Aquello duró temporada y media, lógicamente, y no por problemas tecnológicos, supongo yo, sino por razones antropológicas. El caso es que allí vi yo por primera vez la manifestación más clara del principio de conservación del momento cinético o, también llamado, *momento angular*.

Para promocionar el Hielotrón se organizaron algunos espectáculos llamativos. En uno de ellos recuerdo a un patinador vestido de payaso que en un momento dado comenzaba a girar no muy rápidamente sin desplazarse del sitio. Tenía los brazos y una de las piernas extendidas componiendo una grotesca figura pretendidamente grácil. De pronto, se iba encogiendo sobre sí mismo y conforme empequeñecía iba aumentando la velocidad de giro. Cuando estaba agachado y casi hecho una pelota informe giraba vertiginosamente. Aparte de la sorpresa que causaba aquel frenético y casi mágico girar, la gracia se completaba cuando el payaso se estiraba de nuevo, frenándose así rápidamente, y al tratar de saludar para que el público festejara su hazaña se desplazaba dando tumbos como si estuviera completamente mareado. Lo cual puede que fuera cierto. ¿Cómo había conseguido el payaso girar tan rápidamente si nadie le ayudó? Porque aplicó intuitivamente (no creo que fuera un físico en paro) el principio mencionado antes de la conservación del momento angular. Esta magnitud física es el producto de la masa por la velocidad por el radio. En cualquier sistema aislado el producto de estas tres magnitudes siempre vale lo mismo haga el sistema lo que haga. Cuando el payaso empezó a girar lentamente con los brazos estirados, el producto de las tres cosas valía lo que valiera. Al irse encogiendo, la masa, obviamente, no variaba, sólo disminuía el radio promedio del payaso. Por tanto la velocidad debía aumentar en proporción para que el producto se mantuviera constante. Al estirarse de nuevo para saludar, el payaso aumentó de radio y por ello ralentizó su movimiento. Pronto veremos qué tiene esto que ver no sólo con las estrellas de neutrones, sino con la formación de estrellas y del sistema solar.

Tras el estallido de la supernova, lo que quedará será el corazón de la antigua estrella formado fundamentalmente por neutrones, ya que casi todos los protones se convirtieron en neutrones emitiendo neutrinos y absorbiendo electrones en el proceso beta inverso. Además, este corazón era muy pequeño, del porte de una montaña dijimos. Así pues, la estrella ha encogido espectacularmente desde una esfera de millones de kilómetros de radio a una bola de unos pocos kilómetros. Quizá entre diez y veinte nada más. Esto es una estrella de neutrones: como un núcleo atómico gigantesco o una estrellita minúscula.

Las propiedades de las estrellas de neutrones son extremas en muchos sentidos. Su densidad es la típica de un núcleo atómico, es decir, de mil billones de gramos por centímetro cúbico. No es de extrañar, porque la estrella ha perdido cantidades ingentes de masa pero la que queda sigue siendo del mismo orden de magnitud de una estrella típica, pues tras el estallido supernova la estrella masiva no ha perdido más que el 40% o el 50% de su masa y esta era mucha. Tanta masa en una esfera tan pequeña no puede llevar más que a una densidad espeluznante. Pero casi más curioso es lo que pasa con su temperatura. Las estrellas de neutrones están entre varios millones y cientos e incluso miles de millones de grados. A diferencia del tamaño y la densidad, que son muy parecidos en todas las estrellas de neutrones, la temperatura puede estar dentro de este rango tan amplio. Y es porque, una vez más, los neutrones están formando un gas degenerado cumpliendo el principio de exclusión y en tal circunstancia la presión y la temperatura están desacopladas, o sea, que tienen poco o nada que ver una con la otra.

Ahora va a venir a cuento lo del payaso patinador. Una estrella en su esplendor, o sea, cuando está en la secuencia principal de un diagrama H-R, gira en torno a sí misma a razón de una vuelta al mes, más o menos. Eso dura su «día». Por más dilataciones en plan gigante roja, contracciones, expulsiones de materia, e incluso explosiones que sufra, el momento angular total ha de permanecer invariable. Pierde masa, sí, pero el producto de la que quede por la velocidad por el radio tiene que conservarse. Así pues, como el payaso al encogerse, la velocidad de giro de una estrella de neutrones ha de ser estremecedora. Su «día» es del orden de los segundos. La estrella de neutrones detectada en el centro de la nebulosa del Cangrejo, lo que quedó de la SN1054, la supernova de los chinos y los navajos, gira a razón de treinta veces por segundo. La más rápida que se ha encontrado da 885 vueltas completas cada segundo, ahí es nada. Este vertiginoso giro provoca un espectáculo muy bello: las estrellas de neutrones se comportan como faros costeros o, incluso, como las luces de algunas discotecas modernas, porque emiten su luz de forma direccional. Este fenómeno merece la pena explicarlo con cierto detalle aunque sea un mecanismo físico algo complejo.

En una estrella de neutrones no hay sólo neutrones, pues quedan muchos protones embebidos en ellos e incluso puede tener «atmósferas» organizadas en capas ricas en carbono, helio e hidrógeno, en ese orden de dentro afuera. Y electrones inundándolo todo. Lo de las comillas viene a cuento de que estas capas pueden tener un espesor de no muchos centímetros, tal es la formidable fuerza de la gravedad que lo aplasta todo. O sea, que en una estrella de neutrones hay muchas cargas eléctricas que generan un campo magnético global.

Buena parte del campo magnético de la estrella original se mantiene aunque en un espacio extraordinariamente pequeño. Llega a ser de un billón de veces mayor que el campo magnético terrestre. Así pues, en una estrella de neutrones, al igual que en la Tierra y en las estrellas, hay un polo magnético norte y otro sur que, además, no tienen por qué coincidir con los polos geográficos definidos por el eje en torno al cual gira la estrella. Los electrones tienen muy poca masa

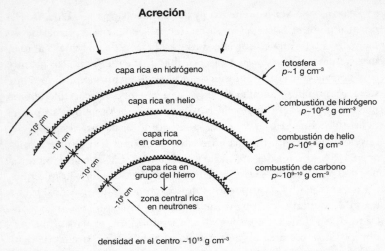

Fig. 22. *Estructura (no a escala) del interior de una estrella de neutrones donde los elementos producidos por las reacciones nucleares que han tenido lugar en las sucesivas etapas de una estrella muy masiva se distribuyen en capas. Entre ellas aún pueden estar dándose reacciones termonucleares. Obsérvese el espesor de las capas, algunas de las cuales apenas alcanzan un metro.*

en relación con su carga eléctrica, por lo que son relativamente poco sensibles a la fuerza de la gravedad en comparación a cómo sienten la fuerza electromagnética. Así, podrán escapar de la estrella de neutrones. Pero la única vía que tienen de largarse es a través de los polos magnéticos, pues justo allí es donde menos intenso es el campo magnético. (Es lo contrario de lo que ocurre en la Tierra con las auroras boreales, fenómeno que ya se comentó en su momento.) Lo hacen en torbellino tratando de seguir las líneas que definen el campo y que van del Polo Norte al Polo Sur, lo cual implica que cambian vertiginosamente de dirección y ya sabemos lo que hace una carga eléctrica cuando se acelera: emite luz. Esta luz, que podrá ser visible o de cualquier rango del espectro, por ejemplo de rayos X, formará dos haces en direcciones opuestas que se moverán en dos conos tanto más abiertos cuanto más separados estén entre sí los polos magnéticos de los geográficos. Si una de las direcciones definidas por los conos da la casualidad que está orientada hacia la Tierra, la podremos detectar variando periódicamente según la velocidad de giro que tenga la estrella. Por eso, a éstas se les llamó al principio *púlsares*, ya que lo que se recibía de ellas eran pulsos periódicos de radiación.

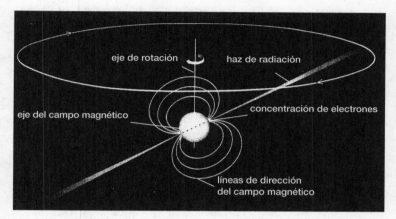

Fig. 23. *Esquema del mecanismo púlsar de una estrella de neutrones. El eje de rotación de la estrella no coincide con el eje del campo magnético (al igual que ocurre con la Tierra). Éste, muy intenso y fuertemente curvado, acelera los electrones en la dirección de las líneas de campo magnético que van de polo a polo. Esta aceleración de cargas eléctricas produce radiación que escapa por los polos magnéticos. El giro de la estrella hace que estos haces describan conos. Si la Tierra se encuentra en uno de los círculos de dichos conos, se detectará la radiación en forma periódica o pulsante.*

Otra cosa curiosa de estos objetos extraordinariamente compactos es la siguiente. Se predijeron mucho antes de que se detectaran en 1967. Y menos mal, porque los radioastrónomos que encontraron estos pulsos periódicos y rápidos declararon honestamente que no tenían ni idea de lo que podían ser, y poco tardaron los gurús populares para empezar a decir que aquello era un intento de comunicación de seres extraterrestres con nosotros. Pronto se identificaron con las teóricamente predichas estrellas de neutrones. Además, una de las primeras que se detectaron fue precisamente en el centro del Cangrejo. Más claro no podía estar que aquello era un remanente de una supernova.

Naturalmente, es mucha casualidad que un rayo emitido por una estrella de neutrones le dé a la Tierra, por ello es lógico que haya muchas más de las que hemos detectado hasta ahora. De nuevo hay que recordar la tendencia natural de las estrellas a emparejarse, porque muchas estrellas de neutrones forman sistemas binarios y, claro, los efectos son parecidos aunque más drásticos que los que forman las enanas blancas con otras estrellas más jóvenes. Así, se forman discos de acreción y tempestades parecidas a las que describimos provocadas por la materia de la estrella grande compañera que se traga gravitacionalmente la estrella de neutrones. Los efectos en este caso son llamaradas de rayos X que apenas duran unos segundos, aunque si la caída del material es suave y estacionaria porque las dos estrellas estén alejadas, además de otras circunstancias corrientes y probables, la emisión de estos sistemas binarios también puede ser continua, pero lo normal son las llamaradas.

Para terminar este asunto de las estrellas de neutrones es oportuno hablar de Oppenheimer, porque él y Volkov escribieron en 1936 un artículo en el que se daban todas las propiedades de tales objetos estelares treinta años antes de que se descubrieran.

Julius Robert Oppenheimer era neoyorquino a pesar de ese apellido tan germano que le venía de un padre inmigrante que hizo fortuna con la importación primero y desarrollo de la industria textil después.

Oppenheimer es, dejando aparte al infortunado Heutermans, el físico en quien confluyeron más contradicciones de su época: la primera mitad del siglo XX. Fue físico teórico y especialista en latín y griego, rico y antifascista, creador solitario y dirigente del primer megaproyecto científico, pacifista y... padre de la primera bomba atómica. Después de terminar la carrera de física se vino a Europa y aquí trabajó con los mejores físicos que desarrollaban entonces la teoría cuántica del átomo y el núcleo atómico. También aprendió a amar este continente, pues en cuanto regresó a Estados Unidos alertó públicamente de los peligros del fascismo italiano y el hitlerismo alemán. Lo que más ardorosamente defendió en la prensa norteamericana y en los foros universitarios fue a la República española. El desarrollo de la guerra civil española y las represalias políticas que sufrieron colegas suyos soviéticos, le llevó también al antiestalinismo. Impulsado por su antifascismo y alertado por el riesgo de que los nazis construyeran la bomba atómica, empezó a idear un método para separar los isótopos del uranio y calcular la masa crítica para producir una bomba atómica. A la edad de treinta y ocho años aceptó dirigir el proyecto Manhattan para construir la bomba. Él fue quien eligió el lugar de Los Álamos para instalar el complejo científico militar que desarrollaría tal proyecto y requería dirigir a cientos de físicos, administradores, técnicos y militares. Oppenheimer y su equipo lograron su objetivo, pero en julio de 1945, cuando Alemania ya se había rendido. Aunque Oppenheimer tuvo problemas con los militares por razones de seguridad casi desde el principio del proyecto Manhattan porque era sospechoso de todo, en particular de rodearse de físicos que bien pudieran ser agentes soviéticos, a partir del fin de la guerra sus problemas se desencadenaron.

Después de lo de Hiroshima y Nagasaki, Oppenheimer dimitió de su puesto de director del laboratorio de Los Álamos y en poco tiempo lo eligieron director del Instituto de Estudios Avanzados de Princeton, uno de los centros de mayor excelencia científica de Estados Unidos. También lo promocionaron a la presidencia del Comité Asesor de la Comisión de Energía Atómica. Los problemas que se iban fraguando contra él explotaron en la época de la caza de brujas del abyecto McCarthy. La razón primera fue porque Oppenheimer se había opuesto con todas sus fuerzas al desarrollo de la bomba termonuclear de hidrógeno, pero se fueron acumulando sobre él gran cantidad de información supuestamente fidedigna en cuanto a sus ideas políticas «peligrosas y antiamericanas». Tuvo que dimitir de todo a pesar de haber sido declarado «no culpable de traición». Hasta

1963 no lo rehabilitaron. Por supuesto, como Heutermans, tampoco se llevó el más que merecido premio Nobel.

LOS AGUJEROS NEGROS

Las fuerzas de la naturaleza, cada una a su estilo, son fascinantes. Hemos hecho mención con frecuencia a las cuatro: la nuclear fuerte, que es la que mantiene unidos a los nucleones en el núcleo atómico y rige muchas de las reacciones nucleares; la nuclear débil, que se manifiesta principalmente en las transformaciones de neutrones en protones y al revés generando los misteriosos neutrinos; la electromagnética, que se establece entre todas las partículas cargadas eléctricamente, que son la mayoría de las que existen, y cuya principal manifestación es la luz; y finalmente la gravedad.

Esta última, la gravedad, es tan débil que las ecuaciones que describen la mayoría de los sistemas físicos no tienen por qué incluirla ya que no habría experimento que apreciara la diferencia de ignorarla. Entre un protón y un electrón en un simple átomo de hidrógeno se establece una atracción eléctrica sixtillones de veces más intensa que su atracción gravitatoria. Pero es que, encima, no sabríamos cómo describir en un mismo marco teórico la fuerza de la gravedad con las otras tres. Como la osadía de los físicos, sobre todo los teóricos, no tiene límites, hay muchos que lo intentan denodadamente inventando teorías de supercuerdas con un montón de dimensiones, teorías duales, o las más misteriosas teorías M, y cosas así. Yo me río mucho con ellos, pero no de ellos porque un día de estos nos dan una sorpresa y encuentran algo medible y constatable en el laboratorio que confirme sus doctrinas en las que la gravedad la tratan con la misma frescura que los mortales tratamos las otras tres fuerzas. Es decir, que son capaces de unificar las leyes básicas de la naturaleza. A pesar de todo lo dicho, la gravedad a escala cósmica es la reina de todas las fuerzas y depara fenómenos maravillosos.

La *velocidad de escape* es la que necesita tener un cuerpo para escapar de la atracción gravitatoria de otro. La de la Tierra es 11,1 km/s, o sea, que como un cohete no lleve esa velocidad como mínimo, terminará cayendo sobre la Tierra. Si un objeto tiene una velocidad de escape superior a 300.000 km/s, de él no escapará ni la luz pues a esa velocidad va en el vacío siendo además la máxima alcanzable por cualquier partícula. Eso sería un agujero negro.

Un cura inglés que se llamaba George Mitchell y era aficionado a la astronomía y la física calculó en 1783, con la ecuación de Newton de gravitación universal que nos enseñaron en la escuela, que una estrella de masa 500 veces la del Sol no se vería, porque la luz que irradiara no podría escapar de ella. Muy ingenioso, pero, con toda lógica, nadie le hizo caso al cura, entre otras cosas porque si se calcula el radio de tal estrella con esas mismas ecuaciones sale unos 1.500 km. Una estrella tan «pequeñita» y con semejante masa no podía existir. De ninguna manera.

Para empezar a comprender lo que es un agujero negro nos hemos de referir al llamado *radio de Schwarzschild*, nombre que corresponde al apellido de su inventor, que no puede ser más apropiado porque significa etiqueta negra, escudo negro, o algo así. Incluso si queremos hacer un chiste fácil mezclando el alemán con el inglés, la cosa se podría poner en español muy aproximadamente (eliminando la *s* intermedia) como niño negro o negrito, sin ánimo de ofender. El caso de Schwarzschild, Karl para los amigos, es también digno de considerar en el plan que llevo de dar la relevancia que merecen físicos que no son considerados relumbrones porque no le dieran su merecido premio Nobel, pero que seguramente fueron buenas personas.

El tal Schwarzschild fue como un cohete, ya que publicó su primer artículo científico sobre la teoría de las órbitas celestes a los dieciséis años de edad, y murió a los cuarenta y tres sirviendo al ejército imperial alemán en la Primera Guerra Mundial. Cifras que merecen ser escritas con palabras son ocho millones quinientos veintiocho mil ochocientos treinta y un muertos (8.528.831), veintiún millones ciento ochenta y nueve mil ciento cincuenta y cuatro he-

ridos (21.189.154) y siete millones setecientos cincuenta mil nove-
cientos diecinueve prisioneros y desaparecidos (7.750.919). Eso causó
aquella guerra y estas sí que son cifras estremecedoras, no los miles
de millones que caracterizan al cosmos por más que digan los seguidores de Jean–Marc Levy-Leblond de que los divulgadores de la ciencia provocan más el pavor que la transmisión de conocimiento.

Schwarzschild fue uno de los físicos cuyas habilidades nos hubiera
gustado tener a todos los físicos. Lo mismo desarrollaba métodos
experimentales ingeniosísimos, como los que desarrolló en el campo de la fotometría fotográfica, o para medir la separación de las
estrellas emparejadas, o para analizar el espectro solar durante los
eclipses, etc., que hacía contribuciones fundamentales en la física
teórica como en el campo del transporte radiativo de calor en las
estrellas que ya explicamos, o del espectro atómico según el modelo propuesto por Niels Bohr y que le llevaron al premio Nobel, las
reglas de cuantificación cuyo honor se lo adjudican sólo a un colega y compatriota suyo llamado Sommerfeld, la explicación del efecto
Stark, que le dio fama sólo al tal Stark (un nazi de mucho cuidado),
etc. Schwarzschild, además, dio la primera solución exacta de las ecuaciones de la relatividad general de Einstein describiendo así la geometría del espacio en la vecindad de una masa puntual, lo que le llevó
a formular la primera teoría de los agujeros negros.

Schwarzschild pasó a los libros de texto de física, o sea, a la fama
(¿?), sólo por el radio que ha de tener un objeto para que sea un agujero negro. El radio de Schwarzschild.

Cuando jugamos con las dimensiones en el capítulo 2 siguiendo el consejo poético de Blake, convertimos sin querer a casi todos
los objetos celestes en agujeros negros. Por ejemplo, el radio de
Schwarzschild del Sol es 3 km, el de la Tierra 9 mm, el de Júpiter casi
3 metros, y así todo. Quiere esto decir que si la Tierra tuviera toda
su masa concentrada en una bola de 9 mm de radio (nosotros la
hicimos como una manzana de 10 centímetros de diámetro) la velocidad que debería tener cualquier partícula para escapar de su atracción gravitatoria tendría que superar la de la luz, y como ésa es la

máxima, de allí no escapa nada. O sea, que sería un agujero negro.

Tómese nota del dato que acabo de dar del Sol: 3 km de radio de Schwarzschild. Recuérdese dónde estábamos en cuanto a dimensiones y masas en las estrellas de neutrones: 8 o 10 km y, quizá, varias masas solares. O sea que las estrellas de neutrones rayan el límite de la victoria final de la débil gravedad frente a las otras tres fuerzas, el principio de exclusión y todo lo que hasta ahora se le ha opuesto en la evolución de una estrella. «El que resiste, vence», dice una conocida consigna revolucionaria, que en el caso de la gravedad se cumple a veces. O sea, que cierto número de estrellas, no pequeño, puede terminar su vida como un agujero negro.

Fig. 24.   *Una estrella normal tiene una masa y un radio en relación tal que, según la teoría general de la relatividad, apenas provoca desviación en la trayectoria rectilínea de la luz. Conforme el radio disminuye en las últimas etapas de la vida de una estrella muy masiva, la luz curva cada vez más su camino. Si la estrella alcanza el radio de Schwarzschild, la luz queda atrapada gravitatoriamente y se dice que la estrella ha alcanzado un límite tal que velocidad de escape es superior a la de la luz en el vacío.*

El fallo del cura Mitchell fue aplicar la ley de Newton, aunque otra cosa no podía hacer porque faltaban más de cien años para que Einstein formulara la teoría general de la relatividad, que es la teoría moderna de la gravitación.

Lo que hizo de verdad Schwarzschild fue resolver la ecuación de Einstein en el entorno de un agujero negro. Tal solución no era otra cosa que una nueva ecuación, del estilo del teorema de Pitágoras aunque lógicamente más complicada, que define la distancia entre dos puntos de una zona del espacio-tiempo curvada violentamente por el extraordinario contenido de masa y energía que supone contener un agujero negro. De esta ecuación sale el «radio de Schwarzschild». Como vimos, este radio es incluso mucho más pequeño que el calculado por el ilustrado Mitchell, pero ya no nos debe sorprender que haya objetos tan masivos y compactos, porque una estrella de neutrones andaba ya por los 8 o 10 km.

Si la estrella de neutrones tiene una masa digamos tres veces mayor que la masa del Sol, inevitablemente se encogerá porque la gravedad vencerá la presión cinética de los electrones y ello, no olvidemos, sin violar el principio de exclusión. En cuanto ese encogimiento pase por el radio de Schwarzschild la estrella desaparecerá y esa distancia define lo que se llama *horizonte de sucesos*, porque a partir de entonces nada de lo que ocurra en la estrella podrá observarse salvo los efectos gravitatorios que provoque en otros objetos celestes. Sin ir más lejos, en su estrella compañera si vivió en pareja. Los astrónomos se dedican entusiasmados a buscar estos últimos efectos que indiquen sin género de duda la existencia de los agujeros negros, los físicos se dedican a calcular las propiedades de objetos tan bizarros, y no sólo por entretenimiento, porque se podría argüir que para qué trabajar en eso si esas propiedades no se pueden medir, sino con la esperanza doble de que sí se encuentre algo constatable o que los métodos teóricos aplicados a ellos ayuden a establecer una unión estrecha entre la gravedad y la mecánica cuántica que permita formular una nueva teoría que englobe a ambas. Veamos cómo nos dice la física que puede ser un agujero negro o al menos lo que pasaría en sus inmediaciones.

¿Gira o no gira un agujero negro? Pues no está claro. Si seguimos con el ejemplo del payaso patinador, parece que no hay razón para que el momento angular que tenía la estrella de neutrones no se conserve. Así, un agujero negro debería girar aún más vertiginosamente que su estrella progenitora, pues su radio se ha encogido una enormidad. Un giro se mide en física por el número de vueltas (o fracciones de vueltas) que da un cuerpo por unidad de tiempo. Una típica estrella de neutrones giraba a razón de varias vueltas por segundo, pero ¿qué les pasa ahora a los segundos? No olvidemos que el tiempo está tratado en la relatividad en el mismo pie de igualdad que el ancho, el alto y el largo. Si a éstos les ocurren cosas raras (se curvan o distorsionan) al tiempo también. Por lo tanto lo de girar ya no es como antes.

¿Está cargado eléctricamente un agujero negro? Podría ser, ya que una estrella de neutrones tenía también electrones, protones y seguramente otras partículas cargadas. Si no coincide exactamente el número de las partículas positivas y negativas, el agujero negro no será totalmente neutro y una distribución de carga eléctrica en un espacio-tiempo curvado en extremo y quizá girando tendría que provocar unos efectos electromagnéticos curiosos.

¿Hasta dónde se puede encoger un agujero negro? Dicho de otra manera ¿ya no habrá nada que se oponga a la gravedad? Dijimos que la fuerza nuclear se hacía extraordinariamente repulsiva a cortas distancias y eso impedía que dos nucleones, neutrones por ejemplo, pudieran interpenetrarse poco más allá de sus superficies. ¿Es este corazón repulsivo de los nucleones el que puede evitar que el colapso de la materia sea absoluto en un agujero negro y que éste, en definitiva, termine siendo un punto (dimensión cero) de infinita densidad donde quede localizada toda la masa de la estrella? Esto se llamaría singularidad desnuda, pero a la física nunca le ha gustado esto de las singularidades desnudas, tanto así que hay una hipótesis no escrita que se llama «Ley de la Censura Cósmica» que de alguna manera obliga a los físicos a tratar de evitarlas y por ello a «vestir» todas las cosas puntuales, especialmente si además son singularidades por otras razones. Las partículas elementales deberían ser puntuales, el familiar electrón sin ir más lejos, pues ya se han apañado los físicos la mar de bien para «vestirlos» de una nube virtual de fotones que sólo se manifiestan cuando unos electrones interaccionan con otros. Lo hacen, simplemente, intercambiando uno de esos fotones que de virtual pasa a ser real. Quizá suene esto a truco artificial, pero la teoría que se basa en cosas de estas, la electrodinámica cuántica, es la teoría más exacta que ha inventado el hombre.

Sea como sea, el lector debe estar considerando que esto de los agujeros negros está más que oscuro, así que no nos queda más remedio que tratar de acercarnos a ellos lo más que podamos para estudiarlos con el mayor detenimiento posible. Vamos a hacer un viaje en plan guerra de las galaxias a ver si sacamos algo en claro.

Entre la tripulación de la nave espacial cunde el aburrimiento porque hace tiempo que el Lado Oscuro del imperio galáctico dedica sus afanes a reconstruir los daños provocados por el último desaguisado que le organizaron ellos, los buenos. El piloto navegante aborta algunos bostezos anunciando por los altavoces que puede que la nave se esté acercando a un agujero negro. Ha detectado unos rayos X, casi gamma, que provienen del plano definido por el ecuador de una estrella gigante roja y entran en el rango de la radiación que provocaría un agujero negro compañero de ella. Cansinamente, aparecen varios tripulantes en la sala de control y mando de la nave.

El capitán decide iniciar una navegación segura en torno al amenazador agujero pero acercándose lo máximo posible a él. La gigante roja aparece en todo su esplendor en la enorme pantalla digital que preside la sala. La pantallita del detector direccional de radiación muestra el inquietante espectro de la radiación que se supone provocada por el agujero. El ordenador da las posibles coordenadas del mismo. El capitán ordena enviar una onda de radio reflectante hacia el horizonte de sucesos del agujero. Así se hace, pero un impaciente le pregunta al capitán cuánto tardará la onda reflejada por el agujero en llegar de nuevo a la nave. El capitán frunce el ceño para evitar admitir que no tiene ni idea, aunque interiormente piensa que tardará el doble de lo que tarde en llegar al agujero, y como la distancia que dice el ordenador a la que está es… «¿Dónde diablos está el físico de a bordo?» «Durmiendo.» «Que lo despierten y se presente enseguida. Los demás, atentos a la pantalla, porque la onda reflejada puede llegar en cuestión de minutos ya que la velocidad de la luz es muy grande.»

Al rato largo aparece el físico en medio de unos militares (casi todos lo tripulantes lo son) indolentemente sentados, algunos dormitando y dos roncando con franqueza. Su mirada ausente refleja que su sueño era muy profundo. Le explican lo que han hecho y, cansinamente, el físico se da media vuelta para regresar a su aposento mientras farfulla: «Hacéis bien en esperar sentados, porque de pie os ibais a cansar, ya que la señal que habéis enviado no regresará nunca. Aún más, ni siquiera llegará al horizonte del agujero. Adiós muy buenas». «Espera un momento, físico, ¿cómo es eso de que no llegará la señal que hemos enviado? Venga, hombre, explícanoslo.» «Está bien, aunque no entenderéis nada. El tiempo, en la vecindad de un agujero negro, se dilata. Las ondas que habéis enviado han salido a la velocidad de la luz, o sea, a 300.000 km/s, pero como para nosotros los segundos que transcurren para ellas son cada vez más largos, es como si las ondas se fueran frenando hasta terminar paradas en el horizonte de sucesos del agujero en un futuro infinitamente lejano. Allí está todo como… congelado. Lo siento, capitán, estoy hecho polvo, así que si no manda nada más…»

El capitán, con las manos cruzadas y apoyadas en su trasero, no ha entendido nada y deja que se vaya el físico mientras mira con el ceño fruncido la pantalla por donde tendría que aparecer la onda reflejada. Nada ocurre. Mira de soslayo al piloto navegante y descubre en él una media sonrisa de visos sardónicos. Cuando, enfadado, va a ordenar recuperar el rumbo anterior, escucha a su espalda la voz de un sargento famoso por ser más que chulo. «Capitán, usted sabe que ese físico está como una regadera; le pido permiso para embarcar en mi cápsula y acercarme a explorar ese agujero.» Cuando el capitán va a argüir que es de sobras conocido que el sargento está más loco que el físico, lo interrumpe las voces de ánimo de los otros tripulantes que se han despertado durante la intervención del osado compañero. Comienzan incluso a cruzarse apuestas.

Ante la jarana que se organiza en la sala de control y mando, el capitán accede advirtiéndole al sargento que en cuanto note algo raro se dé media vuelta y regrese sin más. La apuesta se establece en llegar a mitad de camino entre la nave y el agujero. Para demostrar que el sargento ha alcanzado la distancia, llevará encendidos los intermitentes de su cápsula que emiten, como todas, un destello por segundo. Y, por supuesto, se mantendrá en comunicación directa con la nave en todo momento para referir puntual y continuamente lo que le suceda.

La sala está muy animada e incluso suenan vítores cuando se ve en la pantalla grande la pequeña nave de combate del sargento. En pocos segundos se aleja y sólo se ven los destellos de los intermitentes. «¿Cómo vas, sargento?» «Como una moto, mi capitán.» La voz del sargento suena fuerte y clara por los altavoces. «Vale, pero ya sabes: ándate con ojo.»

A los pocos minutos se empieza a ver una cosa rara: los potentes destellos de la cápsula que, lógicamente, se han ido haciendo cada vez menos intensos a causa de la distancia, se hacen mucho más lentos, de manera que entre dos consecutivos pasa bastante más de un segundo. Además, cada vez enrojecen más. Un militar comenta esto último en voz alta y otro dice que es el corrimiento al rojo debido al efecto Doppler, ya que la cápsula se está alejando. El capitán, inquieto más por el dato de la separación entre destellos que por su enrojecimiento, llama al sargento y le pide novedades. En la sala enmudecen todos cuando, tras un rato inusitadamente largo, se escucha la voz del sargento ahuecada y distorsionada. Como si un arcaico disco microsurco girara a dos o tres revoluciones por minuto en lugar de a 45. El capitán se alarma y ordena al sargento que regrese, y que si ha bebido ya puede considerarse arrestado. Silencio absoluto en la sala. Lo rompe el capitán ordenando «¡Que venga el físico! ¡Sargento, sargento!».

El físico llega con los ojos desorbitados porque por el camino le han contado lo que ha hecho el sargento. Mientras increpa al capitán y los demás tildándolos de insensatos para arriba, mira ansiosamente a las pantallas buscando las coordenadas de la nave del sargento y las del agujero negro. De repente se escuchan por los altavoces sonidos graves, guturales, cavernosos e ininteligibles que cesan lentamente. Todos miran al físico y éste, anonadado, le dice al capitán que ya puede contar con una baja más entre la tripulación. Al rato, en medio de la pesadumbre, el físico se explica.

El enrojecimiento de los destellos se debía por lo menos a dos causas más aparte del efecto Doppler, en particular a la dilatación del tiempo debido a la alta velocidad a la que iba el loco del sargento y a la aceleración que le provocaba el agujero. Por eso, además, sonaba su voz de esa manera. Mucho antes de alcanzar el horizonte de sucesos del agujero, el sargento ha quedado atrapado en el futuro: se ha quedado como un mosquito en una gota de ámbar. «¿Entonces no ha muerto?» El físico mira gravemente al capitán sin poder evitar el reproche en su tono y mirada. «Pues claro que ha muerto. Lo han matado las fuerzas de marea. La pequeña diferencia de fuerza entre la cabeza y los pies ha ido aumentando inexorablemente estirándolo de forma inmisericorde. Él y la nave deben estar ahora hechos un hilo atrapado para siempre en el agujero. La habéis hecho buena.» El físico se va y el capitán, para ahogar su pena y reafirmar su maltrecha autoridad, ordena desabridamente recuperar el rumbo y largarse de allí cuanto antes.

Para mí, lo más curioso de un agujero negro es que no es negro, sino grisáceo, y es debido a que la mecánica cuántica, insisto, es maravillosa, porque entre otras cosas hace real lo mágico. Una de las mentes más poderosas del último tercio del siglo XX corona un cuerpo lamentablemente decrépito. Hablo del famoso Stephen Hawking. Este físico británico ha trabajado mucho sobre los agujeros negros y, en mi opinión, lo más notable que ha establecido es la llamada *radiación de Hawking* combinando muchas ramas de la física, en particular la gravitación y la mecánica cuántica. Según la relatividad general, o sea, la gravitación, un agujero negro durará eternamente pues pase lo que pase a su alrededor se lo tragará todo haciéndose cada vez más masivo, más singular y dilatando indefinidamente su propio tiempo.

Ya hablé en una ocasión de que hay indicios de la presencia de grandiosos agujeros negros que contienen entre cien mil y mil millones de soles localizados en el centro de las galaxias. No es seguro, pero pudiera ser así.

Hawking demostró en 1976 que un agujero negro podría «evaporarse». Quiere esto decir que en su entorno la densidad de energía es suficientemente alta como para generar pares de partículas y antipartículas, en concreto y de manera más frecuente, pares de electrones y positrones. Esto ocurriría justo antes del horizonte de sucesos. Las partículas creadas desaparecerán rápidamente combinándose con las que hay alrededor dando luz que caerá enrojecida al agujero. Pero gracias a la mecánica cuántica, recuérdese el efecto túnel, se puede demostrar que alguna que otra escapará. Y lo hará, lógicamente, llevándose energía. Esta es la evaporación mencionada. Por tanto, si la masa que se desprende del agujero lo hace a un ritmo apropiado, el agujero negro no vivirá eternamente y, además, estas emisiones y absorciones de partículas y luz le dará un tenue brillo al horizonte de sucesos. Por eso el agujero negro bien pudiera presentar un aspecto gris. Encima, este proceso se puede ver acelerado en el tiempo y se especula que el agujero terminaría explotando. Por ahora, los cálculos indican que un agujero negro explotará por evaporación en diez elevado a... setenta años. No veremos ninguno. Pero como también se especula que puede haber agujeros negros de origen distinto al del colapso de estrellas gigantes, la cosa se presenta risueña por lo siguiente. Justo después del Big Bang hubo energía y condiciones quizá apropiadas para generar agujeros negros llamados *primordiales*. Estos serían del porte de una partícula elemental de masa tremebunda. Pues la vida de estos agujerillos negros se calcula que será del orden de diez o veinte mil millones de años. O sea, la edad del Universo, por lo que pronto deberíamos empezar a ver la evaporación de estos minúsculos agujeros negros.

El caso es que especulaciones y fantasías sobre los agujeros negros llenan toneladas de páginas. Creo que fue el gran divulgador (y

buen científico) Carl Sagan, el que inició la idea de que los agujeros negros se conectaran entre sí dando los llamados *agujeros de gu-*
sano que facilitarían los viajes espaciales, porque unirían regiones
recónditas del espacio-tiempo. La fantasía siempre es llamativa y a
veces da sorpresas, a Julio Verne me remito.

9

El nacimiento de una estrella

Lo bello no muere, sino que se trueca en otra cosa
bella.

THOMAS BAILEY ALDRICH

Si observamos la Vía Láctea en una noche sin luna ni contaminación lumínica nos llamarán la atención varias cosas de ella, pero re-
saltaremos quizá la más inesperada. El origen de esa hermosa mancha blanquecina ya lo sabemos: es la luz de las estrellas de nuestra galaxia que, al mirarla desde el borde de ella en que estamos, su enorme
número nos da la sensación de un continuo. Por supuesto, si la observamos con unos prismáticos distinguiremos muchas más estrellas
individuales, y si lo hacemos con un pequeño telescopio (o con uno
grande) aún veremos que la concentración de estrellas es extraordinaria y muy superior a si miramos en otra dirección del cielo. Muy
bonito, pero ¿por qué se ven franjas y manchas oscuras por todas
partes a simple vista o con algún instrumento óptico? La respuesta
que seguramente se nos viene a las mientes es simplemente porque
la Vía Láctea es así, o sea, que estamos acostumbrados a que los sistemas de muchos cuerpos no sean necesariamente homogéneos, así,
en unas partes habrá más estrellas que en otras. Además, nuestra galaxia es una espiral y ésta es una figura bastante heterogénea. Pues
todo está mal.

Por lo pronto he de recordar que aunque la Vía Láctea sea una galaxia del tipo espiral normal, hay tantas estrellas en los brazos como entre ellos, la única diferencia es que en una zona las estrellas son más jóvenes y en otras más viejas y por eso sus luminosidades son distintas. Pero el caso es el siguiente. Vista desde un borde, los brazos de la galaxia son muy difíciles de detectar (desde luego no a simple vista, ni siquiera con telescopios) y la enorme densidad de estrellas debería hacer que la Vía Láctea se presentara mucho más nítida y homogénea. La respuesta más correcta a la pregunta anterior es que las zonas oscuras son nubes que ocultan a las estrellas que hay detrás de ellas.

El material del que están hechas estas nubes del medio interestelar sabemos de dónde procede: de los vientos estelares y, sobre todo, de las eyecciones de materia a causa de las explosiones acontecidas al morir las estrellas viejas. Las estrellas nacerán en el seno de estas nubes formadas por hidrógeno en su mayor parte, seguramente un 70% como en las estrellas que lo aportaron, una cuarta parte de helio y cantidades pequeñas, pero ricas y abundantes, de elementos más pesados. Y quizá otras cosas…

Así pues, antes de hablar del nacimiento de una estrella tenemos que tratar de averiguar lo que podamos de ese medio interestelar, pero si complicado es observar con detalle una estrella lejana, cómo no será observar nubes oscuras que sin duda son extraordinariamente tenues.

Vámonos a pescar en un bote cerca de una isla. Hay un buen viento, aunque apacible, y medusas alrededor de nosotros meciéndose a merced de las suaves olas. Hace tiempo que hemos echado el anzuelo y el flotador de la línea se mueve tan plácidamente como las medusas también llamadas aguavivas. Que no piquen los peces aburre a cualquiera, pero lo incita a pensar.

En medio de nuestro tedio consideramos que la longitud de onda de las olas, es decir, la distancia entre una cresta y la siguiente, es de un par de metros, más o menos. Observamos que el flotador apenas altera las olas, pues no logra provocarles más que un diminuto remolino apenas perceptible tras él. Pero nuestra barca, cuyo tamaño es del orden de los metros, es decir, del mismo orden de magnitud que la longitud de onda de las olas, sí que altera notablemente su devenir cuando la sobrepasan las que chocan contra ella. Y la isla, mucho más grande, simplemente las detiene. La única ventaja que obtenemos de estas simplezas es matar el tiempo hasta que pique algo. Pero para una medusa la cosa es mucho más interesante.

Aunque no vea nada ni le interese la física, la medusa seguramente ha desarrollado una sensibilidad muy grande respecto a las olas, porque se ha pasado toda la vida entre ellas flotando en el mismo plan y además le va el sustento en ello. Así, la medusa notará enseguida por la alteración de las olas si está pasando por detrás de una isla, cerca de un bote e incluso por las cercanías de un inquietante flotador.

LAS NUBES INTERESTELARES

Los instrumentos que tenemos hoy día para analizar la radiación son tan sensibles que nos permiten estudiar con bastante detalle la perturbación que la materia interestelar le provoca a la luz de las estrellas que hay detrás de ellas. Esta luz está compuesta por radiación de todas las longitudes de onda y nuestros aparatos pueden discriminar las del rango que nos interese. Al igual que la medusa, que sabe por el vaivén a que está sometida cuál es la longitud de onda de las olas, nosotros obtenemos el dato simplemente porque preparamos nuestro detector de manera que sólo tenga en cuenta un determinado rango. Estudiando estas ondas de radiación podremos averiguar el tamaño de las partículas que forman las nubes interestelares.

Lo primero que observamos no nos sorprende en absoluto: hay nebulosas enrojecidas y otras azuladas. La luz roja tiene mayor longitud de onda que la azul, por lo que las motas de polvo de la nube apenas alterarán a aquéllas y dispersarán más fácilmente a éstas. Así, si la luz de la nube que estamos observando proviene de estrellas que están detrás de ella, detectaremos con más eficiencia las longitudes de onda correspondientes al rojo, pues son las que la atraviesan sin grandes problemas. Si a la nube la ilumina una estrella que no está justo detrás sino en cualquier otra dirección, lo que detectaremos con mayor facilidad serán las ondas de longitudes más cortas, las azules, porque a éstas las dispersan los granitos de polvo por todas partes.

Decía que esto no nos sorprende porque es el mismo efecto que hace que el Sol y su entorno sean rojizos al amanecer y al atardecer, y azul el resto de cielo. En este caso la nube no es más que la atmósfera. Así pues, tenemos un *enrojecimiento interestelar* y unas *nebulosas de reflexión azuladas*.

De estas maneras vamos analizando todas las longitudes de onda de la luz de las estrellas filtrada o dispersada por las nubes de polvo interestelar y tratamos de averiguar así de qué está compuesta (al menos si lo que altera las ondas son flotadores, barcas o islas) y las propiedades físicas más rudimentarias como son sus dimensiones, su densidad y, quizá, su temperatura.

Ninguna sorpresa deparará ya al lector saber que lo primero que se detecta en el polvo es carbono, oxígeno, silicio y cosas así. Pero lo curioso es que los datos de los minuciosos análisis que hacen los astrónomos, físicos y químicos modernos muestran claramente que estos átomos están ya agrupados en moléculas como el monóxido de carbono (un átomo de oxígeno y otro de carbono unidos químicamente entre sí), sílice (la arena común) e incluso grafito, como ya mencioné cuando el capullo de la crisálida. Cómo se han podido formar estructuras tan ordenadas como el grafito es algo que aún no está claro del todo, pero ahí está el hecho.

Éstas serían «las barcas» las cuales pueden ser de buen tamaño y la más famosa descubierta hasta ahora es una molécula que ya se puede considerar orgánica, pues está formada por trece átomos enlazados: once de carbono, uno de hidrógeno y otro de nitrógeno. Se especula hoy día con moléculas tan complejas como los *hidrocarburos aromáticos policíclicos*, que son estructuras orgánicas formadas sobre la base del benceno que está constituido por seis átomos de carbono unidos formando un anillo en cuyos vértices se unen a otros seis de hidrógeno. Fascinante. Ya hablé un poco del benceno y su descubridor cuando lo de Ouroboros, la serpiente cósmica. Hasta 90 moléculas distintas se han detectado hoy día en el polvo interestelar.

Aún más curioso es que parece que la mayoría de estas moléculas no están sueltas, sino agrupadas en granos de tamaños variados que van desde el de aquellos hidrocarburos hasta las milésimas de milímetro, que ya es un porte considerable. Éstas serían «las islas», que suponen el 1 % de la masa total de la nube y enseguida veremos que ésta es una cantidad portentosa. Estas motas de polvo en vez de representar un nuevo enigma ayudan a explicar el de la formación de las moléculas, pues los químicos dicen que sus superficies pueden actuar como catalizadores que favorecen la unión de los átomos. Además, pudiera ser que en estos granos se alojen los elementos más pesados cocinados en el interior de las estrellas grandes y expelidos al espacio cuando estallaron al morir y que no anden vagando por ahí a su aire inmersos en el gas de la nube. Pero esto aún está poco claro. El lector irá viendo que las incertidumbres que se tienen todavía con respecto al polvo de las estrellas son grandes; sin embargo, se averiguan cosas muy sutiles con estos análisis tan exhaustivos de la luz. Por ejemplo, los granitos no son redondos, sino más bien apepinados. Pero meterse con los efectos de la polarización de la luz es complicarnos excesivamente la vida.

Y ¿qué pasa con «el flotador»? Esto es harina de otro costal, porque detectar moléculas pequeñitas e incluso átomos individuales es tan difícil como para la medusa percatarse de que en las olas del mar flotan objetos minúsculos. El asunto es que sabemos que el hidrógeno es lo que más abunda en el medio interestelar, así que si no averiguamos cuánto hidrógeno hay en esas nubes y de qué maneras está, estamos apañados si queremos hacer una teoría o modelo plausible de cómo se forman las estrellas a partir de aquéllas.

VEINTIÚN CENTÍMETROS

Como ya debe ser familiar al lector a estas alturas, las intimidades de lo muy pequeño: moléculas, átomos, núcleos y partículas, nos aportan luz sobre lo muy grande: estrellas, galaxias y Universo. Vamos a volver a estudiar un aspecto del átomo más simple que existe, el de hidrógeno, formado sólo por un protón ligado electromagnéticamente a un electrón. Sabemos que la imagen que nos debemos hacer de este sencillo átomo es la de una partícula muy pesada, el protón, envuelto de una «nube de probabilidad de presencia» del liviano y ubicuo electrón, desechando toda idea de movimiento planetario de éste en torno a aquél. Pero para evitar la exasperación, nos permitiremos la licencia de utilizar esta imagen «clásica». El lector, en particular si es un estudiante de física, puede poner a mano una cajita llena de comillas y distribuirlas por donde quiera en las palabras y frases del siguiente párrafo.

El protón gira en torno a sí mismo y a este giro se le llama espín. Tiene un valor determinado característico de todo fermión. El electrón gira en torno a sí mismo de la misma manera aunque por lo demás sea una partícula completamente diferente al protón, o sea, que sus espines valen lo mismo. Estos giros, ya lo mencionamos, sólo pueden ser de dos formas: o en un sentido o en el opuesto. Además, mientras que el protón siempre gire en un sentido, el electrón girará igual que él o al contrario pues cuánticamente no hay otras posibilidades. Ya dijimos que es como si el Sol siempre girara de la misma forma en torno a sí mismo pero la Tierra pudiera hacerlo invirtiendo el Polo Norte con el Sur. Nosotros no notaríamos apenas nada, pues lo único que ocurriría es que las convecciones de verano, invierno y demás las tendríamos que intercambiar con nuestros congéneres del hemisferio sur. Más claro aún: el protón y el electrón serían como dos minúsculos imanes que sólo se pueden colocar paralelamente orientados el polo norte de uno con el del otro o, al contrario, el polo norte de uno con el sur de su compañero sin orientaciones intermedias.

274

En el átomo de hidrógeno, por razones exclusivamente cuánticas, una situación es energéticamente más favorable que la otra: cuando el electrón gira cabeza abajo respecto al protón el sistema tiene menos energía.

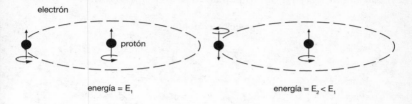

Fig. 25. *El momento magnético de una partícula cargada puede concebirse con la imagen clásica (no cuántica) de estar generado por el giro de dicha partícula en torno a sí misma. La mecánica cuántica exige que el protón y el electrón sólo tengan dos posibilidades de orientación del vector (flecha en el dibujo) que define dicho momento. En el átomo de hidrógeno en su estado fundamental los momentos magnéticos se colocan paralelos o antiparalelos. La energía total del átomo es distinta siendo menor en el segundo caso.*

Así pues, los átomos de hidrógeno tenderán a situarse en esa posición más estable. La diferencia es muy, pero que muy pequeña, lo cual hace que, espontáneamente, es decir, sin influencia externa y simplemente por sí mismo, un átomo de hidrógeno con los espines de su protón y su electrón alineados tarde varios millones de años en encontrar el momento de cambiar el espín del electrón de manera opuesta al del protón. (No olvidemos que la física cuántica es probabilística; en nuestro caso esto se traduce en que al estar en juego una ventaja energética muy pequeña, la probabilidad de que ocurra el fenómeno es escasa y, por tanto, el tiempo medio para que se produzca será muy grande.) Cuando lo hace, la ligerísima diferencia de energía se ha de liberar de alguna forma para que ésta se conserve, pues ya sabemos que esta conservación la exige la naturaleza de manera estricta. Lo hace emitiendo un fotón. Esta radiación, debido a lo pequeña que es la diferencia de energía entre un estado de espín y el opuesto, tiene una enorme longitud de onda: 21 centímetros.

Naturalmente, si un átomo aislado colisiona con otro, este choque puede aportar energía más que suficiente para que se dé la transición de un estado a otro en cualquiera de los dos átomos de hidró-

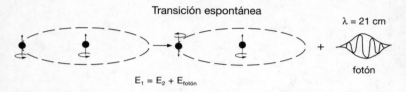

Fig. 26.   *Todo sistema físico tiende a la mínima energía, por ello un átomo de hidrógeno con los momentos magnéticos de sus partículas paralelos tenderá a la configuración en que ambos sean antiparalelos. Si lo hace mediante una transición espontánea, la diferencia de energías de ambas configuraciones ha de emitirse en forma de radiación. Como el balance ha de ser exacto, esta radiación corresponde precisamente a la que tiene una longitud de onda de 21 centímetros.*

geno que intervienen en el choque. Esta transición inducida en lugar de espontánea tendrá lugar a un ritmo que dependerá sobre todo de la densidad de átomos que haya en el medio a estudiar. En este caso no será en absoluto necesario que se emita radiación alguna para que se conserve la energía, ya que la que pierde el átomo con los espines paralelos se convierte en energía cinética: los átomos se moverán más deprisa.

Todo lo dicho era hasta no hace mucho pura teoría, porque para estudiar en un laboratorio el fenómeno de la radiación de 21 centímetros tendríamos que proceder de la siguiente manera. Colocaríamos átomos de hidrógeno en un recipiente con mil instrumentos alrededor para detectar la radiación predicha. Como hay tantísimos átomos como indica el número de Avogadro, chocarían entre ellos y los cambios de espín se darían sin más, o sea, que nada de radiación. Empezamos a hacer el vacío en el recipiente para disminuir el número de átomos. Nada. Nos gastamos una fortuna en sistemas

Transición
inducida

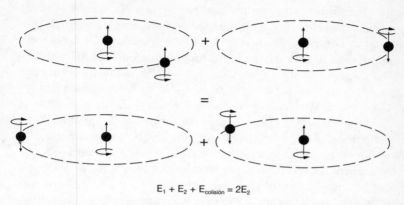

$$E_1 + E_2 + E_{colisión} = 2E_2$$

Fig. 27. *Si un átomo de hidrógeno en una configuración choca con otro en la configuración opuesta, la energía de la colisión puede equilibrar la diferencia de energías entre ambas. En tal caso de transición inducida, no será en absoluto necesaria la emisión de radiación alguna para que se cumpla el principio de la conservación de la energía.*

sofisticados de alto vacío y logramos dejar poquísimos átomos de hidrógeno en el recipiente. Y nada de nada: los que quedan siguen chocando entre sí induciendo transiciones y, claro, no vamos a esperar millones de años con todo aquello enchufado para ver si se produce una transición espontáneamente. Se acabó el dinero y la paciencia: no conseguimos observar la radiación de 21 centímetros en el laboratorio, lo cual no quiere decir, ni mucho menos, que dudemos de la teoría.

Ahora apuntamos con nuestros chismes a las nubes interestelares y... ¡zas!, ahí está la misteriosa radiación. O sea, que por lo pronto, la densidad de la nube es mucho menor que la del vacío que podemos alcanzar en el laboratorio con el más potente equipamiento experimental. Las colisiones entre átomos y moléculas en el medio interestelar tienen lugar en una escala de tiempos de cientos de años, mucho más breve que la de las transiciones espontáneas, pero como las nubes son tan grandiosas, la radiación de 21 centímetros de longitud de onda se observa muy bien porque para ella la nube es transparente y la detectamos sin problemas. Por cierto, la tenemos que detectar con radiotelescopios, esas inmensas antenas con las que estamos familiarizados, porque una longitud de onda de 21 centímetros corresponde al rango de las ondas de radio. También se usan otras emisiones de radiación como las que ofrecen el monóxido de carbono y otras moléculas, pero todas ellas son ondas de radio.

Con métodos y trucos como los descritos se ha aprendido bastante de las nubes interestelares, aunque el lector apreciará que este es un asunto delicado cuando vea las enormes incertidumbres que aún tenemos respecto a sus propiedades más básicas. Antes de describir éstas he de advertir de las unidades que voy a usar y del significado relativo que tienen. La temperatura, como hemos hecho hasta ahora, estará expresada en la escala Kelvin cuyo cero corresponde a -273 grados centígrados. Así, 1 K es lo mismo que 272 grados bajo cero, 30 K, -243 °C, etc. Las densidades se darán en átomos o moléculas por centímetro cúbico y se expresarán como un número seguido de cm^{-3}. Estas densidades hay que hacerse una idea clara de lo que suponen, para ello piénsese que la densidad del aire al nivel del mar es de 2×10^{19} cm^{-3}, o sea, veinte trillones de moléculas en cada centímetro cúbico. Una densidad típica de una nube interestelar es, digamos, 100 cm^{-3} y uno puede pensar que eso y el vacío es lo mismo, pero no, pues hay que tener en cuenta que entre una nube y otra la densidad es apenas 10^{-3} cm^{-3}, lo cual es algo así como un átomo en una caja de $10 \times 10 \times 20$ cm, esto es, una densidad cien mil veces más pequeña que la de la nube. Por último, las masas de las nubes se darán en unidades de la masa de nuestro Sol que representaremos por el símbolo M$\odot$, así, una masa de 10^6 M$\odot$ indica la equivalente a un millón de soles. Vamos allá.

La primera clase de nubes que nos encontramos la constituyen las que son parecidas a los cirros, esos hilachos tenues que se forman en las capas altas de nuestra atmósfera. Se le denominan *nubes difu-*

sas H I. Lo de H I se refiere a que están formadas mayoritariamente de átomos de hidrógeno sueltos y no formando moléculas. Los confines de estas nubes no están bien delimitados y por eso reciben su nombre, aunque se sospecha que pueden tener un tamaño de varios años luz. Lo más curioso de ellas es que parecen que son de forma plana, como velos tenues y extensos. Están relativamente calientes, pues su temperatura seguramente anda entre los 30 K y los 130 K. Su densidad es de 100 a 800 cm^{-3} y su masa entre 1 y 100 M$_\odot$.

Otras nubes, parecidas a las anteriores pero de propiedades ópticas relativamente bien diferenciadas, son las *nubes moleculares traslúcidas.* Tienen formas mucho más irregulares, tamaños muy indefinidos y su composición básica es de hidrógeno molecular, es decir, unidades químicas formadas por dos átomos de hidrógeno enlazados. Son más densas, ya que tienen entre 500 y 5.000 moléculas por centímetro cúbico aunque la masa total de estas nubes es parecida a la de las difusas: la de decenas de soles. También están claramente más frías, pues su temperatura apenas sobrepasa los 40 K.

Las nubes que vienen ahora son las más interesantes: las *nubes moleculares gigantes.* El lector me va a permitir una disgresión que hago por dos razones: aliviarlo de tanto número y homenajear a sir Fred Hoyle, el cual acaba de morir (23 de agosto de 2001) a la respetable edad de ochenta y seis años. Ya hablé de él, cuando lo del proceso triple alfa que daba lugar al carbono en el corazón de las gigantes rojas, y lo hice en términos elogiosos, cariñosos y escépticos. Insisto ahora en que muchas ideas suyas (normalmente de otros, como Salpeter, Fowler, etc., pero que él las impulsó con vigor) son el origen de diversos aspectos desarrollados en este libro. Otras, sinceramente, estaban algo desquiciadas, como todas las que insistentemente propuso para atacar al Big Bang y proponer un Universo estático, sin origen ni final, en el que la materia se está generando continuamente. Esta idea en realidad fue de otro sir, llamado Jeans, del cual hablaré también algo. Viene a cuento este pequeño homenaje a Hoyle a que tanto él como Jeans, además de trabajar en física y astronomía escribieron muchos libros de divulgación científica y la osadía de Hoyle le llevó incluso a escribir novelas. Me referiré a la que considero mejor de las que escribió.

A las nubes moleculares gigantes se les llamaron *nubes oscuras* al principio de su descubrimiento allá por los años cincuenta. Si no fueran oscuras y brillaran, el cielo nocturno presentaría un aspecto sobrecogedor porque alguna nube cercana a nosotros tiene un tamaño aparente varios cientos de veces mayor que la luna llena. Fred Hoyle, que trabajó sobre ellas, escribió la novela titulada *The Black Cloud* que se publicó en 1957. Cuenta la historia de un astrónomo que descubre una nube interestelar de estas que se traga sistemas solares completos para parir después otros. El joven astrónomo, por supuesto el propio Fred Hoyle, estudia tan a fondo la misteriosa nube que encuentra dos propiedades de ella que resultan ser más que inquietantes: se aproxima a nosotros y, agárrense, es inteligente. Naturalmente, el astrónomo trata de comunicarse con la nube, lo consigue, y no puede pedirle más que piedad para con nuestro acogedor sistema solar. La nube parece que se muestra remisa al principio, pero termina aceptando la propuesta con la condición de que al menos un individuo de esta original estirpe que son los humanos se vaya con ella para estudiarlo a fondo. El joven científico cierra el trato dando así su vida para salvar a la humanidad. La novela parece interesante y emparentada con un verso del conocido poeta sevillano Vicente Aleixandre:

Una nube con peso, nube cargada acaso de pensamiento estelar...

¿No es pasmosa la intuición de algunos espíritus sensibles?

Las nubes moleculares gigantes pueden tener un tamaño de 150 a 200 años luz y una forma irregular redondeada parecida a los cúmulos y nimbos de nuestra atmósfera. Son enormes complejos de polvo y gas muy fríos, pues apenas sobrepasan los 30 K, y parece que tienen un corazón mucho más denso que el resto de la nube y que puede llegar hasta los 3 años luz de tamaño. Así, mientras que la densidad media de la nube es de unos cientos de moléculas por cen-

EL NACIMIENTO DE UNA ESTRELLA

tímetro cúbico, en su corazón hay millones de ellas en ese mismo volumen. Además está mucho más caliente, ya que su temperatura llega a los 100 e incluso a 200 K.

Lo que es más importante es la masa de una de estas nubes gigantes: llega a ser de un millón de soles. No hay mayor masa acumulada en la galaxia, salvo que se confirme que en el centro hay un portentoso agujero negro del que ya hablamos. El corazón de la nube puede tener la misma cantidad de materia que centenares e incluso mil soles. En una galaxia espiral normal como la nuestra estas nubes son muy abundantes en los brazos. Estamos hablando de miles de ellas.

Por último están los *glóbulos de Bok*. La particularidad más notable de estas nubes es su forma casi perfectamente esférica, a diferencia de las irregularidades geométricas que presentan las otras. Esto indica que la gravedad ya ha empezado a actuar en ellas, de lo cual hablaremos pronto. Por lo demás tienen propiedades parecidas a sus primas hermanas, salvo que están notablemente más frías pues su temperatura apenas sobrepasa los 10 K. Son bastante densas, ya que llegan a tener decenas de miles de moléculas por centímetro cúbico y su masa varía enormemente yendo desde 1 hasta 1.000 $M_\odot$. Estos globos densos y fríos suelen tener un diámetro de dos o tres años luz.

En el seno de este polvo interestelar (o circunestelar, pues ya vimos cómo en un principio envuelve a las estrellas muertas antes de vagar por el medio galáctico) será donde se generen los astros, pero hay que averiguar qué es lo que provoca que una nube se contraiga por efectos gravitatorios empezando así a comprimirse para que llegue el momento en que se enciendan termonuclearmente las estrellas.

En principio, no hay razón para que la nube altere su deambular errático y se configure de manera que favorezca procesos localizados con una dinámica apropiada para que se genere una estrella. Téngase en cuenta que estas nubes emigran en la galaxia a una velocidad del orden de 100 km/s y que detener o alterar el rumbo de masas tan grandes, por más sutiles y tenues que sean, requiere provocación externa. Pero ya estamos en condiciones de adivinar cuáles son éstas: las ondas de densidad de los brazos de la galaxia que vimos en el capítulo correspondiente, los vientos estelares y las explosiones supernovas.

PROTOESTRELLAS

Sir James Jeans, el predecesor de sir Fred Hoyle que murió en 1946, era un físico y matemático que se ganó la vida como astrónomo y divulgador de la ciencia. Al principio de su carrera de investigador aplicó las matemáticas con rigor a problemas termodinámicos y de radiación. Como el empleo permanente que obtuvo fue de astrónomo, desarrolló muchos modelos teóricos de procesos físicos en escenarios estelares. Y aquí fue donde más penosas fueron sus meteduras de pata. Ya había intentado algo revolucionario en la física pura y dura, pero el resultado fue tan catastrófico que aún se llama así: la catástrofe ultravioleta. La idea era aplicar la teoría clásica a la radiación emitida por un cuerpo negro. Aquello no le salía a Jeans ni a la de tres, hasta que llegó un alemán curtido, Max Planck, que fue más osado y listo que él proponiendo el pilar básico de la mecánica cuántica. Otros errores garrafales de Jeans fueron la ya citada de la creación continua de materia en un universo estático y otro, que mencionaremos en el capítulo siguiente, cuando trató de enmendarle la plana nada menos que a Kant y Laplace respecto al origen del sistema solar. Pero no crea el lector que menosprecio a Jeans, porque realmente nos dejó muchas fórmulas y conceptos muy útiles. A modo de ejemplo útil, voy a explicar un desarrollo de Jeans que aún hoy día se utiliza por más aproximado y tosco que sea. Se trata del llamado *criterio de Jeans* para dilucidar cuándo y cómo puede colapsar una nube interestelar para dar lugar a una estrella. No es difícil y al lector quizá le plazca saber con algún detalle cómo es la gestación y el parto de un sol.

Hemos de empezar, de nuevo, con el famoso y sencillo teorema del virial (ya no sé dónde diablos buscar el significado de esta dichosa palabra, aunque he descubierto que seguramente la inventó Clausius, uno de los padres de la termodinámica, haciendo referencia a *vires*, fuerza; pero no estoy seguro). Para que un sistema de cuerpos (moléculas, galaxias, o lo que sea) ligados entre sí gravitatoriamente sea estable, la energía que tiene en virtud del movimiento de dichos cuerpos, llamada energía cinética, ha de ser justo la mitad que la energía gravitatoria debida a la atracción entre ellos. Así de simple. En una nube interestelar sus moléculas se mueven al azar debido al calor que contiene, la medida del cual es su temperatura. La densidad, lógicamente, influye también decisivamente en la energía cinética total de la nube: a más moléculas, más cuerpos moviéndose y mayor energía total. La atracción gravitatoria entre ellas depende de sus masas y de la distancia a la que se encuentren. Si el doble de la energía cinética total es mayor que la gravitatoria, la nube se expandirá indefinidamente haciéndose cada vez más tenue (menos densa), pero si es menor, la gravedad vencerá y la nube se contraerá haciéndose cada vez más pequeña y más densa. La temperatura, en principio, no tendrá necesariamente que aumentar en este caso, pues puede tener lugar lo que los físicos llamamos una *compresión isotérmica*. La diferencia entre el doble de la energía cinética y la gravitatoria se puede liberar al exterior de la nube irradiando luz de una longitud de onda apropiada.

Una fórmula simple para la energía cinética y otra igual de simple para la gravitatoria nos llevan al criterio de Jeans, a la *masa de Jeans* o a la *longitud de Jeans*, que no son más que maneras de establecer si una nube colapsará o no, esto es, si se contraerá para dar lugar con el tiempo a estrellas o si no tiene posibilidad de hacer tal alumbramiento y seguirá expandiéndose por los siglos de los siglos. Así, si una nube tiene una masa total superior a la de Jeans, o unas dimensiones superiores a la de Jeans, se contraerá, y si no, pues no. Y éste es el criterio del amigo Jeans. Más sencillo, imposible.

Pero el Universo es cualquier cosa menos sencillo. Apliquemos el criterio a una nube difusa. Ponemos en las formulitas la temperatura típica de estas nubes, su densidad y poco más, y nos sale una masa de Jeans de 1.500 soles. Como sabemos que la masa total de esas nubes anda entre 1 y 100 $M_\odot$, resulta imposible que formen jamás una estrella. En cambio, si le damos el mismo tratamiento al corazón de las nubes moleculares gigantes, nos sale una masa de Jeans de 17 $M_\odot$. Como la masa del interior de esas nubes es muy superior a ésta, es del todo plausible pensar que en su seno sí que se puede formar una estrella. Nos removemos de gusto en nuestro asiento y empezamos a calcular alborozados.

Escribimos expresiones sencillas para la velocidad del colapso; después otra para su aceleración; en medio, ya puestos, calculamos el tiempo que tardará una nube típica en encogerse hasta el tamaño, más o menos, de una estrella. Nos salen 5.000 años por lo que casi saltamos de alegría ya que eso es un suspiro y este dato explicaría algo que nos tenía escamados desde el principio: se ven muy pocas estrellas en formación en el firmamento. La explicación parece clara ahora: se formarían tan rápidamente (piénsese de nuevo en lo brevísimo que es un intervalo de 5.000 años en la escala astronómica) que sería extraordinariamente casual que diéramos con una nube colapsando en una estrella en este plan.

Como este plan es demasiado simple, empezamos a combinar la mecánica con la termodinámica porque no es posible que la temperatura se mantenga constante durante este colapso que podríamos llamar homogéneo. Entre otras cosas porque a ver cómo se pasa de una temperatura de 200 grados centígrados bajo cero a la de millones que necesita una estrella para que su hidrógeno se encienda termonuclearmente. Así que suponemos que llega un momento en la contracción en que ésta se hace *adiabática*, que no es más que aplicar la lógica de que la energía excedentaria de acuerdo al teorema del virial puede dejar de liberarse fuera de la nube y destinarse a agitar más a sus moléculas aumentando así la temperatura. La cosa se complica pero no nos arredramos. Llegamos a calcular hasta la luminosidad del proceso para ver si se puede detectar aunque sea por casualidad, pero empezamos a desfallecer porque tememos que nos estamos dejando demasiadas cosas por el camino. La dinámica de la contracción puede complicarse tanto que se formen capas que caigan hacia el centro a distinta velocidad. Se formarían ondas de choque si alguna de ellas supera la velocidad local del sonido. Esto enreda las cosas bien enredadas. El transporte del calor dentro de la nube puede ser extraordinariamente complejo y no repartirse simplemente el excedente de energía entre las moléculas. Los granos de polvo se evaporarán al aumentar la temperatura, las moléculas se disociarán (se separarán en átomos) y después los átomos se ionizarán (perderán sus electrones quedando desnudos los núcleos inmersos en mares de electrones). Esto no se describe fácilmente. Los campos magnéticos y eléctricos empezarán a jugar un papel cada vez más relevante. ¿No girará todo el tinglado para que se conserve el momento angular haciendo la dinámica del colapso más compleja?

Hace rato ya que estamos desmanganillados en nuestro asiento con la mano izquierda amparando la frente y la derecha colgando sosteniendo apenas el bolígrafo con el que escribíamos ecuaciones con tanto entusiasmo. Pero de pronto abrimos los ojos desmesuradamente, la frente se libera, el bolígrafo cae al suelo y el mentón se nos clava en el pecho. Quedamos completamente abatidos.

Si las cosas fueran como nos las hemos imaginado hasta ahora, no hay ninguna razón para que la estrella que naciera del colapso de una nube gigante molecular no tuviera una masa final igual o al menos parecida a ella. Pero ¿quién ha visto nunca una estrella de una masa mil o un millón de veces superior a la del Sol? La mayoría de las estrellas tienen una masa parecida al Sol y las grandiosas apenas son unas decenas de veces más grandes que él. Así pues, cuando una nube se contraiga porque se lo permita el teorema del virial, ha de llegar un momento en que se fragmente de forma que no dé lugar a una estrella sino a un montón. Poner una *multifragmentación* en fórmulas, créanme, no suele ser fácil, y calcular con ellas para ver si los resultados que obtenemos tienen algo que ver con las observaciones no es cosa de hacerlo con papel y bolígrafo, sino con potentes ordenadores. Sigamos entonces con las aproximaciones de Jeans que nos darán al menos una idea de lo que pasa.

La masa crítica de Jeans, aquella que tiene que tener una nube para que se contraiga y que salía 17 M$\odot$ para el corazón de una nube oscura típica, se calculó teniendo en cuenta que el encogimiento era isotérmico, pero hemos dicho que en algún momento tiene que aumentar la temperatura si se ha de llegar a la de un sol caliente y radiante. Si hacemos el cálculo anterior pero considerando una compresión adiabática, o sea, no radiando calor para compensar la energía, sino calentando al gas, resulta una masa de Jeans bastante menor que 17 M$\odot$. Así pues, lo que debe ocurrir es que, por causas que enseguida vamos a enumerar, la nube se divide en muchas zonas cada una de las cuales puede colapsar y formar una estrella. Esto nos da una alegría y una preocupación. La primera es que, efectivamente, las estrellas se presentan muy agrupadas en una galaxia formando clanes que van desde una pareja hasta infinidad de ellas y quizá son tan gregarias no porque se hayan atraído gravitatoriamente poco a poco, sino porque tal vez nacieron ya así de agrupadas. También hay muchas estrellas aisladas, pero esto no tiene por qué ser una circunstancia demasiado compleja de explicar. La preocupación es que el proceso de disgregación de la nube ha de tener un límite inferior en el sentido de que debe haber una masa mínima para las nubecillas que, digamos, se condensan, porque si no nada impediría que terminaran siendo tan pequeñas que jamás dieran lugar a una estrella. Si se hace un cálculo adiabático (permitiendo que en el colapso aumente la temperatura), el cual es difícil pero no especialmente complicado como hubiera dicho Groucho Marx, obtenemos un mínimo para la masa de Jeans de 0,5 M$\odot$. Recobramos el optimismo porque esto quiere decir que la fragmentación de la nube gigante en nubes pequeñas cesa cuando la masa de éstas es del mismo orden de magnitud que la de una estrella normal.

Veamos ahora qué es lo que puede hacer que una nube inicie el proceso de fragmentación, maravillosa degradación que dará lugar a miles de soles. Son esencialmente tres, que ya apuntamos, y que seguramente actúan cooperativamente.

Las nubes de material interestelar, como dijimos, son tan irregulares como nuestros familiares cúmulos y nimbos. Salvo los glóbulos de Bok que son esféricos porque sus características hacen que la gravedad haya tenido tiempo de actuar. A pesar de que sus irregularidades hacen que la gravedad establezca movimientos locales e internos relativamente caóticos, el vagar de la nube es apacible, y raro será que ninguna región colapse por más que satisfaga el criterio de Jeans. Pero la nube no puede errar aislada indefinidamente. Lo más seguro es que llegue a un brazo de la galaxia donde hay abundancia de estrellas jóvenes en todo su esplendor. Los vientos solares irradiados por ellas alterarán a la nube incidente provocándole convulsiones. Se formarán las primeras compresiones de ciertas zonas iniciándose así las ondas de densidad que comentábamos al hablar de los brazos de las galaxias espirales normales.

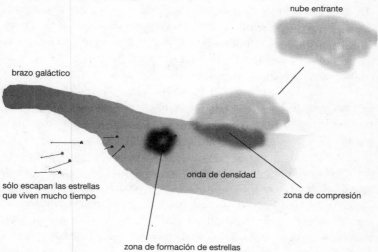

nube entrante

brazo galáctico

sólo escapan las estrellas
que viven mucho tiempo

onda de densidad

zona de compresión

zona de formación de estrellas

Fig. 28.   *Cuando una nube colisiona con la onda de densidad que supone un brazo galáctico, se forma una zona de compresión que favorece el colapso local de la nube. Estas condiciones físicas favorecen la creación de estrellas. Éstas, jóvenes y brillantes, le dan luminosidad al brazo. Sólo las que alcanzan una edad avanzada, ya menos luminosas, tienen tiempo de abandonar el brazo galáctico entrando en una zona más oscura.*

287

Por otro lado, dijimos que las explosiones supernovas tienen lugar a razón de varias por siglo en cada galaxia. Esto es un ritmo frenético a escala astronómica. Los efectos de alguna supernova cercana a la nube la agitará favoreciendo el inicio de la fragmentación. Así pues, entre los vientos solares, la influencia de zonas de alta densidad en los brazos de la galaxia y las supernovas, la nube se ve sometida a ondas de choque internas que la degradan hasta que las regiones individuales que cumplan el criterio de Jeans comiencen su colapso terminando en una nube aislada y ya bastante redondeada de una masa que puede ir desde 1 $M_\odot$ hasta 17 $M_\odot$, hablando siempre en términos aproximados.

Hay un cuarto factor, más frecuente de lo que pudiera parecer, que también colabora en las turbulencias de las nubes interestelares favoreciendo la formación de estrellas. Dijimos que dos galaxias pueden chocar entre sí y que tal colisión no suponía necesariamente un cataclismo, porque la distancia entre las estrellas es tan grande que la probabilidad de que dos de ellas chocaran era pequeñísima. Lo único que ocurría era que las dos galaxias perdían su forma y se distorsionaban dando otras llamadas irregulares. Pero las nubes grandiosas de cada una de las galaxias sí que se interpenetran al chocar generándose torbellinos y perturbaciones que favorecen la multifragmentación.

Las nubes de gran masa colapsan más rápidamente que las pequeñas y esto origina no sólo más ondas de choque, o sea, más follón, sino que además ayuda a comprender por qué hay muchas más estrellas tan normalitas como nuestro Sol que gigantonas. Veámoslo.

Las estrellas grandes viven menos, más intensamente y mueren más espectacularmente que las normales. Como muchas grandes estrellas del rock y el cine. En un gran cúmulo de estrellas en formación puede que las que cuajaron de fragmentos grandes de la nube madre mueran en plan supernova cuando la mayoría de las otras aún no han empezado ni siquiera a formarse. Las enormes perturbaciones provocadas por la agonía de aquellas favorecen su gestación enriqueciéndolas además de elementos pesados. Así, se irán formando generaciones de estrellas que cada vez tendrán una masa más parecida a la del Sol, lo cual explica que sean éstas las más abundantes. Pero continuemos viendo cómo se forma una estrella individual.

Consideremos una nubecilla de 1 M⊙ y un tamaño de mil veces la distancia de la Tierra al Sol, o sea, apenas seis días luz. Su densidad es mucho menor que una billonésima de gramos por centímetro cúbico. Empieza a encogerse por la acción de la gravedad irradiando muy tenuemente la energía que le sobra según el teorema del virial, así no tiene necesidad de aumentar su temperatura. La región central se encoge más rápidamente que las capas externas. Llega un momento en que la densidad se aproxima a la billonésima de gramos por centímetro cúbico y entonces el polvo vuelve opaco el centro de la nube. Al interior de la nube le cuesta trabajo irradiar luz y no tiene más remedio que calentarse. El colapso se vuelve adiabático y la poca luz que escapa está en el rango del infrarrojo. Sobre este corazón cae cada vez más rápidamente el material externo de la nube a la vez que el calentamiento frena algo el ritmo del colapso. Esta zona central tiene ya un diámetro de apenas cinco veces la distancia de la Tierra al Sol: como la órbita de Júpiter. Esta es la protoestrella. Cuando las capas externas alcanzan a este corazón en su caída libre, se forman ondas de choque pues bien pueden llevar una velocidad supersónica (relativa a la velocidad local del sonido en aquel medio). Este llamémosle estampido frena la caída y la energía cinética se convierte en calor ayudando así a la gravedad a aumentar la temperatura de la protoestrella. Ésta empieza a brillar, bien que tímidamente. Los 1.000 grados de temperatura que ya tiene son suficientes para evaporar los granos de polvo y la opacidad que éste provocaba desaparece en buena medida. El feto de estrella sigue colapsando tranquilamente hasta que la temperatura alcanza unos 2.000 K. En ese momento las moléculas de hidrógeno están ya lo suficientemente enloquecidas como para que el enlace entre los dos átomos de hidrógeno se rompa. Este proceso de conversión del hidrógeno molecular en dos átomos de hidrógeno sueltos absorbe energía del medio, lo cual acelera el colapso haciendo que la protoestrella adquiera un tamaño que apenas excede en un 30% el de nuestro Sol, aunque su masa es todavía mucho menor pues la mayor parte del material continúa cayendo como una extraña e incesante lluvia. Aún ha de tener lugar una convulsión final cuando los átomos del hidrógeno mayoritario se ionicen, es decir, cuando el protón y el electrón se liberen. Un nuevo encogimiento acelerado tiene lugar y otra onda de choque se dispara contra las capas externas. Esto provoca una disminución de la luminosidad que muy pronto aumentará de nuevo. El colapso continúa de forma paulatina creciendo una vez más la densidad y la temperatura. Las reacciones nucleares están a punto de desencadenarse alumbrando así una nueva estrella, la cual ya se puede situar en un diagrama de Hertzsprung-Russell.

Han pasado apenas diez millones de años. Es una gestación breve teniendo en cuenta que la estrella durará unos nueve mil millones de años. Si esto hubiera acontecido en un cúmulo de Bok apenas habrían transcurrido un millón de años. Y si en lugar de estar refiriéndonos a una estrella como nuestro Sol habláramos de una estrella de 17 $M_\odot$, todo este proceso hubiese durado sólo cincuenta mil años y su vida sería mucho más breve como ya hemos dicho. Veamos ahora cómo es el parto de una estrella normal.

EL ALUMBRAMIENTO DE UNA ESTRELLA

Lamentablemente, es muy difícil presenciar el nacimiento de una estrella, lo cual le da un toque de intimidad y misterio al acontecimiento. Resulta que las condiciones físicas en el gas que envuelve a la protoestrella favorecen la formación del ion H^-, el cual no es otra cosa que un simple átomo de hidrógeno al que se le asocia un segundo electrón. Estos electrones extra provienen de los átomos de los elementos más pesados que llenan el gas y que arrancarlos de ellos no cuesta mucha energía. El hidrógeno así ionizado impide eficientemente el paso de la luz. Esto, además del polvo, hace opaca a la protoestrella teniendo además otra consecuencia que ya debería resultar lógica al lector: aumenta el calor interno ya que no puede irradiar. Como un efecto invernadero. También ocurre otra cosa algo más sutil pero importante. Este calor se transmite en el interior de la protoestrella de forma convectiva, o sea, que se establecen corrientes de material que circulan ordenadamente homogeneizando la temperatura de todo el sistema. Ésta ha llegado ya a un punto en que la reacción nuclear que exige menos temperatura para producirse lo hace. No es la fusión de los núcleos de hidrógeno, o sea los protones, sino la fusión del deuterón que, recuérdese, es un isótopo del hidrógeno cuyo núcleo está formado por un protón y un neutrón ligados. Es la segunda reacción del primer ciclo del hidrógeno. Pero, claro, deuterones no hay muchos en el corazón de la protoestrella, así que la energía producida por esta fusión nuclear no provoca nada espectacular aunque ayuda a calentar el ambiente. Además, empieza a formarse ya una zona interior radiativa que empuja al exterior las corrientes convectivas configurándose así el interior del sol naciente como será cuando llegue a ser adulto.

Aún no hay equilibrio y la protoestrella sigue encogiéndose, calentándose y aumentando su densidad. Comienza la reacción principal de fusión nuclear, la de los simples protones, aunque todavía de manera discreta, y ya se llevan a cabo con cierta fluidez las dos primeras reacciones del ciclo del hidrógeno. Pero antes de completarse éste tiene lugar un acontecimiento breve pero que sería vistoso si pudiera observarse: funde el carbono iniciándose y completándose poco después el llamado ciclo CNO que termina en nitrógeno. La luminosidad de la protoestrella, aunque no aumenta mucho, es debida ya a estas reacciones nucleares y no al excedente energético gravitatorio liberado por la contracción.

Llega un momento en que la temperatura interior es ya tan alta que la energía nuclear no es que equilibre a la gravitatoria, sino que la vence. Esto no implica otra cosa más que la protoestrella se expande enfriándose un tanto. La luminosidad también disminuye pero pronto, muy pronto, recupera su anterior esplendor porque el carbono escasea. Continúa el colapso y, aunque algo paulatinamente, se completa el ciclo del hidrógeno. La energía radiada al exterior, la nuclear y la gravitatoria se compensan armónicamente alcanzándose el equilibrio. Ha nacido una estrella.

El alumbramiento de estrellas más masivas que el Sol es distinto, pero no mucho. Y el de las más ligeras también, aunque lo más triste de éstas es que si la masa es demasiado pequeña el proceso puede abortar. Un aborto de estrella es una enana morena o un objeto parecido a Júpiter: enorme, pero con masa insuficiente como para que la gravedad lo contraiga hasta alcanzar la temperatura necesaria para encender las reacciones nucleares.

La fiesta

Muchas de las fases descritas se ocultan a nosotros por la opacidad aludida, sin embargo, una vez nacida la estrella tienen lugar fenómenos tan divertidos que podrían catalogarse de maravillosos. Por ejemplo, si la estrella recién nacida es de buen porte, sucede un hecho curioso y espectacular. La radiación dominante que le da esplendor está en el rango del ultravioleta y esta luz ioniza al hidrógeno de manera opuesta a la anterior. Así, disocia los protones de los electrones. Pero claro, si estos andan errantes, serán frecuentes las recombinaciones. Cuando un electrón arrancado de su protón por la luz ultravioleta se encuentra con otro protón, tenderá a ligarse a él, pero no se aloja en el estado más bajo de energía, el fundamental, sino que lo hará en algún estado excitado e irá cayendo en cascada a aquél. Cada vez que el electrón baja un escalón en los niveles cuantificados de energía aproximándose al protón, emitirá radiación para compensar la diferencia de energía. Pues cuando salta del tercer nivel al segundo la radiación emitida está en el rango del rojo y esa fluorescencia rojiza hace que la nube que envuelve a una estrella recién nacida sea considerada por muchos como el espectáculo más bello del cielo nocturno.

Otro fenómeno curioso que también ocurre, en particular si la temperatura de la superficie de la recién nacida es mayor que 20.000 K, es la formación de *esferas de Strömgren* denominadas así por su descubridor en 1939, el astrónomo danés (aunque nacido en Suecia) llamado por sus amigos Bengt Georg Daniel. Sucede que la radiación ioniza el hidrógeno de la nube que envuelve la estrella como antes, pero si la densidad no permite el equilibrio entre combinación y disociación de los electrones con los protones, estos se quedan separados. La luz sólo puede destruir átomos de hidrógeno hasta cierta distancia que es del orden de un año luz. Así, se forma en torno a la estrella recién nacida una esfera de gas ionizado embebida en un medio de hidrógeno molecular mayoritario de la nube. Los confines entre un medio y otro son tan precisos y sus propiedades ópticas tan distintas que se forma una esfera perfecta en torno a la estrella.

T Tauri, F U Orionis, Herbig-Haro y demás

Los nombres de este epígrafe no son tan raros como parecen. Lo de la T, la F y la U no son más que maneras de denominar a ciertas estrellas; Tauri se puede traducir como del Toro y Orionis como de Orión (se refieren a las constelaciones donde se descubrieron los primeros objetos estelares de esta clase); Herbig y Haro son apellidos bastante familiares de dos astrónomos. En particular me gusta resaltar a Guillermo Haro, porque fue un excelente científico mexicano que nació con la revolución allá por el 1913 y al que se le deben varios descubrimientos notabilísimos.

Hemos dicho que los embriones de estrellas son difíciles de ver porque los ocultan las nubes de polvo y gas. Salvo, tenuemente, en el rango del infrarrojo porque ya mencionamos cuando lo del atardecer y amanecer que la luz roja es la única que atraviesa con cierta eficiencia a las nubes. Sin embargo, casi todas las estrellas de masa entre 0,7 y 3 masas solares sufren un fenómeno curioso justo antes de nacer, cuando transitan desde estar envueltas en nubes hasta que su viento solar disipa todo polvo y se colocan en la secuencia principal de un diagrama H-R manifestándose en todo su esplendor. No lo hemos mencionado antes no sólo porque merece párrafo aparte, sino porque como veremos nos va a permitir enlazar suavemente con el capítulo siguiente de formación del sistema solar. Nuestro Sol, sin duda, pasó por esta fase llamada T Tauri.

Hemos de volver a pensar en el payaso patinador que aumentaba su velocidad de giro al encogerse, es decir, en la conservación del momento angular, producto de la masa por la velocidad de rotación ecuatorial por el radio de lo que gire. Una respuesta natural de un sistema sometido a perturbaciones es comenzar a girar en torno a sí mismo. Las nubes interestelares primigenias no hacen otra cosa cuando se ven zarandeadas por tempestades solares, tormentas de supernovas cercanas y alteraciones externas de la densidad. Al colapsar, o sea, al derrumbarse todo el material hacia su centro como hemos descrito, aumenta su velocidad de giro para compensar la disminución del radio. Además, el lector ha de tener en cuenta que el ambiente en el interior del capullo de gas y polvo en el que se desenvuelve la protoestrella está altamente electrizado, ya que hay iones cargados eléctricamente y una buena cantidad de electrones y protones sueltos. Cuando las cargas eléctricas alteran su estado de movimiento acelerándose, y no otra cosa les sucede cuando giran, se agitan térmicamente o caen gravitatoriamente, se generan campos electromagnéticos. Así pues, al iniciarse las reacciones nucleares indicadas antes de que la estrella alcance el equilibrio energético y mientras todavía sigue lloviendo material sobre ella, se producen unas convulsiones que dan lugar a varios fenómenos curiosos aparte de los descritos. Uno de ellos, en concreto, es milagroso para que podamos estar aquí, o sea, para la formación de planetas.

La rotación de todo el sistema (polvo, gas y protoestrella) junto con la deflagración de las primeras reacciones nucleares hacen que una parte del material se vea expulsado y otra se concentre en el plano ecuatorial del corazón de la futura estrella. Debido a los campos magnéticos y a la dinámica de la propia rotación, el material emana por donde le es más fácil: por los polos de la estrella. Llega lejos, muy lejos, pero vuelve a caer poco a poco. Así, muy pronto, mientras se expelen centenares de trillones de toneladas al año, lo cual es mucho teniendo en cuenta que el Sol sólo pierde decenas de billones, simultáneamente cae material en latitudes intermedias y en el ecuador se forma un disco cada vez más achatado. Esta estructura de protoestrella parcialmente oculta por un capullo de polvo, chorros de gas caliente emergentes de sus polos y un disco circunestelar de acrecencia es lo que se llama una estrella T Tauri. Lo que se observa de ella desde la Tierra, o mejor, desde los telescopios espaciales, son los chorros tenues e irregulares de colores maravillosos debido a los fenómenos de fluorescencia y un espectro de emisión de su luz extraordinariamente rico, variable e irregular en su luminosidad.

Este fenómeno de los chorros de materia expelidos a velocidad supersónica, entre 100 y 200 km/s, en sentidos opuestos se describe bien físicamente, es decir, no guarda grandes secretos, tanto es así que un fenómeno parecido tiene lugar cuando se forman las estructuras superiores a las de las estrellas: las primeras fases de la formación de una galaxia completa. Aquí el corazón es seguramente un agujero negro y el polvo son estrellas en lugar de iones o minúsculos granos, pero los chorros y el disco central surgen de forma parecida a una estrella en la fase T Tauri.

En el seno de estos chorros portentosos se descubrieron unas manchas calientes cuyo origen parece que no es otro que el choque de las partículas más veloces con el material del capullo en que está envuelta la protoestrella. Esas manchas de dinámica y propiedades curiosas son los llamado objetos de Herbig-Haro.

Muchas más cosas tienen lugar en las estrellas justo antes de su alumbramiento, pero sin duda lo más importante es que en su ecuador se están empezando a desgajar anillos del disco curcunsestelar a causa de la conservación del momento angular y la electrización del medio en que se formó. Algunos de estos anillos difusos pueden juntar una masa mucho mayor de 10^{28} gramos. Y la Tierra tiene una masa de 6×10^{27}. Podemos estar hablando ya de protoplanetas. Pero esta es ya otra historia.

10

El nacimiento del sistema solar

La Tierra tiene menos de 100 millones de años.

LORD KELVIN, 1863

Investigador es una palabra que normalmente se aplica al que se dedica a la investigación científica, aunque también es frecuente designar así a los sabuesos de la policía. Yo creo que la ambivalencia de la palabra es apropiada, porque lo que hacen Guillermo de Baskerville, Sherlock Holmes, Hercules Poirot, Pepe Carvalho, o don Álvaro de Soler es escudriñar exhaustivamente los hechos acontecidos que definen el caso, aplicar un método riguroso de razonamiento y no adivinar jamás. No descansan hasta que no dan con una solución que ajusta entre sí todos los indicios de un modo perfecto e irrefutable. Quizá les queden algunos flecos sueltos, pero son tan colaterales al caso que de ningún modo alterarán la reconstrucción esencial del suceso investigado. Los creadores de estos personajes, sin duda menos notables que éstos, realzan su labor dotándole a menudo de la categoría de científica. Hagamos aquí lo contrario, es decir, ensalcemos la investigación científica de un hecho dotándole de la categoría de policial. El misterio a resolver es cómo se generó el sistema solar. Es un misterio porque, aunque sistemas solares se están formando continuamente en la galaxia (y muchos más se formaron en el pasado cuya luz nos debería estar llegando ahora), no podemos observarlos con detalle, ya que lo hacen en las zonas más nubladas. Estas nubes interestelares sólo dejan pasar la luz infrarroja ocultando en buena medida lo que sucede detrás de ellas y en su seno.

Así pues sólo podemos inferir los detalles de lo que ocurrió estudiando minuciosamente el sistema solar tal como es hoy día a la manera que lo haría un buen sabueso con las circunstancias e indicios en torno a un caso criminal. El lector, aunque sea ligeramente, puede repasar el segundo capítulo si lo desea. Si no le place, no importa demasiado, porque lo más relevante lo tendremos en cuenta ahora.

LOS HECHOS: DENSIDADES, MASAS Y COMPOSICIONES

El Sol y su cohorte de planetas es un sistema celeste bastante aislado, pues la estrella más próxima está a una distancia 6.300 veces mayor que la distancia entre el Sol y sus planetas más alejados Plutón y Caronte. Es pues lógico pensar que los planetas se desgajaron de alguna manera del Sol en algún momento. Como no tienen (la mayoría ni de lejos) una masa suficiente para mantenerse encendidos termonuclearmente, el material solar del que estuvo hecho primigeniamente cada uno se habría ido enfriando y evolucionando de maneras diferentes dependiendo de diversos factores. Estos serían los que dieron origen a la variedad que presentan unos y otros planetas. Decir esto y no decir nada es casi lo mismo. Veamos más detenidamente qué es lo diverso y lo común entre los planetas.

De entrada, se pueden dividir en dos grupos: los terrestres (o interiores, o rocosos, etc.) y los gaseosos (o exteriores, o gigantes, etc.). Los primeros, obviamente, son Mercurio, Venus, la Tierra y Marte, y los otros son los demás dejando un poco al lado, por ahora, los lejanos Plutón y Caronte para no enredar. Los gigantes son mucho más grandes y masivos que los terrestres, aunque sus densidades son menores. Los planetas terrestres apenas tienen elementos volátiles y los gigantes están llenos de ellos en forma de hidrógeno y helio sobre todo. Júpiter tiene una composición parecida a la del Sol, y la Tierra ya me dirán. Otra diferencia notable es que los gigantes tienen montones de satélites y los terrestres poquísimos. Pero, ojo, que esto nos puede dar una pista: muchas de aquellas lunas se parecen a los planetas terrestres. Además, presentan una tendencia en su composición tan significativa como la de los propios planetas. Así, las lunas de los gigantes muestran la progresión desde satélites rocosos a cuerpos helados conteniendo primero agua y después metano y nitrógeno en estado sólido. También hemos de tener en cuenta los asteroides, cometas, meteoritos y polvo interplanetario, porque sus movimientos y estructura nos pueden dar más pistas ya que también han de proceder del Sol primigenio y cualquier hipótesis o teoría que planteemos ha de ajustar todo sin dejar ningún cabo suelto.

Analicemos más detalladamente esta variedad de composiciones. La densidad de un objeto se obtiene dividiendo su masa por el volumen que ocupa. Nos vamos a una tabla y nos fijamos en los datos de la Tierra. Tal masa y tal radio (elevado al cubo, multiplicado por 4 y por el número π y dividido todo después por 3 nos da el volumen) nos llevan a una densidad de 5,5 gramos por centímetro cúbico (g/cm^3). Las rocas que nos son familiares tienen una densidad entre 2,5 y 3,5 g/cm^3. Para llegar al promedio de 5,5 g/cm^3 no tenemos más remedio que suponer que en el interior de la Tierra hay elementos pesados bastante densos o que la presión aumenta tanto debido a la gravedad que las rocas se hacen más densas. Las dos cosas son ciertas, aunque lo que más influye es el interior metálico de hierro y níquel fundidos. Las rocas están hechas fundamentalmente de carbono (C) y oxígeno (O) así como nitrógeno (N), silicio (Si), aluminio (Al), magnesio (Mg), azufre (S), hierro (Fe), y cosas así. En el Sol no hay más de un 1,6 % de CON y un 0,4 % de los otros elementos citados. O sea, que la Tierra está hecha mayoritariamente de un material del que el Sol apenas tiene un 2 %. Ya sé que estoy olvidando el hidrógeno del agua de los mares y océanos, que no es poco, y algunas cosas más, pero no cabe duda de que si la Tierra proviene del Sol habrá que explicar satisfactoriamente de qué forma se ha liberado ella y sus colegas terrestres de los elementos volátiles.

Júpiter y Saturno no presentan este problema porque ya he dicho que su composición se parece mucho a la del material solar. O sea, allí casi todo es hidrógeno y helio. Pero atención a lo siguiente. Entre los dos gigantones suman una masa que es 413 veces la de la Tierra, pero sus elementos rocosos y metálicos apenas llegan a 1,4 veces la masa de la Tierra. Los cuatro planetas terrestres suman 2 masas terrestres. Conclusión: extrayendo todos los elementos rocosos y metálicos de Júpiter y Saturno, apenas tendríamos suficiente para formar los planetas terrestres. ¿Cómo se puede explicar un origen común de planetas tan dispares? Aún más se complica el caso si escudriñamos Urano y Neptuno.

Estos dos se diferencian de Júpiter y Saturno en cosas muy significativas. Observemos la siguiente tabla:

Planeta	Masa (veces la de la Tierra)	Densidad (g/cm³)
Júpiter	318,00	1,33
Saturno	95,22	0,69
Urano	14,55	1,6
Neptuno	17,23	1,6

Urano y Neptuno son mucho más ligeros que los otros dos gigantes, ¡pero tienen una densidad parecida e incluso mayor! Además, esa densidad es muy diferente a la de los planetas terrestres que ya dijimos que es de 5,5 g/cm³. O sea, que estos dos no están hechos de rocas y metales, pero tampoco mayoritariamente de hidrógeno y helio. Sabemos su composición porque hemos analizado muy bien su espectro superficial: esos dos planetas seguramente están hechos de compuestos del CNO, o sea, agua (H_2O), amoníaco (NH_3), metano (CH_4), anhídrido carbónico (CO_2) y cosas así, aunque entre todos ellos destaca el nitrógeno molecular (N_2). El problema es que, como dijimos, en el material solar apenas hay un 1,4% de CNO. Dicho de otra forma, si Urano y Neptuno se formaron del Sol, habrían tenido que tener en algún momento 70 veces más masa de la que tienen, es decir, 2.200 masas terrestres. La suma de la masa de todos los planetas es hoy día unas 450 masas terrestres. A ver cómo se ha escapado y adónde ha ido a parar una cantidad de hidrógeno y helio equivalente, como mínimo, a 1.750 masas terrestres.

MÁS HECHOS: LOS MOVIMIENTOS PLANETARIOS

Todos los planetas, sin excepción, se mueven en torno al Sol en órbitas casi circulares (en realidad son todas elípticas aunque de escasa excentricidad, o sea poco achatadas), lo hacen en el mismo sentido y están contenidas casi en el mismo plano definido por la órbita terrestre, llamado *eclíptica*, que para colmo casi coincide con el plano ecuatorial del Sol. Esta es una pista extraordinariamente significativa, pero ciertos indicios apaciguan el alborozo. La pareja Plutón y Caronte viola esta regla porque su órbita está inclinada 17° respecto a la eclíptica y además es muy excéntrica. Tanto es así que, como apuntamos en el capítulo 3, a lo largo de un buen trecho se mete en la de Neptuno dejando a éste como planeta más alejado del Sol.

Por otro lado, si analizamos el movimiento de giro de los planetas en torno a sí mismos observamos más irregularidades. Vistos desde el Polo Norte, giran en contra de las agujas del reloj y sus Polos Norte apuntan, más o menos, en la misma dirección que el nuestro y el del Sol. Sólo más o menos. Sin embargo, Urano, como dijimos en su momento, tiene sus polos inclinados 98°, o sea, que su ecuador es casi perpendicular a la eclíptica. Esto quiere decir que su Polo Norte apunta al Sol. Y, para colmo, Venus gira al revés que todos los demás, es decir, a favor de las agujas del reloj.

También hemos de tener en cuenta que los gigantes giran en torno a sí mucho más rápidamente que los terrestres. Y que el Sol gira plácidamente a razón de una vuelta cada 28 días, dato este fundamental que tendrá muchas consecuencias. Por último en cuanto a movimientos, habrá que explicar el origen de los cráteres que presentan muchos planetas y satélites por doquier, es decir, habrá que dar cuenta del origen del intenso bombardeo a que han estado sometidos durante cierta época de su existencia. Esto es importante por muchas razones, entre otras porque puede explicar la variedad de orientaciones de giro y de planos orbitales que aunque sean parecidos no son todos iguales como hemos dicho. ¡Ah! Tampoco hay que olvidar que los planetas parecen estar donde deben según la regla empírica de Titius-Bode, aquella que nos mostraba la regularidad de sus distancias al Sol.

Laplace y Kant

Antes de ponernos a la tarea de resolver el caso, será interesante tener en cuenta lo que propusieron ilustres predecesores cuando en su tiempo investigaron los hechos. El lector ya ha visto que no he expuesto biografías de grandes personajes salvo breves pinceladas de algunos de los que contribuyeron significativamente al avance de la ciencia y se les cita poco, porque es en otro tipo de libros donde se puede y debe encontrar esas historias ya que sin duda sus autores están infinitamente más autorizados que yo para hacer tal exposición. Pero siempre he sentido debilidad por los ilustrados del XVIII y por ello será un placer rendir tributo a dos de los más importantes que tuvo Europa. Al lector quizá le plazca saber que dos hombres tan distintos como Kant y Laplace llegaron independientemente a conclusiones parecidas sobre el origen del sistema solar. Ello también nos servirá para comprender lo que hoy sabemos, porque muy desorientados no estaban.

Pierre-Simon Laplace ha sido uno de los científicos más notables e influyentes de la historia y, además, un arrogante y un oportunista. Nació en Normandía en 1749 y, primera impostura que llevó a cabo cuando le convino, no lo hizo en el seno de una familia de pobres campesinos, sino en una de agricultores ricos y propietarios de grandes extensiones de tierra en Tourgèville. Laplace estudió con los benedictinos en su pueblo de Beaumont-en-Auge y después en la Universidad de Caen. Como el joven era listo de verdad, lo mandaron a París a los diecinueve años. Empezó a ganar dinero muy pronto dando clases a los cadetes de buena familia de la Escuela Militar. Además, escribió una serie de artículos excelentes sobre el cálculo basado en las diferencias infinitamente pequeñas y las diferencias finitas. O sea, que una buena parte de lo que estudiamos de matemáticas en el instituto y los primeros años de las carreras científicas y técnicas se lo debemos a Laplace de cuando era un zagal. Entonces se le subieron los humos por primera vez y, así de entrada, a los veintidós años, solicitó que lo admitieran en la Académie des Sciences. La plaza vacante se la dieron a otro. Laplace se enfadó, claro, pero cuando se hinchó de verdad como un globo fue un año después al otorgársele una nueva plaza a Cousin, el cual, además de ser bastante bueno en lo suyo, era diez años mayor que él. El caso es que Laplace obtuvo la plaza a la siguiente oportunidad y empezó a decir a troche y moche que él era el mejor matemático de Francia. Lo cual, para más irritación, era verdad. Justo antes de que le dieran el puesto fue cuando escribió unos artículos maravillosos de astronomía matemática, en particular sobre la inclinación de las órbitas planetarias y la perturbación del movimiento de los planetas causada por sus lunas. En el discurso de entrada en la Academia expuso un estudio sobre los movimientos de los planetas que fueron la base de la teoría que expondremos someramente sobre la estabilidad y origen del sistema solar.

Laplace fue realmente genial, pero el tío tuvo tal suerte, olfato y falta de escrúpulos que son dignos de hacer notar junto a su genialidad. Inventaba y desarrollaba las matemáticas con una creatividad pasmosa, pero además las aplicaba no sólo a problemas astronómicos sino también sociales como calcular las tasas de mortalidad de los hospitales, la duración media de los matrimonios y cosas así. Encima se metía en otros terrenos y siempre con éxito, sobre todo en la física. Una de estas excursiones intelectuales fue notable para lo que contaré después. Que yo sepa, esa fue la única vez que Laplace utilizó aparatos para concluir algo, pues hasta cuando fue director del observatorio de París se le acusó de despreciar todas las observaciones excepto las que necesitaba para sus fórmulas y que jamás determinó la posición de una simple estrella. El caso fue que Laplace con Lavoisier, el gran alquimista que acabó con la alquimia inventando la química, demostraron ayudados por un calorímetro de hielo que la respiración era una forma de combustión. Esto fue en 1780. En 1794, en pleno reino del Terror, Lavoisier fue guillotinado mientras Laplace, al que seguramente también fueron a buscar, estaba fuera de París. Cuando regresó, una vez que le convencieron de que la cosa ya estaba tranquila y empezó a tragar saliva más fluidamente de lo que había hecho desde lo de su amigo, le anunciaron la inminente e inquietante visita a su despacho de varios miembros de un directorio revolucionario. A Laplace se le atoró de nuevo el gaznate y una cálida inundación empapó sus calzas. Cuando aquellos seis pares de miradas aguileñas le hacían flaquear el esfínter principal, escuchó la voz de uno de los delegados ordenándole que ajustara el nuevo calendario de la Revolución y que rematara el sistema métrico decimal dividiendo el círculo en cien subdivisiones en lugar de sesenta. A pesar de la situación, la mente de Laplace trabajó rápida y brillantemente, por lo que dedujo que lo del calendario era un dislate, porque el nuevo año no encajaría con los datos astronómicos ni a la de tres, y lo del círculo era una pamplina que no ofrecía ventaja alguna. Pero a ver qué iba a decir un tipo como Laplace (y cualquiera) sino: «Eso está hecho. Mañana mismo les doy la faena por escrito. *À bas la calotte!*».

La suerte acompañó siempre a Laplace. Así, en 1784, el encargo que le dieron de examinar a los cadetes de los Cuerpos Reales de Artillería no sólo le dio influencia en las clases altas de París, sino que le permitió examinar a un mozo de dieciséis años, llamado Napoleón Bonaparte, al que calificó con muy buenas notas. Aquello le valió mucho, pues cuando el chaval llegó a emperador otorgó a Laplace la Legión de Honor en 1805 y otras regalías, como la presidencia del Senado. Pero Napoleón entendió bien a Laplace, porque cuando alguien le sugirió que el gran matemático y buen «ex revolucionario» debería ocupar un alto cargo en el Ministerio del Interior, el emperador aceptó, pero a las seis semanas lo echó diciendo que «había llevado al gobierno el espíritu de lo infinitamente pequeño», haciendo así una notable alusión al cálculo infinitesimal que tan profundamente había desarrollado Laplace. Napoleón, para que el insigne científico no se enfadara demasiado, lo nombró conde del Imperio. Pues el señor conde votó en el Senado, en 1814, en contra de Napoleón apoyando así la Restauración. Los Borbones lo hicieron marqués. El poco aprecio que durante toda su vida tuvieron sus colegas por Laplace terminó de deshacerse definitivamente cuando en 1826 el insigne conde (y marqués) rechazó firmar un documento de la Academia apoyando la libertad de prensa. Lo cual no significó que dejaran de reconocer su inmensa valía científica pues, como prueba de ello, la Academia canceló una reunión formal cuando Laplace murió en 1827, cosa que no había hecho jamás desde su fundación. Y, como otra muestra de respeto, su plaza no se ocupó hasta seis meses después, hecho tan inusual como el anterior.

Y ahora Immanuel Kant. Siendo Kant un personaje tan grandioso como Laplace, su biografía se puede resumir en dos líneas: nació en Königsberg en 1724, murió allí mismo a los ochenta años de edad, y entre una fecha y otra paseó, saludó amablemente a todos sus vecinos, dio algunas clases, pensó y escribió. Estas pocas cosas las hizo Kant de forma deliciosamente exagerada. Por ejemplo, lo de pasear. Salía de su casa a las cuatro y media en punto, recorría su calle exactamente ocho veces arriba y abajo, y a casa de nuevo. Su amabilidad era tan extrema que sus vecinos más que encantador lo catalogaban de chalado excéntrico. Y cuando se hizo famoso a los cincuenta y seis años de edad, nadie de por allí se explicaba la razón. Fue hijo de un tapicero, noble oficio porque además lo combinaba con el de guarnicionero, estudió filosofía en la universidad local y se quedó muy pronto sin madre y después sin padre. Así que para ganarse la vida dio clases particulares a los hijos de unos condes y después, ya con treinta y un años, empezó a dar clases en la universidad como Privatdozent, una plaza perversa (el gran Riemann, del que algo diremos, también tuvo una plaza de estas) cuyos emolumentos asignados no eran otros que las propinas que dieran los estudiantes que asistían a cada clase una vez terminada ésta. Pero la oratoria de Kant era tan gloriosa que no le iba nada mal. Hasta 1766, o sea ya con cuarenta y cuatro años, no obtuvo un puesto digno y, curiosamente, fue para enseñar matemáticas. Lo de curiosamente viene a cuento de lo siguiente. Kant era muy bueno en matemáticas, sin embargo, su obra la desarrolló en lenguaje gramatical y no matemático. Yo creo, perdóneme quien se ofenda, que éste fue el más tremendo y quizá único error de su vida. Si Kant hubiera utilizado las matemáticas en buena parte de su obra como hizo Laplace, el salto que hubieran dado las ciencias habría sido portentoso. Naturalmente, expresar en matemáticas un tratado sobre la «paz perpetua» en el que Kant abogaba por una federación mundial de estados republicanos (el pobre) es difícil e innecesario, pero otras cosas sí que las podía haber formulado de manera precisa y clara con las matemáticas y no con las farragosidades del idioma. Y más el alemán. Digo yo.

Kant ni se casó, ni salió de Königsberg (hoy Kaliningrado o vaya usted a saber), ni se metió en líos políticos ni nada. Bueno, algún problemilla tuvo, pero era tan buena gente... Resulta que lo que nos interesa aquí de su grandiosa obra es un opúsculo diminuto que escribió cuando tenía treinta y un años. Con lo modesto que era Kant, tituló aquel libelillo, nada más y nada menos, como *Historia natural universal y teoría de los cielos: un ensayo sobre la constitución y origen mecánico del Universo completo de acuerdo con los principios de Newton.* Casi nada. Además, se lo dedicó a Federico el Grande, total, ya puestos. Pero no tuvo fortuna, porque el impresor se hundió en la bancarrota antes de publicarlo y la obrita permaneció en la oscuridad de un cajón durante treinta y seis años. A pesar de que Kant tenía ya sesenta y siete años cuando vio la luz de nuevo, no le tocó ni una coma. Su teoría no se hizo famosa hasta mitad del siglo XIX (cien años después de formulada) y hasta no hace mucho no se ha visto confirmada en sus grandes rasgos. Lo del problemilla político fue precisamente con el sobrino del emperador prusiano al que quiso dedicarle el librito. Friedrich Wilhem II, o sea, Federico Guillermo II, mandó una carta a Kant en la que le decía que estaba «distorsionando y despreciando muchas de las enseñanzas básicas de las Sagradas Escrituras» y que como siguiera así, él mismo iba a «vindicarlas concienzudamente». Para agarrarse. Kant le contestó que no se preocupara porque no iba a decir ni publicar una sola palabra sobre religión. Cumplió fielmente su promesa hasta que el emperador se murió. Entonces, afortunadamente para todos, volvió a la carga.

Las últimas palabras de Kant al morir en 1804 fueron «*Es ist gut*», que se traduciría como «Ya está bien». Una medida de la grandiosidad de la obra de Kant puede ser la siguiente. Aunque no soy un internauta muy eficiente, pues a la media hora de navegar por internet ya estoy abrumado o aburrido, creo que no hay personaje en la historia de las ciencias y la filosofía que acumule más información en la Red que Immanuel Kant. Compruébelo el lector al que daré como pista algunas direcciones web, tanto de Kant como de Laplace, de las cuales he extraído (salvo las irreverencias) mucho de lo dicho hasta aquí de ellos.

CATÁSTROFE O EVOLUCIÓN

Por más que exprimamos nuestro magín, sólo hay dos posibilidades razonables para explicar el origen del sistema solar: o fue catastrófico o fue evolutivo. Si el Sol primitivo, incluso poco antes de nacer, hubiera sufrido la colisión de otro cuerpo celeste como por ejemplo otra estrella pequeña, una enana morena errante o un grandioso asteroide, habrían saltado fragmentos por todas partes. Algunos pudieron haber escapado de la atracción gravitatoria del remanente de la colisión porque el choque hubiera sido tan violento que la velocidad de escape que adquirieron hubiese sido suficiente para ello, pero otros, de tamaños diversos a distintas distancias del Sol, quedaron atrapados por la fuerza de la gravedad del Sol que se iba recuperando poco a poco de la conmoción. El material solar del que estaban hechos se fue enfriando y, dependiendo de la distancia al Sol a que se encontrara cada uno, fueron perdiendo más o menos cantidad de elementos volátiles a causa del distinto calor que recibían del nuevo Sol. Algunos de aquellos fragmentos quedaron ligados incluso al planeta grande más cercano por la fuerza de la gravedad formando así sus lunas y anillos. Aunque de forma irregular al principio, el Sol, los planetas y los satélites fueron adquiriendo forma esférica mientras se iban encogiendo y enfriando al girar inevitablemente para conservar el momento angular total. A las lunillas más pequeñas no les dio tiempo y se solidificaron antes que adquirir la forma de bola. Y ya está, más o menos, formulado un origen catastrófico del sistema solar, lo cual se debe a otro ilustre francés: George-Louis Leclerc, señor conde de Buffon, el cual se propuso la modesta tarea de escribir en 50 volúmenes una *Historia natural, general y particular*. Se quedó en el volumen 36, pero al menos tuvo la suerte de morir en la cama y no como su hijo, que acabó guillotinado en la misma tanda que Lavoisier.

El enfoque del asunto como una catástrofe apocalíptica conlleva un montón de problemas a los cuales no eran ajenas mentes tan finas como las de Laplace y Kant (y Descartes muchos años antes). Por ejemplo, la probabilidad de que dos objetos celestes de las características indicadas colisionen en el firmamento es extraordinariamente pequeña. Si a esto añadimos infinidad de observaciones actuales (sin ir más lejos, no se ven colisiones de estas ahí fuera aunque tenemos medios para ello), análisis espectrales de isótopos radiactivos y mil indicios teóricos y experimentales más, desecharíamos de plano un marco catastrófico para el origen del sistema solar y el lector se preguntaría por qué lo cito si no es como una anécdota histórica más. No tengo más remedio que pedirle paciencia, porque esto de las catástrofes lo tendremos que reanalizar tal como se vio forzado a hacerlo el propio Laplace. Kant no vio la necesidad de ello porque, curiosamente, le fallaron cosas que si hubiera empleado las matemáticas las habría evitado. O sea, que acertó en los grandes rasgos casi por casualidad.

Estos rasgos eran los que definían el enfoque evolutivo. El razonamiento que sigue lo aplicaron Kant y Laplace también a la formación de galaxias a las que el prusiano llamaba *universos islas* y el francés *nebulosas estelares*, lo cual fue aún más osado porque en su época las galaxias ni siquiera se estaba seguro de que existieran.

El lector ha de pensar en tres magnitudes físicas: el momento angular (lo del payaso patinador que gira más deprisa conforme se encoge), la fuerza centrífuga (la que sentimos que nos empuja hacia fuera de la carretera cuando nuestro coche coge una curva) y la de la gravedad (que atrae hacia el centro a toda la masa de un cuerpo extenso).

Imaginemos de nuevo una nube de gas y polvo interestelar de las del capítulo anterior. Conforme va colapsando, es decir, adquiriendo forma esférica y disminuyendo su volumen, gira cada vez más deprisa en torno a un eje por conservación del momento angular. Pero las partículas de la zona ecuatorial llevan más velocidad que las que están cerca de los polos, definidos todos estos puntos por el eje de giro. La fuerza centrífuga resulta ser proporcional al cuadrado de la velocidad e inversamente proporcional al radio. Quiere esto decir que depende mucho más de la velocidad que de lo cerrada que sea la curva que describe el móvil. Así, las partículas ecuatoriales se ven empujadas hacia fuera más intensamente que las de otras latitudes porque la fuerza centrífuga le planta cara a la fuerza de la gravedad, que las atrae hacia dentro, con mayor eficiencia. La esfera se achata. Conforme la nube encoge, las velocidades de giro aumentan y el achatamiento se pronuncia. Aquello llega a tomar forma de disco con un bulbo central protuberante. Pero ese disco no es ni mucho menos rígido, sino que está formado por granos de polvo y moléculas de gas muy sueltas, como todo el resto del sistema. Esos granos también se atraen gravitatoriamente entre sí, por lo que cuando chocan se quedan pegados formando un granito mayor. Éste atrae a todos los que pasan cerca de él y crece paulatinamente de tamaño. Además, lo hace de una forma cada vez más rápida conforme engorda en plan bola de nieve. El disco empieza a emborronarse haciéndose patente en él unos anillos difuminados cada vez más diferenciados porque cada uno atrae todo el polvo cercano a él, y el vecino hace lo mismo.

Cuando los granos ya llegan a tener un porte de metros, incluso kilómetros, se les llama *planetesimales* y se pueden considerar semillas de planetas porque el proceso se desencadena al agregarse cada vez más materia a ellos. Estos anillos de acreción (el lector recordará la palabra de cuando hablamos de la fase T Tauri del nacimiento de una estrella), sometidos al calor intenso del Sol naciente o quizá ya nacido, van cuajando en cuerpos esféricos aunque todavía seguidos de una estela de polvo y granos grandes. Algunos de ellos, los mayores, han sufrido un proceso parecido al general y se han ido rodeando de lunas.

El material solar del que estaban hechos se empieza a enfriar y ya tenemos el sistema solar.

Todo esto, con ecuaciones y cálculos Laplace, y con mucha verbosidad Kant, es el enfoque evolutivo. Kant se murió pensando que todo era correcto, pero Laplace averiguó pronto que esto no se tenía en pie. Por eso volvió a la hipótesis catastrófica y siempre quedó sumido en un mar de dudas. El caso es que Laplace calculó el momento angular de todo el tinglado y resultó que el Sol tendría que estar girando vertiginosamente y no tan tranquilito como lo hace una vez cada 28 días. Lo cual era totalmente correcto.

El Sol tiene el 99 % de la masa de todo el sistema solar y sólo un 1 % del momento angular, quedando el resto asociado en su mayor parte a Júpiter. Un dislate. Para colmo ocurre una cosa a la que lo de Júpiter no es ajeno. Para que las cuentas salgan respecto al momento angular, la masa del disco ha de ser del mismo orden que la del bulbo central cuando éste se empieza a condensar. Digamos que llega a tener la mitad o la tercera parte de la masa total del

Sol naciente. Cuando el disco empiece a agregarse y hacerse una bola por la fuerza de la gravedad, resultará una segunda estrella de una masa la mitad o tercera parte que su progenitora y no un sistema planetario cuya masa total de los planetas es apenas el 1 % de la masa del Sol. Esto ocurre a menudo en el cielo originándose así las estrellas dobles llamadas *binarias de contacto*, que no tienen nada que ver con un sistema solar.

De problemas con la variedad de composiciones químicas de los planetas, densidades, destino de elementos volátiles, el sentido inverso de giro de Venus, y mucho de lo apuntado antes, Kant y Laplace no hicieron mucho caso, entre otras cosas porque no sabían la mitad de estas cosas. Así que el problema sigue en pie, pues lo que dije de que no hay más posibilidades aparte de la catastrófica o la evolutiva es cierto.

EL FRENAZO MAGNÉTICO

Desde Kant y Laplace hasta mediados de la década de los sesenta del siglo XX no se desveló el misterio del momento angular del sistema solar al descubrirse el viento solar. En el interludio se suponía que la viscosidad en el disco era lo que frenaba el giro del sistema distribuyéndose el momento angular total en vórtices, torbellinos y turbulencias locales entre los planetesimales que se iban juntando. Pero esto era poco firme y desde luego insuficiente.

Como hemos insistido varias veces, cuando las cargas eléctricas cambian su estado de movimiento generan un campo electromagnético. El Sol está envuelto de tal campo (la Tierra también, y aunque sea mucho más débil hace funcionar las brújulas porque convierte al planeta en un imán cuyos polos son próximos a los geográficos), pues ya sabemos que en su interior abundan partículas cargadas más que átomos neutros. Este campo electromagnético, responsable del viento solar, que no es otra cosa que corrientes de electrones y protones del medio interplanetario expelidos por dicho campo, interacciona con el medio provocando simultáneamente dos efectos: uno de rozamiento y otro de empuje centrífugo de la materia del disco de acreción.

Es como si una peonza que gira muy rápidamente cayera a un recipiente con agua: se frenaría mucho y además expulsaría algo de agua hacia fuera. En el caso del Sol primitivo esto favorecería la formación de un anillo en el disco. Esta segregación del disco en anillos a la vez que la disminución de la velocidad de rotación evita que sea necesario que más masa de la cuenta pase de la estrella a los planetesimales.

Así, concuerda perfectamente que el Sol termine girando a razón de una vuelta cada 28 días y que el conjunto de planetas no tenga más que un 1 % de la masa del Sol. ¿Dónde ha ido a parar el momento angular sobrante? No sobra nada, porque el sistema ya no es conservativo, o sea, aislado, pues es como si al payaso patinador lo frenara un compañero cuando giraba con mayor entusiasmo o, mejor, si se saliera de la pista helada y terminara girando sobre el pasillo de baldosas.

LA ESCALA DE TIEMPOS

Antes de formular una hipótesis plausible para resolver el caso que tenemos entre manos hemos de tener en cuenta que todo ha de ajustar en la escala de tiempo. (No se puede culpar a nadie en un caso de asesinato si los sospechosos tienen coartadas cuando ocurrieron los hechos, en particular si los momentos clave en que éstos tuvieron lugar están bastante bien definidos por el informe forense.) Enlazando con el capítulo anterior sobre la formación de una estrella, los hechos ocurrieron como sigue:

Tiempo transcurrido (en millones de años)	Suceso
0	La nube comienza a colapsar.
0,3–0,4	El calor del corazón hace que la presión empiece a equilibrar a la gravedad.
1	Segundo colapso (lento). Formación del «capullo» en torno al protosol y del disco nebuloso.
1–10	Actividad T Tauri en la que se expulsa todo material que no se agrega en planetesimales y protoplanetas en el disco.
100	Se encienden las reacciones nucleares en el corazón del Sol.
700	Frenazo magnético. Formación de cráteres.
900–1.000	La formación del sistema solar totalmente completada hace 4.500 millones de años.

La última línea de la tabla anterior es importante porque muchos modelos y teorías han fallado por ahí, ya que unos cientos de millones de años es un periodo de tiempo tan breve como para que si no se dan determinados procesos acelerados a lo largo de él, muchos otros totalmente lógicos no llevarían al sistema solar tal como es hoy día sino a uno bastante primitivo. Y todo debió haber concluido hace 4.500 millones de años.

LA TEORÍA ACTUAL

Para empezar, hemos de resaltar ciertos detalles de lo que ocurría en la nube molecular gigante al satisfacer las condiciones de Jeans y

313

empezar a colapsar fragmentándose posteriormente en nubes más pequeñas que, a su vez, pudieron alcanzar la masa de Jeans y colapsar localmente para terminar cada una en una estrella. La masa de éstas podía ser muy variada y las más grandes vivieron unos pocos millones de años muriendo en plan supernova cuando las más pequeñas, como la que originó nuestro Sol, aún estaban gestándose. Si volvemos a jugar a lo que nos invitaba el poeta Blake, es decir, si hacemos el Sol como una perla, la nube que lo generará ha de tener unas dimensiones de unos diez kilómetros.

El polvo y gas en expansión generado por las explosiones supernovas que enriquecieron al fragmento de nube que engendrará la estrella se enfriaba rápidamente avanzando en el seno del gigantesco nublado a una velocidad escalofriante: casi un 10 % de la velocidad de la luz. Los elementos más refractarios, aquellos que se «hielan» fácilmente a altas temperaturas, como el calcio, el aluminio y el titanio, se empezaron a condensar en gránulos que varios miles de millones de años después encontraremos en las condritas carbonáceas. Los silicatos, base de las futuras rocas, también han condensado ya en un proceso del todo análogo a la formación del rocío de la mañana. Para cada elemento y compuesto químico hay una combinación de temperatura y presión que provoca su condensación. Los elementos volátiles requieren muy baja temperatura para condensarse.

El remanente en expansión de otra supernova puede encontrar al fragmento de nube que, si no ha empezado a cuajar en una estrella pequeña todavía, puede provocar el inicio de tal proceso. El gas y el polvo comienzan a girar, a disminuir su tamaño por la atracción gravitatoria y a adquirir forma esférica pudiéndose ya hablar de protosol.

Éste se empieza a envolver de un anillo al girar cada vez más deprisa a causa de su encogimiento paulatino, pero pronto va a empezar el frenazo magnético. Los granitos de silicatos y metales giran lentos y chocan más entre sí que las motas de polvo y las moléculas de gas, porque la dinámica hace que se coloquen en órbitas cer-

canas al ser sus masas parecidas. Muchos quedan unidos gravitatoriamente, porque sus velocidades relativas son pequeñas (no más de
1 km/s) de forma que chocan suavemente, y conforme aumentan
de tamaño se acelera el proceso de crecimiento, pues presentan más
superficie efectiva y ralentizan su movimiento permitiendo que los
que le siguen se les echen encima. Ambos factores facilitan así nuevos choques. Este proceso se llama *coalescencia*. Cuando los choques
son más violentos, pues los granitos pueden llegar a los 10 km/s (estamos hablando de velocidades de 3.600 km/h, que es más de tres
veces la velocidad del sonido en el aire), el calor desprendido es suficiente para pulverizar buena parte de ellos y facilitar la posterior
fundición del conjunto de los dos cuerpos colisionantes en uno solo.
Esta es la llamada *fragmentación planetesimal*. Es un proceso complejo
pero importante, porque las turbulencias locales originadas por estos
gránulos pesados y por la propia heterogeneidad creciente del disco
hace que se produzca una auténtica lluvia de material sobre ellos. Ya
se puede hablar de planetesimales, embriones de los futuros planetas, cuya formación apenas ha necesitado diez mil años.

El protosol está cada vez más caliente, pero a distancias mayores que la órbita actual de Júpiter el frío es aún tan intenso que el agua
que llega hasta allí expelida por el frenazo magnético y el viento solar
se hiela, al principio en minúsculos cristales pero que irán creciendo en un proceso de condensación bastante rápido y que también da
lugar a planetesimales. Más allá aún, casi en la órbita actual de Neptuno, la temperatura tan extremadamente baja es al metano al que
hiela y, más lejos todavía, al nitrógeno.

Sofisticadas simulaciones por ordenador muestran que en la zona
de los planetas terrestres se llegaron a formar hasta cien planetesimales de tamaños parecidos al de la Luna, diez de los cuales tuvieron masas comparables a la de Mercurio y algunos eran tan grandes como
Marte, pero la mayoría de estos se acumularon gravitatoriamente para
originar Venus y la Tierra en menos de diez millones de años.

No sólo silicatos y metales pesados se fueron agregando en esta
zona caliente, también se incorporaron muchísimos elementos radiac-

tivos cocinados en las estrellas grandes en su fase agónica. La energía emitida al desintegrarse los núcleos de éstos junto a la liberada por las colisiones cada vez más violentas, aumentó la temperatura de los ya grandiosos embriones de planetas. El Sol ya brilla termonuclearmente hace algún tiempo. El calor, tanto interno como externo, inicia los procesos geológicos de diferenciación que en el futuro conformarán los planetas terrestres tal como los conocemos hoy día. Han transcurrido solamente entre diez y cien millones de años.

La fase T Tauri comienza en todo su esplendor. El poderoso viento solar expulsa de las cercanías del Sol todo polvo y gas que aún no se ha agregado a los planetesimales, entre ellos los elementos volátiles. Esto estará limpiando el sistema solar de polvo y gases durante varios cientos de millones de años dejando sólo los cuerpos más sólidos en el entorno del Sol. Más agua en forma de vapor a alta temperatura llega donde el frío la hiela. Júpiter engorda majestuosamente hasta tal punto que atrae gravitatoriamente todo lo que pilla cerca, tragándose así ingentes cantidades de hidrógeno y helio. Llega a formarse hasta un disco de acreción en torno a su ecuador que, en un proceso parecido al de los planetas, se irá desgajando en satélites. La diferencia es que en éstos el hielo juega un papel distinto al que desempeña en Júpiter y tanto más dominante cuanto más lejanos son los satélites en formación.

El calor liberado por la contracción de Júpiter y las mareas que provoca su gran masa hacen evolucionar geológicamente a sus lunas. La formación del sistema jupiterino apenas tarda un millón de años. El tirón gravitacional del portentoso planeta altera las órbitas del centenar de planetesimales interiores. Cada vez que pasan por sus cercanías, su atracción hace más y más excéntricas sus órbitas en torno al Sol. Tan enérgicos son los empujones que Júpiter da a los planetesimales que muchos terminan engullidos por él, otros acaban chocando contra el Sol e infinidad de los demás se ven expulsados del sistema solar como piedras lanzadas por grandiosas hondas. Pronto quedan sólo cuatro planetesimales grandes y un escuálido cinturón de asteroides que han logrado encontrar una órbita estable tras frustrarse repetidamente sus intentos de agregación para formar un planeta.

Más lejos, en la zona fría, la densidad de planetesimales es menor y las órbitas muy lejanas y de gran periodo. El proceso de agregación y acreción es mucho más lento y se ve menos perturbado por Júpiter. La formación de Saturno lleva el doble de tiempo que la de Júpiter, la de Urano diez veces más, o sea, diez millones de años, y la de Neptuno veinte millones. Estos dos últimos han conformado unos corazones de roca helada de tamaño más que suficiente para atraer gran cantidad de gas mientras que los vientos provocados por la fase T Tauri del Sol han expulsado el resto muy lejos del sistema solar. Esto ha dejado a Urano y Neptuno con corazones enormes en relación a los de Júpiter y Saturno. De ahí sus diferencias de tamaños, composiciones y densidades cuyas causas no son más que el relativamente escaso material del que dispusieron para su formación y el tiempo que ésta tardó. También al sufrir colisiones menos violentas y procesos suaves, se frenaron mucho menos en su giro que Júpiter y Saturno.

Tal como hizo Júpiter con la infinidad de planetesimales de su entorno, tragándoselos, lanzándolos contra el Sol o expulsándolos fuera del sistema, Urano y Neptuno alteraron las órbitas de los de su entorno generando la nube de Oort, donde se originan los cometas, e incluso permitió sobrevivir a los dos planetesimales más grandes por más que perturbara sus órbitas haciéndolas excéntricas pero finalmente estables: Plutón y Caronte. De ahí la notable similitud de estos dos planetas con Tritón, el grande y lejano satélite de Neptuno. Los cometas y los trozos de hielo no pudieron formarse donde están en la actualidad, porque la escasa densidad y temperatura a esa lejanía del Sol no hubieran permitido que se agregaran del polvo interplanetario.

Es interesante notar que a pesar de la gran inclinación del ecuador de Urano respecto a la eclíptica, sin duda originada por una colisión rasante y muy violenta entre dos planetesimales de gran tamaño, sus satélites y anillos giran en ese mismo plano ecuatorial. Lo cual indica que éstos se formaron después del choque en completa consistencia con el marco general que estamos exponiendo. Aunque hay una diferencia notable entre los sistemas planeta-satélites y Sol-planetas. Los satélites de un planeta forman con él un conjunto mucho más compacto que el de los planetas con el Sol. Esto hace que aquellos sufran las fuerzas de marea mucho más intensamente, lo cual provoca que terminen acoplándose entre sí los movimientos de giro en torno a sí mismos y en torno al planeta progenitor. De ahí las resonancias, las extrañas contorsiones de Mercurio y que la Luna siempre nos muestre la misma cara sempiternamente al ser este acoplamiento uno a uno, o sea, que su periodo en torno a sí misma y en torno a la Tierra han terminado coincidiendo exactamente. Estos acoplamientos no se dan generalmente entre los planetas y el Sol.

La formación de Júpiter es la responsable de las portentosas colisiones que tuvieron lugar en los grandes planetesimales: el que chocó con Mercurio provocándole su formidable cráter, así como la diferencia de densidad entre sus dos mitades debido a la grandiosa onda de choque interna que le produjo tamaño impacto en un material caliente y pastoso; el que dio contra el incipiente Venus que lo alteró de tal manera que al fundirse con él le hizo cambiar el sentido de giro; el que alteró las orientaciones de los ejes de Marte e incluso de Urano y, sobre todo, el que engendró el sistema Tierra-Luna del que merecerá la pena hablar aparte.

La perturbación que generó Júpiter en su rápida formación dio lugar también al intenso bombardeo de planetesimales de todos los tamaños que provocaron muchos de los cráteres que hoy vemos en infinidad de planetas y lunas, e incluso hizo errar a muchos de los mayores que terminaron atrapados gravitatoriamente por planetas incorporándose a ellos como satélites.

Los delicados equilibrios entre la fuerza de la gravedad, la centrífuga, los condicionantes de la conservación del momento angular y la energía y un montón de magnitudes físicas más, fueron estabilizando las órbitas de todos los cuerpos celestes sobrevivientes y ya limpios de polvo y gas interplanetario.

El lector puede pensar que este modelo moderno de la formación del sistema solar, al fin y al cabo, no difiere demasiado del que formularon Laplace y Kant. Incluso Buffon, porque con tantos choques entre planetesimales, por más que sean internos y no entre dos estrellas, el enfoque catastrófico que aquellos pensadores intuían como alternativa al enfoque evolutivo se puede considerar hoy día que simplemente se han incorporado a uno mismo. Pero no, la aplicación de la ciencia moderna al origen del sistema solar da unos resultados y certezas abrumadores respecto a los que se tenían en el siglo XVIII. Por supuesto, sin el trabajo y la sagacidad de aquellos soñadores, jamás se habría llegado a la ciencia moderna. Pero para dar una idea del poder de la ciencia actual, apuntemos, aunque sea someramente, lo que se ha hecho para explicar el origen de la Luna.

El problema del conjunto de la Tierra y la Luna siempre ha sido interesante en sí porque en cierto modo es una anomalía, ya que los planetas terrestres o no tienen satélites o los que tienen son pequeños. Y la Luna es enorme en relación con la Tierra, por lo que su origen difícilmente cuadraba en el marco general ya que satélites del porte de la Luna sólo lo tienen los planetas exteriores y gigantes.

La resolución del problema ha ido prácticamente en paralelo al desarrollo de los ordenadores. Durante cuarenta o cincuenta años siempre ha habido algún grupo de científicos en Estados Unidos, Rusia y Europa tratando de simular el posible origen de la Luna. El último resultado obtenido y que ya prácticamente despeja toda duda sobre dicho origen se publicó a finales del verano de 2001. La tarea se ha desarrollado a grandes rasgos como sigue.

Se plantean las ecuaciones del movimiento dictadas por la física clásica de dos cuerpos extensos con los datos de la Tierra y la Luna. Las ecuaciones no son difíciles porque el estado inicial es sencillo: dos cuerpos en movimiento. Pero el estado después de la colisión es mucho más complejo, porque son multitud de fragmentos los que se han de tener en cuenta. Hay que esperar a que se desarrollen los métodos computacionales de cálculo, ya que el número de variables aumenta monstruosamente conforme más fragmentos queramos incluir en la simulación. Por otro lado, se van acumulando datos distintos de los dinámicos: composiciones (averiguadas por finos métodos espectrales), estados internos de los dos cuerpos (ya intervienen radares, sismógrafos, etc.), y para colmo se traen rocas de la Luna a finales de los sesenta con lo que los datos ya empiezan a ser ingentes. Los científicos tratan de incluirlos en las ecuaciones, tanto del estado inicial como del final, de forma que en los años ochenta ya son más de cinco mil variables las que incorporan los cálculos. Esto exige que cada nueva generación de ordenadores ha de trabajar a tope para resolver el majestuoso número de ecuaciones acopladas entre sí que simulan la colisión de los dos posibles planetesimales que dieron origen al sistema Tierra–Luna tal como es hoy día. Y así continuamente a lo largo de los años. El resultado publicado el verano pasado fue fruto de incorporar veinte mil variables en las ecuaciones y todo ajusta con una precisión maravillosa: la Luna fue el resultado de la colisión rasante de un enorme planetesimal del porte de Marte contra una Tierra prácticamente formada y cuando sus días apenas duraban cinco horas. Tan linda catástrofe ocurrió hace poco más de 4.500 millones de años, justo cuando se puede considerar que el sistema solar estaba ya formado casi como es en la actualidad.

ALLENDE

«¡Pruebas, pruebas!», exclamaría cualquier juez ante el alegato inicial de un fiscal por más derroche de oratoria que hubiera hecho al presentar el caso. Porque en realidad ¿en qué nos hemos basado para decir todo lo que hemos dicho? En todo lo que sabemos de física, las observaciones y los ordenadores, es decir, en lo mismo que hicieron Kant y Laplace aunque con conocimientos más vastos y ayuda artificial a la inteligencia natural. O sea, especulaciones y más especulaciones por sofisticadas que sean. Aunque no sea así de claro, a un juez, en este caso el lector, no se le convence sin pruebas inapelables o testigos de cargo. Empecemos por estos últimos.

Allende es una bella palabra que significa más allá y nos evoca a un digno presidente que dio la vida por su pueblo y sus ideales. Pero también es un pueblecito mexicano cerca de Chihuahua. En realidad se llama Pueblito de Allende. En sus alrededores cayó un meteorito de varias toneladas de peso el 8 de febrero de 1969 a la una de la madrugada. Al entrar semejante peñasco en la atmósfera terrestre se convirtió en una bola de fuego que transformó la noche en día. Alcanzó tan alta temperatura que, afortunadamente, explotó antes de llegar a la superficie de la Tierra y miles de fragmentos se esparcieron en un entorno de muchos kilómetros cuadrados. Hay que imaginarse el susto tan monumental que se llevaron los habitantes del tranquilo pueblo. Se recogieron todos los trozos del meteorito que se encontraron y pronto los laboratorios de todo el mundo pudieron estudiarlo a fondo.

El meteorito Allende era una condrita carbonácea. Esta expresión la he utilizado varias veces y quizá ahora sea el momento óptimo para explicar mejor lo que es. Condrita viene del griego *condros* que significa grano. Y carbonácea hace referencia a que su composición se basa en los compuestos del carbono. Así de simple es el asunto: condrita por su aspecto granular y carbonácea por los elementos que la forman. Meteoritos hay de muchas clases y se clasifican en virtud a su composición dominante (hexaedritas, octaedritas, ataxitas... para qué seguir), o su estructura (condritas, acondritas) o mil cosas más. Por otro lado, los meteoritos representaron durante mucho tiempo los únicos testigos de la formación del sistema solar. Esto último es lo que nos interesa de verdad. Hoy día tenemos rocas de la Luna que trajeron los astronautas y pronto seguramente también las tendremos de Marte, pero los meteoritos siguen siendo los mejores informadores de lo que ocurrió. Veamos por qué, pues la razón es simple y las consecuencias son fantásticas.

Todos los objetos grandes del sistema solar, como los planetas, satélites e incluso asteroides, han sufrido profundas transformaciones geológicas desde que se formaron hace 4.500 millones de años. Sin embargo, algunos meteoritos como las condritas carbonáceas (y en buena medida también los cometas) se quedaron vagando por ahí en el frío interplanetario sin sufrir alteración alguna. Eran tan pequeños que no generaron apenas calor interno que desencadenara muchas reacciones químicas, ni fueron sensibles a fuerzas de marea algunas, ni mucho menos se produjeron en su interior volcanes, terremotos y barbaridades de esas propias de planetas y satélites primitivos geológicamente inestables. Sobre algo de esto acontecido en la Tierra hablaremos en el próximo capítulo. Así pues, un meteorito es un pedazo de roca que se ha mantenido igual desde que se formó, por lo que un químico disfrutará a lo grande examinando la composición de un meteorito ya que lo que tiene entre manos es un fósil del sistema solar. Pero si el meteorito es una condrita carbonácea, nuestro amigo dará saltos de alegría cuando se lo lleven al laboratorio, en particular si es un pedazo del Allende ya que antes de él sólo se habían podido estudiar dieciséis de su estilo y además presenta unas características muy singulares. Éstas, que analizaremos con un poco de detalle, son su composición del todo análoga a la del Sol, su abundancia de elementos pesados, su antigua edad radiométrica y los indicios que contiene de núcleos radiactivos extinguidos y material presolar. Casi nada.

Naturalmente, las condritas carbonáceas no tienen ni elementos volátiles ni los núcleos ligeros que se transforman y generan en las reacciones termonucleares del Sol, pero todos los demás elementos de las estrellas, el medio interestelar, los remanentes de las supernovas y los núcleos y partículas que forman los rayos cósmicos galácticos están en ellas o han dejado huellas indelebles en su seno. Es realmente impresionante el cúmulo de información que podemos obtener de algunos meteoritos como el Allende. Por ejemplo, ¿recuerda el lector aquello que dije sobre que los nucleones tienden a emparejarse en los núcleos atómicos? Pues cuando se analiza la composición de una condrita de estas se ve que la cantidad de elementos con núcleos impares de nucleones (protones o neutrones) disminuye suavemente a partir del hierro y presenta pequeños picos de aumento respecto a los pares. Esto nos da también una indicación clara de cómo tuvo lugar la nucleosíntesis por captura de neutrones dentro de las estrellas viejas y en ambientes explosivos durante sus agonías.

Como los meteoritos no han sufrido apenas transformaciones químicas, son el escenario ideal para aplicar la nucleocosmocronología. Así, si medimos en su composición tal cantidad de isótopos de plomo por ejemplo, y sabemos que éste sólo ha podido proceder de la desintegración de ciertos isótopos del uranio, de los que sabemos exactamente cuánto tiempo viven, podemos establecer la edad del meteorito. Así, lo de los 4,5 eones de edad del sistema solar que hemos mencionado infinidad de veces, se puede precisar en $4.566 \pm 0,002$ miles de millones de años. Estos testigos además nos están ofreciendo ya pruebas de mucho de lo que hemos dicho pues, sin ir más lejos, si hacemos un juego similar con las rocas de la Luna traídas en las misiones Apolo resulta lo siguiente. En lugar de analizar el uranio y el plomo, escrutamos las cantidades de otros dos elementos como son el rubidio y el estroncio. Pues concluimos que la edad de esas rocas está entre 4,45 y 4,48 miles de millones de años. Los cien millones de años de diferencia respecto al número anterior son los que transcurrieron entre la formación de la nebulosa solar y la cristalización de las rocas de la corteza lunar.

Las condritas carbonáceas también nos dan pruebas radiactivas que restringen severamente las tasas de condensación del Sol primigenio. Por ejemplo, la presencia de aluminio-26 (vida media de 1,07 millones años, o sea, un suspiro) indica que estos meteoritos se formaron muy pocos millones de años después de la detonación de una supernova cercana; si lo hubieran hecho antes todos los núcleos radiactivos del entorno del magnesio y el aluminio se habrían convertido en magnesio-26, que es estable, y no quedaría ni rastro de aluminio. Ese millón un poco largo de años de vida media del aluminio es el tiempo estimado de la formación del sistema solar desde el inicio del colapso de la nube de polvo y gas que lo originó (última línea de la tabla de tiempos).

Los meteoritos (y también los cometas porque los instrumentos

323

de una pequeña nave espacial rusa y europea analizaron muy bien la cola del cometa Halley) no sólo nos dan información de los tiempos y composiciones del sistema solar primitivo, sino también de las condiciones físicas que se dieron en el proceso de formación. Como hemos dicho, las condritas presentan un aspecto granular cuyos granitos, como perdigones incrustados en ella, varían de tamaño yendo de diámetros de décimas de milímetro hasta un centímetro. Estos granos, llamados *cóndrulas*, ya hemos dicho que son los que le dan el nombre a estos meteoritos. En el laboratorio sólo se puede conseguir formar estas cóndrulas si un material de composición análoga se calienta hasta unos 2.000 grados y después se enfría a razón de cientos de grados por hora, es decir, que fueron gotas líquidas que se solidificaron bastante rápidamente aunque no de manera instantánea. Esto indica claramente que no fueron producto de un proceso ígneo planetario corriente, extraordinariamente lento en comparación, pero tampoco se pusieron en contacto inmediato con el frío interplanetario de 273 grados bajo cero. En consecuencia, muchas condritas carbonáceas se formaron en un medio gaseoso y polvoriento que no pudo ser otro que la nube que dio origen al Sol y su cohorte.

No deseo abrumar al lector con muchos más datos, trucos y deducciones que se han extraído del estudio minucioso de los meteoritos como testigos que han ofrecido buenas pruebas, en particular las condritas carbonáceas, porque presumo que por adusto y severo juez en que se erija, convendrá en que el caso está resuelto y que los investigadores judiciales pueden archivarlo. La sentencia será compleja porque quedan muchos flecos por aclarar aunque ninguno sustancial. Pero he de llamar la atención sobre uno que es más que inquietante. Es casi rayano en lo ilusionante: los análisis químicos de muchas condritas carbonáceas revelan la presencia en ellas de… aminoácidos. Estos aminoácidos son biológicos y no biológicos en el sentido de que algunos de ellos no se presentan en la Tierra. Pero los biológicos son la base de la vida. ¿Sugerirán éstos que la vida extraterrestre es una posibilidad real? Si estos aminoácidos están llegando ahora, ¿cuántos más no nos habrán llegado en 4.500 millones de años?

Dijimos que en el polvo interestelar se están descubriendo cada vez más moléculas orgánicas de complejidad creciente. ¿Hemos estado y aún seguimos estando sometidos a una lluvia tenue pero pertinaz de compuestos básicos e imprescindibles para la vida?

Este asunto de la vida merece capítulo aparte.

11

La vida en el cosmos

Existen innumerables soles; innumerables tierras giran en torno a esos soles de manera similar a como los siete planetas giran alrededor de nuestro Sol. Seres vivos habitan esos mundos.

GIORDANO BRUNO, torturado y quemado en la hoguera en 1600.

LA EVOLUCIÓN DE LA TIERRA

En el capítulo anterior dejamos los planetas formados, pero aún no eran como son hoy día, en particular los cuatro terrestres, también llamados interiores o rocosos. Nos concentraremos en la Tierra. No tenía atmósfera; estaba sometida a la intensa radiación solar, en particular la ultravioleta; aún estaba extraordinariamente caliente debido al continuo bombardeo de planetesimales que la habían formado (en particular al formidable encontronazo que dio origen a la Luna) y que aún continuaban impactándola a buen ritmo; y además contribuía poderosamente a calentar el planeta la desintegración de la enorme cantidad de elementos radiactivos que había recibido del polvo interestelar. La Tierra era un auténtico infierno.

Pero muy pronto empezó a ordenarse todo y a calmarse algo el ambiente. Se desencadenó un proceso llamado *diferenciación* causado por factores físicos y químicos fáciles de entender. Este proceso duró mil millones de años, o sea, que la Tierra es como hoy día desde hace sólo 3.500 millones de años. En ese lapso fue cuando ocurrieron las cosas maravillosas que veremos someramente.

Los materiales más densos, como el hierro y el níquel, se hundieron hacia el centro de la Tierra por la simple fuerza de la gravedad. Hoy día aún permanecen allí fundidos en un gran corazón candente aunque mucho más frío que entonces. Simultáneamente, los gases volátiles escapaban del interior por exhalaciones volcánicas formando impresionantes géiseres, chorros ardientes que se elevaban a varios kilómetros de altura y surgían por doquier. Así se formó la primera atmósfera que nada tiene que ver con la actual, pues estaba compuesta de hidrógeno, helio, amoniaco, metano, vapor de agua y dióxido de carbono. Tenía una composición muy similar a la atmósfera de los planetas gigantes en la actualidad, o sea, que no contenía nada de oxígeno. Éste formaba parte de compuestos sólidos como óxidos y silicatos, es decir, los minerales y rocas que formaban la tierra y las piedras. El hidrógeno y el helio se escaparon pronto a causa de su ligereza, ya que la alta temperatura conllevaba una velocidad térmica muy superior a la de escape de la gravedad terrestre: 11,1 km/s. Se incorporaron al polvo interplanetario y luego al interestelar impulsados por el viento solar perdiéndose así para siempre jamás. Aunque a este respecto hay que destacar lo siguiente. Muchos tipos de reacciones químicas que exigió el desarrollo de la vida necesitaron este hidrógeno. Dicho de otra forma: la vida se desarrolló en la Tierra antes de que todo el hidrógeno se escapara y, como veremos, los fósiles más antiguos y primitivos encontrados hasta ahora datan de una época intermedia dentro de ese primer eón de edad de nuestro planeta.

La corteza terrestre, es decir, la fina capa más externa del planeta en contacto con el frío sideral, empezó pronto a solidificarse por mucho calor que recibiera del Sol y el que dejaba escapar del interior. Estaba formada por los compuestos más ligeros, o sea, las rocas que flotaban sobre los materiales densos del interior. Entre esta superficie arrugada y tan inestable que los terremotos y los volcanes eran tan frecuentes que se podían considerar continuos, y el interior pastoso y ardiente de los metales pesados, se situaron los mantos radiactivos que aún siguen poderosamente activos.

El agua de la atmósfera empezó pronto a condensarse, sobre todo de noche cuando el Sol no la calentaba, y eso hacía que lloviera a cántaros. Pero ese agua provenía de las rocas y era del todo insuficiente para llenar las cuencas de la costra sólida que envolvía la Tierra. Desde luego nunca hubiera dado lugar a mares y océanos tales como los actuales. Las cuencas las llenaron los cometas hasta rebosar.

Durante esos mil millones de años cayeron cometas incesantemente provenientes de la nube de Oort y del medio interplanetario que aún era extraordinariamente rico en ellos. Para quien le sea atractiva la hipótesis de la panspermia que explicaremos a continuación, puede pensar, con propiedad, que ingentes cantidades de microorganismos nos llovieron del cielo, porque meteoritos tipo condritas carbonáceas también nos bombardeaban incesantemente. El dióxido de carbono, el CO_2, se eliminó en buena parte de la atmósfera gracias a que las rocas lo absorbieron y a este proceso contribuyó que hubiera agua cada vez más abundante en la superficie. El CO_2 reaccionó con ella y algunos otros elementos, como el magnesio y el potasio, originando carbonatos en las llamadas *rocas sedimentarias*. Entonces ¿por qué se mantenía el agua líquida en los incipientes mares y océanos? Porque la distancia del Sol a la Tierra era la adecuada para que el calor que le llegaba de aquél fuera suficiente para que no fundiera todo el hielo y no excediera el que haría que el agua se evaporara en masa.

¿Y el aire? Siempre hemos identificado el aire como lo más necesario para la vida y así nos lo mostraba el poeta al ponerlo en pie de igualdad con la poesía clamando que ésta era tan necesaria «...como el aire que exigimos trece veces por minuto para ser y en cuanto somos...». Muy bonito y entrañable, pero el aire existe gracias a la vida y no al revés. Y el petróleo también. Ya lo veremos.

El escenario donde surgió la vida hay que completarlo con un detalle decisivo. El agua de la atmósfera primitiva y las primeras cantidades de oxígeno que aportaron las formas de vida primigenias se vieron sometidos a la agresiva luz ultravioleta del Sol. Ésta rompía las moléculas de agua (y afortunadamente muchas otras también) con extrema facilidad separando los dos átomos de hidrógeno del de oxígeno. Cuando estos átomos sueltos de oxígeno se encontraban con una molécula de oxígeno formada por dos átomos unidos por sus electrones, se juntaba con ellos formando grupos de tres. Esta molécula, O_3, es el famoso *ozono* y tiene dos propiedades maravillosas: emigra a las capas altas de la atmósfera y absorbe eficientemente la propia luz ultravioleta que lo ha originado. La incipiente capa de ozono va a ir abrigando poco a poco a la superficie de la Tierra de esos dañinos rayos.

LAS CUATRO HIPÓTESIS

El asunto de cómo surgió la vida en nuestro planeta siempre ha sido un problema atractivo y realmente complicado. Aún más lo ha sido el del origen mismo de la vida, pues bien pudiera no ser ésta una peculiaridad exclusiva de la Tierra. El tema es tan complejo que es difícil hasta precisarlo porque, por lo pronto, la vida se define por lo menos de cinco maneras distintas: fisiológica, metabólica, bioquímica, genética y... ¡termodinámica! Casi nada. Pero no hay que agobiarse en exceso ante la complejidad de ciertas cuestiones y como muestra le propongo al lector que considere la siguiente joya de la sabiduría humana: «Los seres humanos son colectivos ambulantes de unas 10^{14} células». La referencia es, nada más y nada menos, la *Enciclopedia Britannica* (véase artículo «Life de la Macropedia», volumen 22, página 986, primera frase del parágrafo «Life on the Earth», de la 15ª edición de 1990). Por tanto, puestos a simplificar y como lo que quiero mostrar en este libro es sencillamente cómo la materia esencial de la que estamos formados los seres vivos ha provenido de las estrellas, vamos a considerar la vida y los seres humanos como nos dicta el sentido común, o sea, que algo vivo es aquello que nace, se puede reproducir y morirá; y seres humanos somos... la gente.

Desde los albores de la inteligencia, las personas (algunas en cada época y lugar) han tratado de dilucidar cómo surgió la vida en nuestro planeta. Sólo se han planteado cuatro hipótesis que cito por orden de antigüedad:

1. Fue un hecho sobrenatural. Por ejemplo, Dios hizo figuras de barro y les insufló aliento vital.
2. Surgió (y surge) espontáneamente de la materia muerta e inorgánica, como cadáveres, excrementos y lindezas así, en breves periodos de tiempo.
3. Llegó desde el espacio a la Tierra poco después de formarse ésta y aún está llegando.
4. Surgió en la Tierra primitiva por una serie de reacciones químicas de complejidad progresiva condicionadas por algo de azar y mucha necesidad.

Como el lector que ha llegado hasta aquí ya sabe más o menos cuál es mi actitud respecto a la ciencia, supondrá que voy a describir el punto 4 con cierto detalle y menospreciaré los anteriores. Eso haré, pero al cabo trataré de mostrar que todos llevaban razón. Sí señor, hasta a los más acérrimos defensores del punto 1 les voy a dar la razón. Y no porque lo de Giordano Bruno fuera tan fuerte que los científicos cuando escribimos de ciertas cosas aún percibamos un leve tufo a quemado, sino que lo haré para rendir tributo a la intuición humana.

La referencia escrita más antigua, o al menos la más famosa, del primer modelo de origen de la vida es el Génesis y data del siglo VII a.C., quizá incluso del VIII. Tales escrituras recogen muchas tradiciones mesopotámicas, entre ellas la que estamos comentando, y seguramente las conocieron los hebreos durante su exilio en Babilonia. La idea de la Creación divina llegó a su máximo esplendor y sofisticación con los Santos Padres de la Edad Media, en particular con santo Tomás de Aquino. Este mito se refería más bien al hombre y como mucho a los animales grandes, porque los seres vivos pequeñitos no merecían la intervención de Dios ya que parecía claro que surgían espontáneamente por doquier en muchas circunstancias: gusanos y moscas de la carne putrefacta, sapos y ranas de los humedales, hongos de las umbrías boscosas y cosas así. De esta forma entroncamos con la segunda hipótesis, la de la generación espontánea a partir de la materia inanimada.

Tratar de demostrar esta hipótesis o aventurarse a desecharla era mucho más fácil e infinitamente menos arriesgado que enredar con la primera. Lo intentó un médico italiano, de Pisa en concreto, o sea, paisano de Galileo, llamado Francesco Redi, el cual era también un notable poeta, por lo que en medios literarios seguramente se le conoce más por haber escrito *Baco en Toscana*.

Redi, en 1668, hizo un rústico experimento, pero a la postre era un experimento científico. Cogió distintos trozos de carne, los metió en jarros y tapó la mitad de ellos con finas gasas, de manera que el aire pudiera pasar a través de ellas pero no las moscas. Todos los trozos se pudrieron, pero sólo los que estaban en jarros destapados a merced de las moscas desarrollaron gusanos. La explicación que encontró el insigne médico fue que las condenadas moscas dejaban en la carne huevos microscópicos (Redi no los pudo ver porque no tenía microscopio ni nada que se le pareciese, lo cual le daba osadía a la conclusión) a partir de los cuales se desarrollaban los gusanos. A pesar de que don Francesco las tenía todas consigo para atacar la idea de la generación espontánea de vida, no lo hizo y continuó pensando que la vida, a un nivel inferior que las larvas, se generaba porque sí. Para colmo de complicación, no mucho después se descubrieron los microbios, con lo cual el médico pisano y todos sus sucesores continuaron creyendo durante doscientos años en el origen espontáneo de esos diminutos seres vivos, porque si no a ver de dónde y de qué maneras iban a surgir por todas partes.

Hubo que esperar hasta 1862 en que el gran Louis Pasteur hizo un experimento definitivo contra la hipótesis 2. Pasteur, aunque no se lo crean, fue un físico que además de estudiar la polarización de la luz por ciertas sustancias hizo investigaciones muy provechosas sobre el vino y la cerveza. Después se hizo químico, biólogo e inmunólogo, y estando en esas realizó el siguiente experimento, mucho más agradable que el de Redi porque en esencia lo que hizo fue un buen puchero cociendo agua con carnes, vegetales, especias y demás. La genialidad fue que, además de saber lo que estaba buscando, Pasteur tapó la olla con una extraña tapadera de cristal de cuyo centro surgía un tubo largo en forma de S tumbada. Pasteur sabía que al hervir aquello los microorganismos se morían, por algo fue el descubridor de la pasteurización. Por el extraño tubo podía pasar aire de fuera adentro porque no estaba tapado, pero debido a su forma no podían penetrar microorganismos ni polvo pues el tubo hacía el mismo papel que los botes sifónicos de los retretes (con perdón). Dicho de otra manera: el aire podía pasar por el líquido del sifón borboteando, pero los microorganismos y el polvo sedimentaba en él simplemente porque pesaban bastante. Ya sólo había que esperar. Nada ocurrió, es decir, el puchero se había esterilizado y así seguiría indefinidamente sin gusanos ni corrupción viva alguna. Sanseacabó el concepto de generación espontánea de vida para muchos de sus seguidores. Hoy todavía se puede ver en París el recipiente tal como lo dejó Pasteur y aún no se percibe allí nada vivo.

Svante Arrhenius fue un físico sueco que aplicó sus conocimientos de física a la química, dando paso así a lo que se llama químicafísica o fisicoquímica. Lo curioso de su vida fue que como físico casi le suspendieron la tesis doctoral y como químico obtuvo el premio Nobel.

Arrhenius escribió en 1908 un opúsculo titulado *Mundos en formación* en el que se sugería que las estrellas chocaban entre sí, dando nebulosas de las que surgían nuevas estrellas y planetas; en tal proceso se creaban bacterias que las nebulosas y los vientos de luz, gas y polvo originados por las colisiones esparcían por doquier. Estas bacterias o esporas sembraban la vida en infinidad de planetas. Pocos, curiosamente ni siquiera Arrhenius, se tomaron en serio tal dislate.

Muchos años después, nuestro ya viejo conocido sir Fred Hoyle junto con un astrónomo de Ceilán (perdón, Sri Lanka) discípulo suyo, Chandra Wickramasinghe, impulsaron poderosamente tal teoría aunque la comunidad científica continúa haciéndoles el mismo caso que a Arrhenius: casi ninguno. Aún así, la voy a describir someramente por dos razones. La primera, porque ha ganado mucho en coherencia y ciertos datos y observaciones encajan relativamente bien en tal hipótesis. La segunda es porque, puestos a formular herejías como vamos a hacer a lo largo de este capítulo, ninguna hay de mayor calibre que ésta y eso tiene su gracia.

La teoría de la *panspermia*, que así se llama esta hipótesis más que teoría, viene a decir que hay gérmenes en el polvo interestelar vagando por todo el Universo y desarrollándose cuando encuentran condiciones favorables. De alguna manera, esto supone que la vida, al menos en potencia, es inherente a la materia si ésta tiene carbono abundante además de hidrógeno y otros elementos más pesados, en particular, nitrógeno, oxígeno, cloro, azufre, fósforo, hierro, etc. Y es que al carbono generado en el centro de las estrellas gigantes rojas le sucede la siguiente maravilla que de nuevo une lo pequeño a lo grande, o mejor, la física a la química.

Los electrones se unen unos a otros y forman parejas que se acomodan entre sí «girando» uno en un sentido y el otro en el contrario porque, como se recordará, al ser partículas del tipo fermión sólo tienen estas dos posibilidades. Cuando un átomo tiene un electrón orbital deseando de formar pareja con otro electrón, y tal átomo se aproxima a otro que está en las mismas, comparten esos dos electrones quedando todo el mundo contento: éstos forman la pareja deseada y los grandiosos átomos se unen entre sí dejando de vagar en solitario. Este enlace se llama *covalente* y se basa en varios principios fundamentales de la física: el de exclusión, el de indeterminación, el de conservación de la energía, etc. El de exclusión ya lo hemos aplicado por aquello del emparejamiento fermiónico, pero observemos el de indeterminación. Los dos electrones se mueven a tal velocidad en un espacio tan pequeño como el formado por la nueva molécula, que ya no se sabe en ningún momento a qué núcleo está ligado cada electrón: los dos electrones pertenecen a los dos átomos a la vez. El carbono tiene la sublime gracia de que posee nada menos que cuatro electrones ligones ansiosos por formar parejas. Además, a estos cuatro les da igual la procedencia de los que van a ser sus compañeros, por lo que un carbono lo mismo se une con otro carbono que con casi cualquier átomo, pues lo que aquí interesan son los electrones y ésos son todos idénticos pertenezcan al átomo que sea. Esto implica que la variedad de compuestos moleculares que se pueden formar a partir del carbono es enorme porque combinaciones a base de cuatro posibilidades básicas son casi infinitas. Hay otros átomos que también tienen cuatro electrones dispuestos a todo, como el silicio, pero resultan enlaces mucho más rígidos. Ésta es la causa de la gran variedad de rocas, casi tan amplia como la de la materia orgánica, y que aquéllas en su mayoría sean duras y la materia viva blandita y ágil.

Como hemos visto, cada día se descubren más moléculas complejas basadas en el carbono en el medio interestelar, en los meteoritos y en las colas de los cometas. Hoyle y el de Ceilán lo que hacen es extrapolar estos datos en el marco de la panspermia diciendo que esas moléculas orgánicas llegan a tal grado de complejidad y evolución que se pueden considerar bacterias, o al menos virus, o quizá sólo protovida, pero que inundan el cosmos de manera que la Tierra, sin ir más lejos, recibe continuamente esta especie de maná que hace 4.500 millones de años dio origen a la vida y hoy provoca algunas epidemias periódicas como la gripe y cosas peores.

¿Es tan descabellada esta idea? No lo es, pero de ahí a dilucidar que sea correcta hay toda una fase científica a cubrir que no es trivial ni inmediata. Hoyle arguye cosas razonables y otras que no lo son. Por ejemplo, dice alegremente que el número de bacterias que recibimos al año del espacio es enorme: entre 10^{21} y 10^{24}. Sus cálculos no son verificables pero a lo mejor son correctos, lo que es incorrecto es llamar enorme a estos números por muy contundente que suene la palabra cuatrillón (10^{24}). Recuerdo al lector que ése es el número de moléculas que hay en una pequeña cantidad de materia, por ejemplo en unos 30 gramos de agua. Aunque los virus y bacterias son mucho más grandes que las simples moléculas de agua, detectar uno de ellos en el planeta a lo largo de un año va a ser muy, pero que muy difícil. Aunque sean pocas las bacterias y virus que lleguen del espacio, se debería tener en cuenta que éstas se reproducen en la misma progresión que crece el número de granos de trigo que pidió el inventor del ajedrez a su rey como remuneración: 1, 2, 4, 8, 16, 32, 64… Y así se formarían colonias de gérmenes muy rápidamente. Pero a pesar de esto, con perdón, la panspermia suena parecido a la homeopatía, que tras tantas disoluciones acuosas a las que someten los compuestos curativos, al final no queda ni una molécula «curativa», sólo permanece su «memoria» en la disolución final. Naturalmente con algo de azúcar y aditivos agradables para que el agua pura sepa a algo. Una teoría no explica nada acerca del origen de la vida y la otra no cura nada. ¡Pero al menos no hacen daño!

Hay otros hechos a favor de la panspermia que comentaré por simpatía a los herejes modernos. Por ejemplo, se les ataca diciendo que las condiciones en el espacio exterior son extraordinariamente agresivas como para que la vida, incluso en forma latente, pueda mantenerse. Pero ellos contraatacan diciendo que la vida es increíblemente resistente y dan como pruebas datos realmente comprobables: hay bacterias y otros microorganismos que sobreviven a la intensa radiación de los reactores nucleares; hay otros que aguantan en seco hasta los 600 grados centígrados y algunos se han encontrado en las profundidades de los hielos antárticos; presiones de fondo marino, acidez extrema de aguas mineras como las del río Tinto en Huelva, etc., las soportan los microorganismos sin alterarse. Además, ¿no se enviaron semillas de tomate en una nave espacial, la *Viking*, y después de mucho tiempo de permanecer en el espacio se sembraron y prosperaron casi todas? En fin, no discutamos con los panspermistas del efecto sobre sus esporas de la luz ultravioleta, los rayos cósmicos, etc., porque a la postre y dentro de muchísimos años quizá haya que darles la razón. En cualquier caso da igual porque, insisto, ellos no dicen ni una palabra del origen de la vida y además no entran en conflicto con que la materia viva está compuesta por átomos y núcleos sintetizados en las estrellas, que es lo que aquí nos interesa.

Hace veintisiete años, esta misma editorial (o su abuela, vaya usted a saber con tantas fusiones y demás a las que se somete el mundo editorial), Grijalbo publicó un librito titulado *El origen de la vida*. Su autor era Alexandr Ivanovich Oparin. En la tercera página se lee:

> Toda la historia de la biología nos muestra lo fecundo que es el camino materialista en el estudio de la naturaleza sobre la base de la observación objetiva, de la experiencia y de la práctica social histórica; de qué modo tan completo nos descubre ese camino la esencia de la vida y cómo nos permite dominar la naturaleza viva, modificarla conscientemente en el sentido deseado y transformarla en beneficio de los hombres que construyen el comunismo...

Casi nada; salimos de Torquemada para entrar en Stalin, porque Oparin escribió esto en la década de los años veinte del siglo pasado. A pesar de esta carga ideológica, hoy día se considera al soviético Oparin el bioquímico que puso las bases de la teoría moderna del origen de la vida. Lo que hizo, en esencia, fue extender hacia atrás en el tiempo y la complejidad las ideas de Darwin sobre la evolución de las especies tratando de explicar cómo, a partir de moléculas inorgánicas y orgánicas en un medio ambiente determinado y apropiado, podían formarse compuestos orgánicos más complejos cuya evolución diera lugar a organismos primordiales. O sea, la hipótesis 4.

Igual que he hecho con Redi y Pasteur, voy a explicar sucintamente otro experimento ingenioso y sencillo (y más famoso que los otros) en torno a esta hipótesis. Lo hizo en 1953, casi a escondidas, un chaval norteamericano llamado Stanley Miller basándose en las lecciones recibidas de su profesor de química Harold Urey.

Con unos aparatos muy simples se hacía confluir en una vasija una mezcla de vapor de agua (H_2O), dióxido de carbono (CO_2), amoniaco (NH_3), metano (CH_4) e hidrógeno molecular (H_2) y se la

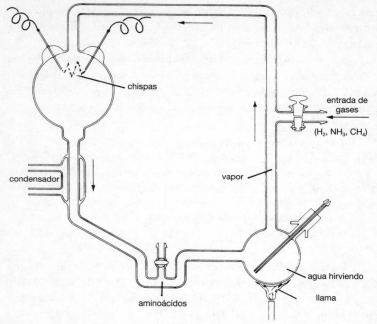

Fig. 29. *Esquema del aparato utilizado por Urey y Miller para, supuestamente, reproducir las condiciones físicas y químicas de la Tierra primigenia.*

sometía a descargas eléctricas, o sea, a chispazos. Los compuestos químicos citados eran los que se suponían, acertadamente, que formaban la atmósfera primitiva. Son los más sencillos que contienen los cuatro átomos básicos de la materia orgánica, el CHON, o sea, carbono, hidrógeno, oxígeno y nitrógeno. Las descargas eran una fuente de energía que simulaba las supuestas condiciones físicas de la Tierra primigenia. Ya se sabía que había que exponer la mezcla a luz ultravioleta que era la dominante recibida del Sol en ausencia de atmósfera sobre la faz de la Tierra, pero hacer eso en un laboratorio sencillo era complicado en aquella época.

Al cabo de no mucho tiempo de someter la mezcla de gases a rayos y centellas, se obtuvo un líquido pardusco compuesto, nada más y nada menos, que de moléculas orgánicas complejas entre las que destacaban aminoácidos, la base de las proteínas que constituyen el pilar básico de la vida. El español Juan Oró, en 1961, repitió el experimento de manera más sofisticada y añadiendo ácido cianhídrico a la mezcla de gases. Obtuvo una mezcla aún más rica de aminoácidos y otros compuestos fundamentales para la vida. Pasmoso, ¿no?

En realidad no lo es tanto por lo siguiente. Un aminoácido es un compuesto formado por un carbono cuyos cuatro electrones «ligones» se han unido a los de cuatro grupos moleculares distintos: un grupo amino (NH_2), un grupo ácido carboxilo (COOH), un átomo de hidrógeno y otro grupo más complejo, llamado radical, que es el que distingue un aminoácido de otro. En el esquema siguiente, cada raya representa una pareja de electrones.

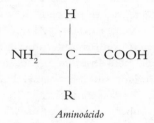

Aminoácido

Que las descargas eléctricas rompan parejas de electrones entre los átomos de los compuestos sencillos y aquellos busquen desesperadamente a otros de manera que al final salgan cosas como los aminoácidos (y otras muchas combinaciones) no parece tan raro. Pero es raro. Y además esperanzador.

El lector puede pensar que en esto hay mucho de casualidad, o sea de azar. Más lo va a pensar en cuanto describamos la teoría moderna del origen y evolución de la vida en la Tierra, pero el azar, aun desempeñando un papel importante en esto, no va a ser tan fundamental como la necesidad, por más que el gran Jacques Monod tratara de equilibrar ambos factores en su precioso y profundo libro *El azar y la necesidad*.

Aunque parezca que nada tiene que ver la triste anécdota personal que voy a narrar a continuación con la evolución de la materia viva, sí lo tiene y espero que el lector la considere ilustrativa de lo que se dirá después.

Cuando murió mi padre, durante el largo y aciago proceso de incineración estuve muy bien acompañado de familiares, amigos y compañeros. Yo, lógicamente, me sentía profundamente triste, por eso me molestó la actitud que mantenían tres vejetes que parecían participar, aunque un tanto apartados, en la ceremonia si tal se le puede llamar a dicha circunstancia. Estaban tan alegres que de vez en cuando no podían evitar que se escucharan sus risas después de que alguno contara algo a los otros dos. Hasta palmadas en los hombros se daban de vez en cuando celebrando alguna ocurrencia. Por más que yo y muchos de mis acompañantes disimuláramos mal el disgusto que nos daba la actitud de aquellos tres jubilados, soportamos estoicamente sus poco discretas chanzas. Al final, cuando ya nos marchábamos todos, se acercaron los tres a mí con gestos circunspectos y me apartaron amable pero insistentemente de los demás. Se presentaron como tres antiguos soldados camaradas de mi padre en los frentes de Peñarroya, Guadalajara y el Ebro durante la guerra civil. Hacía infinidad de tiempo que no se veían y, al enterarse de que su amigo había fallecido, habían acudido a las honras fúnebres desde distintos lugares de España. Cuando me despedí de todos mis acompañantes me quedé un rato más en el cementerio con los amigos de mi padre.

Aquello fue apasionante y muy emotivo, porque los viejos me contaron cosas que yo no sabía de mi padre o que se me habían olvidado, ya que él nunca fue proclive a contar batallitas. Basten dos ejemplos. En un ataque bajo bombardeo enemigo cayó una bomba cerca del pelotón que mandaba mi padre. Seis o siete de ellos, él también, corrieron para meterse en el cráter que había producido la bomba, porque era de todos bien conocido que aquél era el lugar más seguro.* Llegaron todos menos mi padre que se había caído al torcerse un tobillo tras pisar un cascote. Cuando sus compañeros lo animaban para que se arrastrara y se uniera a ellos en el cráter, cayó otra bomba justo allí y murieron todos. Dos de los viejos habían sido testigos de tal desgracia tan milagrosa para mi padre. En otra ocasión, cuando estaban todos huyendo en desbandada y el enemigo les disparaba sin piedad, a mi padre lo alcanzaron en las piernas y cayó rodando por un pequeño terraplén. Todos lo dieron por muerto. Pero el terraplén terminaba en un pequeño túnel o pasadizo por el cual pasaba un convoy de camiones llenos de soldados en retirada. Mi padre cayó sobre la lona de uno de ellos atravesándola justo por el centro de la cruz roja que lo distinguía como ambulancia. Allí mismo y sobre la marcha apañaron sus heridas. Y así me contaron varios milagros más. Entonces recordé que unos días antes, cuando mi padre sabía que estaba muriéndose y me vio muy triste junto a él en el hospital, me dijo que no me preocupara ni entristeciera, porque desde la guerra hasta entonces, 1994, la vida había sido para él toda una propina. Terminé celebrando con los viejos los avatares que me contaron a pesar del velo de amargura que me cubría.

Infinitas historias de una guerra jamás se sabrán porque sus protagonistas murieron o nadie las contó nunca. Sólo sabremos aquellas de las que por algún medio nos llegue constancia de ellas. Además, hemos de sopesar equilibradamente las casualidades o el azar venturoso, porque no es tan extraño que los soldados se doblen los tobillos corriendo entre cascotes, que dos bombas caigan en el mismo sitio durante un bombardeo intenso o que en un ejército en retirada alguien se desplome sobre un camión ambulancia que huye por una carretera vecina.

---

* La probabilidad de que caiga una bomba en un cráter producido por otra en un bombardeo intenso es la misma que la de que caiga en otro punto cercano. La creencia militar se basa en que en el interior de un socavón se está más protegido de la metralla.

EL ENFOQUE MODERNO

Lo primero que hay que decir sobre la teoría actual del origen de la vida, en la Tierra o donde sea, es que no está completamente establecido. Dicho de otra manera: no se ha conseguido crear vida en el laboratorio a partir de moléculas inanimadas. Pero esto no quiere decir que nuestro grado de ignorancia sobre el asunto sea muy alto, porque parece claro que lo que nos falta es tiempo. Quiere esto decir que por muy bien que simulemos condiciones primitivas de la Tierra naciente o de cometas y planetesimales formados directamente del polvo de las estrellas; por muchos métodos de ingeniería bioquímica que apliquemos a construir sistemas moleculares complejos, o cualquier invento que se nos ocurra, o le damos tiempo al experimento o no hay nada que hacer. Y cuando digo tiempo ya sabemos de qué estamos hablando: decenas, seguramente cientos, de millones de años.

La materia viva está formada de moléculas muy complejas que son los pilares básicos a partir de los cuales se forman, en particular, ácidos nucleicos y las proteínas de los que pronto hablaremos. Los primeros transmiten la información y los segundos la acción, haciéndolo ambos de forma muy complicada. Por ahora interesa decir que estos dos últimos sistemas moleculares no son estables en presencia de oxígeno. Esto lleva a dos conclusiones, una acertada y otra errónea. La primera es que la atmósfera primitiva era favorable a la vida de entonces, que no era aerobia, puesto que no tenía oxígeno; la segunda es que bien pudieran haberse desarrollado tales moléculas en el mar, pues al fin y al cabo hemos escuchado muchas veces que la vida proviene de los mares y océanos. Incluso, puestos a ser osados, podríamos pensar que las primeras macromoléculas se habrían gestado en poros o intersticios de rocas protegidas del oxígeno del aire ya formado. Además, ya que los rayos ultravioletas destrozan cualquier molécula de gran porte, si las primitivas no estaban protegidas por la capa de ozono, o por el agua, o por las rocas, no prosperarían de ninguna manera.

Pero ¿qué es una macromolécula? Un conjunto de muchos átomos de carbono, hidrógeno, oxígeno y nitrógeno, el CHON, y algunos más en menor número. Para que se forme tal conglomerado de elementos básicos, éstos han de ponerse en contacto de tal manera que sus electrones «liguen». O sea, que necesitan un medio donde el recorrido libre promedio de tales átomos o moléculas sencillas sea razonable. Entre los intersticios de las moléculas de las rocas ese recorrido es excesivamente corto, están casi quietas, y en el mar demasiado grande, es difícil que una encuentre a otra en las inmensidades oceánicas. Si añadimos razones químicas algo complejas pero que se pueden reproducir en el laboratorio, llegamos a la conclusión de que las moléculas orgánicas grandes se formaron en charcas y pantanos de no más de diez metros de profundidad, de lugares secos y calurosos de día y húmedos y fríos de noche, y con presencia abundante de cuarzo y arcillas que proporcionan un recorrido medio a las moléculas pequeñas adecuado para que se unan entre sí dando lugar a otras mayores. Así pues, la arcilla fue fundamental para el origen de la vida. ¡El barro! Sí, señor, seguramente no hizo falta un hálito sobrenatural, pero ahí está en buena parte confirmada la hipótesis 1. ¿Qué nos impide ser generosos?

Ahora hay que explicar cómo se formaron esas macromoléculas en las condritas carbonáceas y en los cometas, porque en esos pedruscos y témpanos de hielo siderales el recorrido libre medio de los átomos y moléculas no podía ir muy allá y no parece razonable que en su infancia fueran fangosos. Pues no es justo esto último lo que parece que ocurrió, pero pudo ser algo parecido.

La consistencia primitiva de estos cascotes surgidos por agregación de motas del polvo interestelar no era la del barro, pero durante largo tiempo su temperatura y composición permitían un recorrido libre medio a las moléculas menor que en la Tierra primigenia pero casi comparable. Esta diferencia se compensó con el tiempo más prolongado que tuvieron para formarse en ellos las moléculas complejas. Los de la panspermia arguyen en este punto que esta diferencia de tiempo favorece su hipótesis de que la vida es una propiedad general del Universo y no algo local. Quizá sea así, pues hemos dicho que la vida surgió en la Tierra durante su primer eón de existencia y es difícil precisar si unas centenas de millones de años fueron suficientes para llevar a cabo el proceso que vamos a describir, aunque tenemos todas las bazas a nuestro favor. Si se descubriera alguna etapa que no ajustara de ninguna manera en esta escala de tiempo, no habría más remedio que admitir que las macromoléculas que nos llegaron del espacio exterior fueron las que evolucionaron hasta las formas de vida actuales. Sería divertido porque además, la vida terrestre sólo necesita 20 aminoácidos distintos y en las condritas carbonáceas se han encontrado hasta ahora casi 100. ¿Se habrán desarrollado otras formas de vida a partir de las infinitas combinaciones de tantísimos aminoácidos llovidos desde el espacio a planetas y satélites de cualquier sistema solar de cualquier galaxia? Ya especularemos sobre esto después, pero le pido al lector que no se excite demasiado con las ricas posibilidades que este asunto pudiera ofrecer a la imaginación. De todas formas, las moléculas prebióticas (precursoras de la vida) están muy lejos de ser organismos vivos.

Vamos a tratar de ajustar la mencionada escala de tiempos mostrando exactamente lo que sabemos antes de elaborar la hipótesis más plausible basada en experimentos y leyes del tránsito de las moléculas orgánicas a los seres vivos.

Las formas de vida más antiguas que se conocen son dos clases de microfósiles encontrados en Sudáfrica y Australia y que tienen una edad de entre 3,5 y 3,6 eones. Son las *esferas de Ramsey* y los *estromatolitos*. Las primeras son una especie de levadura y los segundos unas minúsculas algas azules formadas por apenas un par de docenas de células. En el sudoeste de Groenlandia también se han encontrado sedimentos que contienen bacterias azules y otros microorganismos. Estas llamadas *formaciones de Isua* se han datado con métodos radiactivos y tienen una edad de 3,8 eones. Así pues, se admite que había una flora bacteriana primitiva ampliamente diseminada por toda la Tierra hace entre 3,6 y 3,8 miles de millones de años. Las rocas más antiguas de las que podían proceder los sedimentos de Isua tienen entre 4,1 y 4,0 eones y es difícil admitir que la corteza terrestre se solidificara antes de hace 4,2 miles de millones de años. Así pues, nos quedan demasiados pocos centenares de millones de años para explicar el tránsito de las moléculas sencillas a las macromoléculas y de éstas a los microorganismos vivos. No vamos a tener más remedio que dar la razón a los partidarios de la panspermia y admitir que la vida primitiva en buena parte fue sembrada en la Tierra desde el espacio. Porque, además, recuérdese que la atmósfera no podía tener oxígeno pero tampoco una ausencia total de él, en particular en forma de ozono. Y que tampoco se podía haber liberado todo el hidrógeno de la atracción gravitatoria terrestre. Esto estrecha aún más la duración del periodo durante el cual surgió la vida en el planeta.

Las etapas que se han de cubrir desde un punto de vista bioquímico son las siguientes. Si echamos otro vistazo al esquema de un aminoácido observamos que de los cuatro enlaces que permiten los electrones del carbono, la R engarzada a uno de ellos puede variar mucho yendo desde otro hidrógeno en su forma más simple hasta anillos complicados de CHON.

Unos cien aminoácidos se pueden unir entre sí para dar cadenas complicadas y muy variadas llamadas *proteínas*. Piénsese en la infinidad de combinaciones de cien que se pueden dar con unos 20 aminoácidos, que es el número de los que existen en la Tierra.* Estas sustancias complejas se encuentran en todos los organismos vivos porque están directamente implicadas en un conjunto de procesos químicos esenciales de la vida. Nuestro hígado, la sangre, los músculos y demás están compuestos entre un 20 y un 30 % de su peso de proteínas que en buena medida son las que los hacen funcionar.

* Sale aproximadamente un uno seguido de ciento treinta ceros. Un surtido de sólo una proteína de cada clase llenaría el Universo al completo. Téngase en cuenta que el número de protones del Universo es 10^{82}. Este es el origen de la variedad de formas de vida.

El siguiente paso en complejidad, aunque no del todo necesariamente en el tiempo, es la formación de *ácidos nucleicos* que son de dos clases: los *ribonucleicos* (ARN) y los *desoxirribonucleicos* (ADN). Estos son ya combinaciones muy bien ordenadas del orden de millones de átomos básicos que se encuentran en todas las células, porque ésta es otra: estas grandiosas moléculas se tienen que agrupar y diferenciarse de otros grupos, es decir, se han de formar células o, lo que es lo mismo, esas agrupaciones se han de envolver de una membrana que ha de tener unas propiedades prodigiosas, porque a la vez que aíslan lo que contienen han de permitir el tránsito de ciertas moléculas que se tienen que relacionar con las internas y todas con las del medio. Esas membranas han de hacer el papel de aduanas controlando el paso a través de ellas, es decir, ni impidiéndolo completamente ni permitiendo que lo haga todo el mundo.

Una célula es ya un organismo vivo porque se reproduce. Hace otras muchas cosas, pero seguramente lo esencial es eso, que puede producir réplicas de ella misma. Lo que ocurre es que lo ha de hacer no demasiado bien sino propagando pequeños errores en el proceso, porque si no todo el planeta estaría cubierto de un musguillo indecente formado por miríadas de células idénticas. A causa de influencias químicas, radiaciones provenientes de la desintegración de elementos radiactivos o de la luz del Sol, movimientos térmicos de algunas moléculas y varios factores más, se pueden producir *mutaciones* que permitan la formación de las especies y su evolución posterior de acuerdo con la *selección natural* establecida por Darwin en 1859.

¿De qué maneras pudo llevarse a cabo este proceso en tan poco tiempo y en las condiciones en que estaba la Tierra cuando tuvo lugar? Los hechos, contados tan esquemáticamente como hemos presentado los pilares de la vida, bien pudieron ser estos.

La superficie de la Tierra recién formada hace 4,5 eones está sometida a poderosos movimientos sísmicos y volcanes que exhalan gases a alta temperatura. La luz ultravioleta del Sol rompe muchas de las moléculas que forman esa atmósfera. Los cometas y meteoritos caen con una frecuencia enloquecedora aportando moléculas complejas y agua, mucha agua. Ésta, junto con la poca que se ha liberado de las rocas ardientes, provoca auténticos diluvios esparciendo por doquier la ingente cantidad de materia orgánica que se forma en la atmósfera y la que aportan los cuerpos celestes. Los incipientes mares y océanos se llenan de aminoácidos formando una disolución que es un auténtico caldo orgánico. Las mareas, lluvias y corrientes acuosas llenan lagunas y pantanos por todas partes. Las arcillas de ellas provocan un efecto singular en las macromoléculas inmersas en el agua. Algunos de sus átomos están libres de unos pocos de sus electrones y actúan atrayendo a algunas de las moléculas orgánicas y repeliendo a otras. Esto alienta a las que se aproximan a que reaccionen entre ellas juntándose entre sí y formando apelotonamientos de lo más dispar. Fuertes evaporaciones y nuevas lluvias dispersan estas agrupaciones por todo el planeta. Infinidad de formaciones moleculares de largas cadenas de CHON y otros átomos pesados quedan en nada y se van hundiendo en los mares y depositando en sus fondos. Muchos de estos mantos orgánicos formarán, en un futuro entonces todavía lejano, el petróleo actual, pero otros subsisten en los medios acuosos. Algunas de estas macromoléculas rechazan el agua y otras la atrae. Se forman agrupaciones más pequeñas de unas y otras. La luz del Sol aporta suficiente energía en forma de calor, de manera que favorece infinidad de emparejamientos de electrones entre las amalgamas moleculares agrupadas. Además, la combinación de esa filia y esa fobia por el agua hace que se vayan estableciendo límites entre unas pelotas y otras. Nuevas moléculas más ligeras empiezan a formar una membrana.

Nada hay vivo aún, pero una auténtica «lucha por la vida» se desencadena en todo el planeta. Las bolas que han formado una membrana demasiado permeable desparraman su variado contenido orgánico en el medio ambiente, agua fundamentalmente; las que aíslan en demasía su contenido hace que éste se enquiste. Pocas, poquísimas pero en un planeta rebosante de ellas, logran establecer un delicado equilibrio que permite expulsar grupos moleculares que exigen demasiada energía para asociarse con otros y retener aquellos que son favorables a uniones cada vez más complejas. Las proteínas ya son moneda corriente dentro de las bolas y otros grupos moleculares se empiezan a ensamblar de las maneras más curiosas y rocambolescas. Una de estas formas es el ARN y otra, aún más estable y fantástica, es el ADN. Era casi inevitable que se formara este maravilloso complejo molecular. Tan inevitable que se considera que cualquier otra forma de vida en el Universo tendrá que tener como pilar básico este delicado ensamblaje de elementos ligeros. Las bolas que logran establecer una diferenciación interna de moléculas que permite una primigenia «división del trabajo», por ejemplo, aquellas que incuban una bola interior con ADN y otras sustancias auxiliares de cometido no poco importante, el núcleo celular, hacen algo inaudito: se rompen en dos bolas muy similares. Entonces, casi, surge lo que llamamos vida.

La ruptura en dos es un proceso que se desencadena vertiginosamente. Si la formación de toda la amalgama orgánica anterior ha costado entre doscientos y doscientos cincuenta millones de años, lo que viene ahora tiene lugar en un suspiro porque de 1 salen 2, de 2, 4, 8, 16, 32… vertiginoso. Las células con núcleo se van a agrupar entre sí para defenderse mejor de las condiciones externas a ellas que aún son muy hostiles. Muchas reproducciones no son idénticas porque las mutaciones son frecuentes, pero pronto van a surgir dos elementos consustanciales a la vida, pues sin ellos no existiría ésta: la muerte y, llamémosle por pura diversión, el sexo.

Las divisiones se hacen con «errores» mutantes o de otro tipo más bien estadístico. Estos errores son acumulativos, de forma que tras cierto número de divisiones, quizá 20 o 30, las células se desintegran aportando buena parte de su precioso material a otras. Las células empiezan a agruparse y a distribuirse entre ellas funciones específicas porque tal organización especializada favorece su existencia. De nuevo, infinidad de ellas no llegan a nada, pero unas pocas, ya con el mecanismo de la reproducción en marcha, prosperan y se multiplican sin descanso. En esta etapa la reproducción es completamente asexual, pero es tan vital que divierte pensar que pronto se hizo grata. En tal caso, es seguro que multitud de agrupaciones de células pugnaron por especializarse en tal cometido. El sexo, algo prematuramente, estaría servido.

Las primeras formas de vida aprendieron a hacer dos funciones maravillosas estimuladas por el medio ambiente, la energía del Sol y la lucha por la existencia: la *respiración* y la *fotosíntesis*. La segunda en particular generó algo grandioso: el oxígeno de la atmósfera. El proceso fue extraordinariamente rápido; para hacerse una idea de ello baste considerar que todo el oxígeno de la atmósfera actual participa en el proceso de fotosíntesis (que asimila el dióxido de carbono) provocado por la flora de hoy día, rala en comparación con la primigenia, en sólo 2.000 años. La descomposición de la materia orgánica liberó a la atmósfera ingentes cantidades de nitrógeno, que es el compuesto molecular más abundante del aire. La capa de ozono se formó pronto y resguardó la superficie de la Tierra de los rayos ultravioletas del Sol una vez que éstos ya habían cumplido su misión de *fotodisociación* de moléculas primitivas.

La historia desde que tuvieron lugar estos agrupamientos primitivos de células hasta hace sólo unos pocos centenares de miles de años en que apareció un bicho que bien pudiera ya llamarse hombre, es relativamente bien conocida por todos.

Obsérvese que incluso la hipótesis 3 del origen de la vida, la generación espontánea a partir de la materia inanimada, también tiene visos de credibilidad si uno se olvida de la escala de tiempos. Así pues, las cuatro hipótesis elaboradas por la mente humana para explicar el surgimiento de la vida en la Tierra son correctas en alguna medida. Si pensamos que la primera la establecieron los babilonios, hemos de aceptar que la mente humana ha tenido siempre una prodigiosa intuición. Seguramente nuestros sucesores sonreirán displicentemente cuando analicen lo que la ciencia actual dice del origen de la vida y la concepción del Universo que hemos alcanzado, pero sus teorías y los resultados de sus experimentos habrán de englobar lo que sabemos en la actualidad. Ampliarán nuestros hallazgos e hipótesis hasta fronteras insospechadas, pero difícilmente los contradirán.

En cambio, con lo poco que queda por exponer en este libro sí que nuestros descendientes se lo podrán pasar en grande.

VIDA EXTRATERRESTRE

Al lector no le puede quedar ya duda alguna de que los núcleos, átomos y moléculas de que estamos hechos se generaron en las estrellas durante su agonía y muerte y que llegaron hasta nosotros impelidas por sus estertores finales, en particular las explosiones supernovas. Si una galaxia tiene centenares de miles de millones de estrellas y el Universo está compuesto por infinidad de galaxias y además en cada una de ellas las estrellas están naciendo y muriendo a buen ritmo todavía, ritmo que fue aún mayor en el pasado, la lógica indica que debe haber vida rica y abundante ahí fuera. Bien pudiera ser así, pero estamos en condiciones de precisar, aunque sea difusamente, los límites a que puede estar sometido el surgimiento de vida en otros mundos. Hay que decir que tenemos tantas incertidumbres que todos los datos actuales son compatibles con que seamos los únicos en el Universo (o al menos en nuestra galaxia) y, por ello, fruto de unas circunstancias extraordinariamente especiales. O no.

Veamos en primer lugar cómo de especial es nuestro Sol. Hemos dicho en muchas ocasiones que el Sol es una estrella de lo más normal que hay en nuestra galaxia y en todas las demás. Es cierto, pero hay algo, muy ligero, que la distingue un tanto de muchas de sus vecinas del mismo porte y edad: es notablemente más rica en elementos pesados que el promedio. Estamos hablando de sólo un 2 % de su masa, por lo que, efectivamente, salvo esta minucia el Sol es como cualquier estrella. Pero precisando en cuanto a carbono, que es el elemento más importante para la vida, el Sol tiene casi el doble que las estrellas análogas a él. La razón la apuntamos en su momento: dio la casualidad de que cuando el Sol estaba formándose a partir de la nube primigenia, una supernova explotó cerca de allí. Aquella casualidad le insufló a la nube un buen aporte de elementos pesados. Pero esta singularidad del Sol no tiene por qué ser decisiva en cuanto al surgimiento y desarrollo de la vida porque, como acabamos de ver, muchas moléculas orgánicas cruciales para la vida pudieron llegar del espacio lejano y lógicamente podrían llegar a cualquier sitio. Pero esta singularidad apuntada del Sol hay que tenerla presente.

Además de una proporción adecuada de elementos pesados, el desarrollo de la vida exige una zona llamémosla habitable, o sea, un planeta que reúna determinadas características. Una pregunta previa a responder es si todas las estrellas forman sistemas solares parecidos al nuestro. La respuesta es que parece ser que sí. Desde el punto de vista de la física nada impide que prácticamente todos los soles organicen su cohorte de planetas de manera análoga a como hizo el nuestro a menos que formen estrellas binarias de contacto como ya describimos. Pero en ciencia nada se acepta si no se experimenta u observa. Eso es lo que se está haciendo a marchas forzadas: detectar planetas ligados a otras estrellas. No se ven, se detectan. Se hace por un procedimiento fascinante por lo delicado que es. Consiste en captar el efecto gravitatorio que hace un planeta sobre su estrella. Casi nada, porque hay que tener en cuenta que la masa de los planetas es una miseria en comparación con la de las estrellas. Por eso hasta ahora sólo se han detectado planetas del porte de Júpiter o bastante mayores. Pero el papel de Júpiter en la formación del sistema solar fue decisivo como se recordará, tan decisivo que si no fuera por él no estaríamos aquí. El problema es que los jupiteres esos están demasiado cerca de sus soles. Es muy extraño, pero ahí están. Así pues, hemos de admitir que muchas, muchísimas estrellas tienen planetas girando a su alrededor como no podía ser de otra forma.

Se ha definido cuantitativamente la *zona habitable* en función de muchos parámetros esenciales para la vida, el más decisivo de ellos es que la distancia del planeta a su estrella sea tal que el calor que recibe permita que el agua se mantenga abundantemente en estado líquido. En nuestro sistema solar esa zona habitable es una franja en torno al Sol en cuyos límites se sitúan las órbitas de Marte y Venus. Obviamente, la de la Tierra la surca por todo el centro, porque el único dato que tenemos es que en la Tierra hay vida. No es una perogrullada, ya que la vida no es tan milagrosa como puede parecer pues los procesos que llevan a ella están marcados más por la necesidad que por el azar como hemos dejado sentado, y esto quiere decir que el propio desarrollo de la vida no sólo es adaptativo sino transformador de las condiciones de habitabilidad.

La anchura y lejanía de la franja que define la zona habitable lógicamente depende de las características de la estrella que estemos considerando. De las pocas decenas de planetas que se han detectado hasta ahora ninguno se encuentra en la zona habitable de su estrella. Y además, hay que insistir, son todos parecidos a Júpiter y en un planeta tan descomunal es imposible que se desarrolle la vida aunque sólo sea por la extraordinaria intensidad de la fuerza de la gravedad en su superficie. Pero, con toda probabilidad, casi certeza, habrá otros planetas más pequeños que serán extremadamente difíciles de detectar con el método de alteración del movimiento de la estrella (o del Júpiter de turno) que se utiliza hasta ahora.

Ahora viene otro problema. No sólo tiene que haber un planeta de porte mediano en la zona habitable de una estrella, sino que ésta no puede ser ni muy vieja ni muy grande, porque la vida se toma su tiempo en desarrollarse. A las viejas les queda poco y las grandes tienen una vida demasiado efímera. En resumen, sólo las estrellas de la clase G (recuérdese la clasificación con la famosa regla mnemotécnica machista) pueden ser candidatas a desarrollar vida si en sus zonas habitables se han colocado planetas de características apropiadas que no son nada excepcionales. Pues estrellas de esas hay vastas cantidades en una galaxia. Así pues, parece que Giordano Bruno tenía razón en lo que dijo.

CIVILIZACIONES EXTRATERRESTRES

Confesémoslo con honestidad: lo que nos interesa de verdad no es si hay vida por ahí, sino si hay civilizaciones tecnológicas. Somos aún más exigentes, porque lo que queremos saber no es sólo si existen otras civilizaciones sino si podemos ponernos en contacto con ellas. Porque vida extraterrestre casi seguro que hay, pero con tan amplio abanico de posibilidades que nos abren las proteínas y el ADN, qué más nos da que haya bichillos, musgos o incluso bestias impresentables en lejanos planetas. Lo divertido es saber si hay gente por ahí con la que nos podamos entender por raros y feos que nos parezcan, ¿no es verdad? Pues lo tenemos duro.

Es posible que el lector haya escuchado hablar de la *fórmula de Drake*. Lo de Drake viene de Frank Drake, que es un astrónomo que lleva mucho tiempo empeñado no sólo en encontrar civilizaciones sino en ponerse en contacto con ellas. Hasta ahora lo que ha conseguido es que se hagan buenas pelis del tinglado que tiene montado desde 1960 en New Jersey. Por cierto, la grandiosa antena del radiotelescopio que Drake empezó a utilizar allá por 1960 para detectar señales extraterrestres se derrumbó estrepitosamente y nunca se volvió a reconstruir. Vamos a hacer uso de su famosa fórmula porque es extraordinariamente sencilla y lógica aunque valga para poco. Es la siguiente:

$$N = G_* \times f_P \times n_T \times f_V \times f_I \times f_C \times V$$

N es el número de civilizaciones tecnológicas que existen en nuestra galaxia. Pensar en otras galaxias es inútil porque jamás llegaríamos a ellas como ya veremos. Y cuando decimos tecnológicas queremos decir que tengan un grado de desarrollo al menos de nuestro nivel en cuanto a telecomunicaciones, porque en lo que se refiere a navegación la cosa se complica demasiado; G_* es el número de estrellas del tipo espectral apropiado (las de la clase G) que nacen cada año en nuestra querida Vía Láctea; f_P es la fracción de éstas que tienen planetas; n_T es el número de planetas de tipo terrestre que cada una de estas estrellas tiene en su zona habitable; f_V es la fracción de éstos en los que surge la vida; f_I es la fracción de los anteriores en que la vida alcanza el grado de inteligencia; f_C es la fracción de planetas con seres inteligentes en los que una parte significativa de ellos alcanza la civilización tecnológica que desarrolla las telecomunicaciones y, por fin, V es la vida media de una civilización de esas características.

El lector debe conceder que la fórmula es muy lógica y que no sobra ni falta nada y el sentido común nos define cada uno de sus términos. Vamos a jugar un poco con ella porque de algunos factores tenemos información casi fidedigna, de otros bastante más vaga y del resto no tenemos ni idea. A los que por razones profesionales o por afición amamos la física y las matemáticas, una formuleja de estas características nos pone al borde del ataque de nervios, entre otras cosas porque permite incrustar en ella la psicología, es decir, que podemos dilucidar sus resultados haciendo uso del optimismo o el pesimismo; pero, bueno… ¡vamos allá!

El número de estrellas de características parecidas a nuestro Sol que se generan en la Vía Láctea cada año está estimado entre un mínimo de 3 y un máximo de 10. Pero eso es ahora, porque sabemos que en tiempos pasados el ritmo de creación de estrellas (¿recuerdan lo de la función inicial de masa que está bastante bien determinada?) era considerablemente mayor. Como esta clase de estrellas son de larga duración, en muchas de las que se formaron hace uno o dos eones aún podemos depositar esperanzas. Así pues, se me puede conceder que un valor de 6 por año para G_* parece no sólo razonable, sino relativamente conservador. Dejémoslo así.

Por todo lo que hemos explicado en su momento, en su formación las estrellas desarrollan inevitablemente planetas u otras estrellas. Como sabemos estimar el número de estrellas binarias y múltiples que hay en nuestra galaxia, a f_p le podemos dar un valor de $2/3$, es decir, una tercera parte de las estrellas en formación se desgajan en otra estrella para conservar el momento angular de la nube primigenia y el resto lo hace generando planetas.

Con n_T no tenemos más remedio que empezar a especular. Se han hecho muchas simulaciones por ordenador para averiguar de qué factores depende el que un planeta como la Tierra, aunque sea de parecido lejano, se pueda situar en la zona habitable en un sistema solar en formación, teniendo en cuenta además que dicha zona cambia con el tiempo y «barre» sobre los planetas. Es descorazonador saber que los resultados son tan ambiguos que van desde 10^{-6} hasta 1, lo cual quiere decir que la probabilidad de que tal acontecimiento ocurra va desde un planeta terrestre por cada millón de estrellas G que se forman, hasta que en cada una se sitúe una Tierra a una distancia apropiada para que no haga mucho frío ni mucho calor. ¿Qué les parece uno de cada cien? Decidamos pues que n_T valga 0,01, o sea, que en uno de cada cien sistemas solares planetarios uno de sus planetas se coloca en la zona habitable.

Con f_V, o sea, la fracción de estos planetas apropiados en los que se desarrolla la vida, la especulación se torna en desvarío. No tenemos ni idea de la probabilidad de que dadas unas condiciones favorables para que se desarrolle la vida, ésta lo haga. Como ser optimista es grato y a nadie molesta, le vamos a asignar 1 a f_V, o sea, que la vida se origina de todas a todas si las circunstancias se lo permiten. Descabellado no es.

Ahora viene f_I, o sea, la fracción de todos los planetas anteriores en que la vida alcanzó el grado de inteligencia. Como siempre, sólo tenemos un dato: el nuestro. Pero algo es algo, así que por qué no considerar tan inevitable que del ADN surgieran a la larga tipos listos como nosotros como que en un planeta calentito se formara tal moleculón. Nada, $f_I = 1$.

Curiosamente, considero que f_C no es tan difícil de dilucidar. Se trata de saber si los seres inteligentes crean necesariamente una civilización tecnológica o de otro tipo. A este factor yo le asignaría $1/4$ por lo siguiente. Del único dato que tenemos, nosotros, sólo vislumbro tres posibilidades en cuanto al desarrollo de nuestra civilización: la mística, la científica o la sublimación del sexo. Durante siglos ha habido una pugna permanente entre ciencia y religión. La razón es clara: la segunda nació de la ignorancia (no sabemos por qué llueve, así que tiene que haber un dios de la lluvia) y conllevó poder. Conforme la ciencia fue descubriendo que la mano divina no era necesaria para explicar ciertas cosas, la religión se defendió no porque se sintiera ofendida, sino porque aquello erosionaba su poder. Al final, parece que la ciencia está ganando si los fundamentalistas de todo dogma lo permiten a la larga. Así pues, a f_C le deberíamos asignar $1/2$, es decir, que lo mismo que se ha impuesto la ciencia se podría haber impuesto la mística como pasó durante la Edad Media. Pero como, puestos a delirar, la cosa podía haber sido por ejemplo epicúrea y que todos nos hubiéramos olvidado de la ciencia, la religión y demás zarandajas y nos hubiéramos dedicado a disfrutar de la vida a lo grande (perdón por decir el nombre del gran Epicuro en vano), pues apunto a la tercera posibilidad mencionada. Por tanto, f_C debería ser $1/3$. Pero como el lector tiene tanto derecho como yo a disparatar, seguro que se le ocurre otra posibilidad de evolución social de los seres inteligentes, así que nos quedamos con $1/4$ para f_C.

Lo de la V ya es el acabose. ¿Cuánto dura en promedio una civilización tecnológica? En un siglo, el XX, hemos inventado las telecomunicaciones y la Destrucción Mutua Asegurada, es decir, un sistema de disuasión nuclear que si se dispara, y ocasiones reales ha habido para ello, nos manda a todos al estado prebiótico. Incluso en estas precisas fechas, el fanatismo fundamentalista le ha dado un jaque al medio mundo tecnologizado hasta los topes. Pongamos, para ver qué pasa, V = 100 años.

Aplicamos la fórmula de Drake multiplicando todo lo dicho hasta ahora y sale… ¡¡N = 1!! Estamos apañados. Tanta especulación, tanto desvarío, tanto delirio, y todo para averiguar que… estamos más solos que la Luna en una galaxia de cien mil millones de soles. ¡Virgen santa!

No puede ser. Revisémoslo todo. El lector también puede revisar los factores anteriores casi como le dé la real gana. Supongamos dos lectores extremos, uno que cree que N = 10 es un número más razonable que el que hemos obtenido antes, y otro que dice que todo lo que he apuntado está muy bien, pero que ni fanáticos ni presidentes enloquecidos nos llevan al desastre jamás de los jamases, o sea que V = 4.500.000.000, es decir, nuestra civilización durará lo mismo que la Tierra hasta que se la trague el Sol cuando se convierta en una gigante roja, y puesto que el Sol está en mitad de su vida, le quedan los mismos años que tiene, 4,5 eones. Vale. Esto da N = 45.000.000, o sea, que en la Vía Láctea hay cuarenta y cinco millones de civilizaciones igual de tecnologizadas que la nuestra o más, mucho más. Muy bien, a ver qué consecuencias tienen estos dos extremos.

En el caso de N = 10, esos diez mundos estarían en la Vía Láctea separados en promedio unos 10.000 años luz. Para obtener ese valor de N habremos tenido que suponer que V es 1.000 si mantenemos los otros factores iguales a como hemos apuntado. Así pues, el tiempo que tardaría en llegarnos una señal de los seres de ese planeta es muy superior al tiempo que tarda su civilización en extinguirse. Cuando les llegue nuestra respuesta ya me dirán cómo estarán los pobres. Así no hay manera de establecer un diálogo.

Vamos al caso de N = 45.000.000. La distancia promedio entre estos mundos habitados por civilizaciones no sólo inteligentes sino con un grado de desarrollo tecnológico bastante avanzado sale unos 50 años luz. Aunque Frank Drake y muchos otros está tratando de detectar señales extraterrestres desde hace cuarenta años, no han detectado ningún atisbo de ello de manera mínimamente clara. Esto indicaría que esos seres vecinos nuestros no tienen mucho interés en hacer notar su presencia enviando mensajes al exterior. Vale, pero bien pudiera ocurrir que al menos fueran curiosos y que al recibir señales nuestras trataran de indagar quién diablos las emite. Nuestra civilización está enviando señales al exterior desde los años treinta del siglo pasado. Por ejemplo, creo recordar que según la película *Contact*, basada en el libro homónimo de Carl Sagan, una de las primeras emisiones de televisión que se realizaron fue un mensaje de Hitler. Vaya por Dios. A esos extraterrestres les habría llegado tal señal allá por los años ochenta. Hasta dentro de unas décadas tenemos poca esperanza de que nos llegue alguna señal de ellos aunque sea simplemente preguntando en algún código binario quién es el tipejo ese del bigotillo y los flequillos.

Hay otra posibilidad aún más osada que la anterior. Supongamos que no hay 45 millones de civilizaciones tecnológicas en nuestra galaxia, sino muchísimas más. Esto sería posible si se dan las circunstancias siguientes. Esas civilizaciones están tan evolucionadas y se llevan tan bien entre ellas que han durado más que sus propios planetas. En cuanto las condiciones de vida de sus mundos se empezaron a alterar, incluso mucho antes si eran previsores, iniciaron un proceso de colonización de la galaxia. Se asentaron en planetas más favorables y fueron llenando la galaxia poco a poco porque además establecían tratados amistosos con todos los colegas con los que se encontraban. Así pues, nada de cuatro mil millones de años como promedio de vida de una civilización de estas: duran lo mismo, en orden de magnitud, que la propia galaxia; digamos diez mil millones de años, puesto que el Universo completo tiene una edad de unos trece o catorce eones. Aplicamos la fórmula de Drake y, ¡zas!, nos sale $N = 10^9$. Estamos suponiendo pues que la Vía Láctea está atiborrada con mil millones de civilizaciones tecnológicas. Un auténtico bullicio. La distancia media entre tales civilizaciones es aún de 15 años luz. Ya nos tendría que haber contestado alguien porque hace más de treinta años que estamos mandando unos mensajes que hay que ser muy tontos para no entenderlos: las figuras humanas de Leonardo da Vinci, la situación de la Tierra como intersección de la luz emitida por decenas de estrellas de neutrones, imágenes nuestras en soportes magnéticos, el esquema de la molécula del ADN, y muchas otras cosas astutas, simples, tangibles y fácilmente comprensibles. Y nada.

El italiano Enrico Fermi es posiblemente uno de los físicos nucleares más célebres y que yo personalmente más admiro. Como ya dije cuando lo de los neutrinos solares, entre infinidad de descubrimientos maravillosos, Fermi inventó algo familiar a todos: los reactores nucleares. Una vez le preguntaron sobre esto de las civilizaciones extraterrestres y sin prestar mucha atención, además algo disgustado, estableció la llamada *paradoja de Fermi*. Simplemente preguntó a su entrevistador, así como quien no quiere la cosa: «¿Por qué no están aquí esos seres?». ¡Glub! Dejo al lector la posibilidad de que la conteste sin sugerirle yo nada.

Por si acaso el abatimiento con respecto a los extraterrestres no ha llegado al desmayo, queda aún el remate. Lo siento.

Hasta ahora hemos hablado de señales electromagnéticas y distancias relacionadas con ellas. Es decir, hablamos de velocidades igual a la de la luz y por tanto distancias cubiertas durante años viajando a esa estremecedora velocidad, la cual es la máxima alcanzable en el vacío por cualquier móvil (que además su masa se hace infinita si llega a ella). El asunto es que lo que nos gustaría de verdad no es sólo la posibilidad de hablar por teléfono con nuestros vecinos extraterrestres, sino encontrarnos, darnos un apretón de manos u otro saludo, y charlar largo y tendido cara a cara. ¿Cierto o no? Pues aunque la galaxia esté tan repleta de gente como hemos indicado, lo tenemos crudo. Crudísimo.

La velocidad de la luz es 300.000 km/s. Nuestras llamadas «naves espaciales» alcanzan unas pocas decenas de km/s en la actualidad. Antes de seguir, quiero hacer constar que soy perfectamente consciente de que hubo científicos del siglo XIX que demostraron, insisto, demostraron matemáticamente, que nada no biológico más pesado que el aire podía volar. A la vista está el papelón que hicieron esos científicos y nada hay más lejano a mi deseo que caer en esa órbita.

Así pues, pensemos en la tecnología futura, la cual, concedo, puede estar a la vuelta de la esquina, porque la ciencia y la tecnología «avanzan que es una barbaridad». (Hace unos años, no muchos, escuché a un político prometer en plena campaña electoral que, si ganaba su partido, se instalarían en España seis millones de líneas telefónicas nuevas. Su partido ganó, pero en pleno mandato se disparó la telefonía móvil de tal forma que los seis millones de líneas prometidas daban risa.) Abramos nuestro ánimo mucho, incluso desaforadamente, y supongamos que en un futuro, aunque sea lejano, fabricaremos «reactores» capaces de transportarnos a la velocidad de la luz. Conste que el desafuero es grande, porque es del calibre del que pudo hacer la mujer prehistórica a la que hice referencia en la introducción cuando descubrió en su caverna cómo hacer fuego y que después, frotándose las manos, le hubiera dicho a su escéptico marido que el paso siguiente era construir una locomotora. Pero bueno, admitamos que pronto se construirán naves casi tan veloces como la luz, el caso es que hay que acelerarlas. Hago un cálculo sencillo y me sale que, para acelerar una nave de pequeña masa hasta un tercio de la velocidad de la luz, frenarla después (si no, ya me dirán), y hacer lo mismo al revés una vez que haya terminado cordialmente la visita a unos vecinos situados a, digamos 10 años luz, necesita la misma energía que Europa consume en veinte años. A ver qué parlamento aprueba unos Presupuestos Generales del Estado que contemple una partida de ese calibre. Y los extraterrestres para venir hasta aquí seguramente tienen el mismo problema, porque sin duda son democráticos, ya que son tan listos.

También está el problema de encontrar voluntarios para hacer de embajadores. El lector seguramente habrá leído algo sobre la paradoja de los gemelos que conlleva acelerar móviles hasta velocidades próximas a la de la luz. Resulta que el tiempo transcurre de una manera distinta, mucho más lentamente, para un viajero sometido a aceleraciones de ese calibre (suponiendo que fisiológicamente las aguanta) que para un hermano gemelo que deje en tierra. Así pues, para ir de aquí a un planeta habitado a unos pocos años luz y regresar, dependiendo de cómo de poderosas sean las aceleraciones que tenga que sufrir para llegar a velocidades próximas a la de la luz, cuando vuelva se encontrará que su hermano y todos los humanos han envejecido muchos más años de los que ha empleado en el viaje. A ver quién se presta a hacer semejante excursión abandonando familias, ambientes y sabiendo que cuando regrese no va a conocer a nadie. Supongo yo que nuestros embajadores astronautas serían asesinos de la peor ralea o aventureros enardecidos. Muy apropiados para hacer amigos entre los extraterrestres.

Quizá todo esto sean ganas de decepcionar y aguar muchas fantasías porque todo el mundo ha escuchado hablar de otras dimensiones, agujeros de gusano establecidos entre dos agujeros negros que conectan regiones alejadas del espacio-tiempo, etc. Especulaciones se pueden hacer todas las que se deseen siempre que no se pretenda que tengan visos de realidad. Recuérdese lo que le pasó al osado sargento de la nave espacial del imperio galáctico cuando apostó por acercarse a un agujero negro. Y la paradoja de Fermi sobre otros seres civilizados en la galaxia sigue sin resolverse: «¿Por qué no están aquí?».

Aunque crea el lector que voy a seguir profundizando en la herida abierta a la fantasía, es de modo contrario como deseo que concluya este capítulo, porque me han entretenido tanto películas como *Alien* o *La guerra de las galaxias*, que me daría pena restar al lector un ápice de la emoción que transmiten. Sin embargo, considero un tanto inquietante, quizá no mucho, que este gusto popular que se ha fomentado tanto tenga influencias negativas desde el punto de vista político y cultural. Huyendo del dramatismo ridículo, sigamos con lo de los vuelos espaciales pero los de «andar por casa», es decir, los que de una manera u otra pagamos y pagaremos de nuestro bolsillo.

Hay proyectada con todo rigor una expedición tripulada a Marte que prevé una duración del viaje de ida de siete meses. Ya se sabe que el cuerpo humano en situación de ingravidez sufre unas alteraciones extraordinarias y habrá que evaluar si someter a unas personas a semejante tortura y la fortuna que cuesta semejante proyecto merecen la pena en relación con los beneficios que se piensan obtener. Se puede argüir que no hay que preocuparse demasiado, porque el transporte más largo, caro y peligroso de la historia de la humanidad fue el galeón anual de Manila a Acapulco que hicieron los españoles durante doscientos cincuenta años y duraba eso: unos siete meses. Los costos y los peligros, padecimientos, privaciones y mortandad que se sufrieron en esos galeones no son comparables con las peores previsiones de la misión proyectada a Marte, fueron mucho peores. Pero, recuérdese, Marte está ahí al lado. Solamente explorar el sistema solar le costaría a los astronautas... unos cincuenta años y llegar a la estella más próxima al Sol unos cuarenta y cuatro mil años. No es posible. La tecnología actual no da para eso.

Cuando los políticos pidan dinero para sufragar los inmensos gastos de la exploración espacial, lo que debemos de preguntarles es qué se supone que vamos a aprender.

Hay un libro delicioso que se llama *Voodoo Science* traducido al español como *Ciencia o vudú* [Mondadori, Barcelona, 2001] que está escrito por un físico norteamericano competente, excelente consejero de políticos y una buena persona. Se llama Park. Recomiendo que se lea, porque allí se desmantelan elegante y desapasionadamente muchos tópicos que abruman a la humanidad, desde la homeopatía hasta las «detecciones y contactos» extraterrestres pasando por un sinfín de subproductos seudoculturales, seudocientíficos y seudototodo. Cuando lo leí, me sorprendió que Park también tratara de desenmascarar algunas trampas de los programas espaciales estadounidenses, pero al terminar mi lectura no pude por menos que darle la razón en todo lo que decía. Efectivamente, los vuelos «espaciales» tripulados y las estaciones orbitales con astronautas alojados en ellas (las cuales no están ni estarán a una altura más allá de la distancia en línea recta entre Sevilla y Madrid), no aportan casi nada al conocimiento humano. Y su utilidad práctica raya en el ridículo. En cambio, misiones más modestas como la del *Sojourner* a Marte y otras menos famosas internacionales, europeas y norteamericanas que colocan telescopios en órbita, lanzan sondas sofisticadas a planetas lejanos, etc., ofrecen una información excelente no sólo sobre nuestro sistema solar, sino sobre el Universo en su conjunto. A esto sí que le debemos dar dinero. Y también a los grandes telescopios situados en la Tierra y a los aceleradores de partículas y otros instrumentos caros siempre que nos expliquen, rigurosamente, qué es lo que se pretende de verdad aprender con ellos. Las personas, incluidos los políticos, entienden muy bien los objetivos científicos de los proyectos si se les explican bien. (Lo de citar a los políticos como caso aparte no es una maldad más mía porque en ocasiones —es verdad que más bien raras— aprueban y financian propuestas científicas que cualquier persona sensata repudiaría; o se partiría de risa, por ejemplo, se dotó con muchos miles de dólares un estudio que pretendía comprobar el mito (?) de que los pingüinos se caían de espaldas cuando los sobrevolaba un helicóptero.)

Cuando nos hablen de viajes espaciales tripulados, hagámonos la siguiente consideración. Un habitante de un país situado en el Ecuador de nuestra Tierra se mueve, solidariamente con ella, a más de 1.600 km/h. Por eso las bases «espaciales» europeas, norteamericanas y rusas se sitúan tan próximos al ecuador como puedan, para aprovechar esta velocidad inicial. Pero esto no es nada en comparación con la velocidad que llevamos en torno al Sol: unos 30 km/s. El Sol se mueve, como hemos dicho, a unos 200 km/s por la periferia de nuestra Vía Láctea. Nuestra galaxia se acerca a Andrómeda a unos 40 km/s más. Nuestro Grupo Local de galaxias deriva junto con el cúmulo superior al que pertenece, llamado de Virgo, a unos 600 km/s, que a su vez va hacia el supercúmulo de galaxias Hidra-Centauro a... para qué seguir. La Tierra es la más maravillosa nave espacial tripulada que podamos imaginar, porque si sumamos todas estas velocidades, veremos que estamos muy por encima de la que alcanzan los mejores vehículos que hemos podido construir. La conclusión que se debe extraer de esto la dejo al lector.

El futuro del Universo

Hace más de veinte años, en 1979 para ser precisos, apareció un artículo en la revista *Review of Modern Physics* que me llamó extraordinariamente la atención. Lo firmaba Freeman Dyson, que fue un físico inglés excelente pero que con la edad derivó a la mística oriental o algo así. Especulaba en tal escrito, con cálculos muy bien hechos, sobre el futuro del Universo. Hace unos meses (enero de 2002) la portada de la revista alemana *Der Spiegel* anunciaba, con un dibujo en colores extraordinarios, un largo artículo sobre el mismo asunto. ¿Por qué nos preocupan cosas que van a ocurrir, si ocurren, dentro de $10^{1.000}$ años? No lo sé, y la única razón que se me ocurre es que como lo podemos prever, pues lo calculamos y lo decimos. O no es esta la razón y quizá al lector le interese saber el futuro a ese extravagantemente largo plazo por razones que se me escapan. Por si acaso, hago un resumen de lo que los físicos pensamos hoy día que será la evolución y muerte del Universo. Pero como, insisto, no deseo asustar sino enseñar, aprovecharé tal extravagancia para pergeñar la mencionada (y difícil) teoría general de la relatividad, o sea, la teoría moderna de la gravitación formulada por Einstein.

Empecemos por el sencillo teorema de Pitágoras. En un triángulo recto, el cuadrado de la longitud de la hipotenusa (el lado más largo) es igual a la suma de los cuadrados de los catetos (los otros dos lados más cortos). La hipotenusa, en realidad, es el segmento que une dos puntos de un plano definidos cada uno por dos coordenadas. Es la distancia entre ellos. Con una regla, una escuadra y una calculadora podemos dibujar todo en una hoja de papel, medir, calcular y salen las cuentas pasmosamente bien.

Pasemos ahora a tres dimensiones, es decir, cada uno de esos dos puntos están definidos por tres coordenadas. No hay problema, porque el teorema de Pitágoras se aplicaría igual salvo que en lugar de la suma de dos cuadrados habría que sumar tres cuadrados.

Ahora viene Einstein y dice que el tiempo juega casi exactamente el mismo papel que las dimensiones espaciales. Lo de casi es porque el tiempo hay que hacerlo imaginario y, para que todo cuadre, multiplicarlo por la velocidad de la luz, pero esto que parece artificial y complicado, créanme, no lo es, además de ser perfectamente lícito. Pues sigue sin haber problemas con el teorema de Pitágoras: la distancia entre dos puntos del «espacio-tiempo» al cuadrado es la suma de los cuadrados de cuatro distancias aunque una de ellas sea un poco rara. Todo muy bien y... muy «plano».

Empecemos otra vez, pero ahora, en lugar de comprobar la distancia entre dos puntos con triángulos sobre una hoja de papel, intentémoslo en una esfera, por ejemplo sobre un globo terráqueo. Adiós al teorema de Pitágoras. No es que no salgan las cuentas, es que no nos sale ni el dibujo. Ya tendremos dificultades en dibujar sobre la esfera con nuestra escuadra y medir con la regla a menos que éstas sean de un plástico muy flexible; pero aún así, pronto veríamos que los triángulos que logramos dibujar son muy distintos a los que nos salían sobre un papel plano, entre otras cosas porque la suma de los tres ángulos sale más de ciento ochenta grados. Lo único que hay que hacer es pasar de Pitágoras a Bessel, el contable aplicado del que ya hablamos. No hay mucha dificultad en generalizar el teorema de Pitágoras a superficies curvas... siempre que nos quedemos en tres dimensiones, porque como pasemos a cuatro (o más) la cosa se complica mucho. Pero hasta eso lo resolvió un tal Riemann, formidable matemático alemán que escribió poco, entre otras cosas porque se murió a los cuarenta años, en 1866, pero casi todo lo que nos dejó está en los libros de texto.

La osadía genial de Einstein al establecer su teoría de la gravitación fue fundir en una ecuación, de aspecto extraordinariamente simple y significado extraordinariamente profundo, las propiedades geométricas riemannianas del espacio-tiempo con su contenido en masa y energía. Dicho de otra manera, la curvatura o forma de las cuatro dimensiones depende de la masa y la energía que contenga el volumen definido por ellas. Por eso la luz se curva en presencia de grandes cantidades de masa, como la de una galaxia o un cúmulo de ellas dando lugar a los fenómenos de lentes gravitacionales que ya explicamos. En realidad, la luz va de un punto a otro por el camino más corto, pero éste no viene definido por una recta, como en el teorema de Pitágoras en un plano, ni siquiera por los cuadrantes y meridianos definidos por Bessel en una superficie esférica, sino por las *geodésicas*, líneas que definen precisamente lo dicho: el camino más corto entre dos puntos de un espacio curvo. Las que siguen los burros para bajar y subir montes y que observaban los antiguos ingenieros de caminos para trazar carreteras en lugares accidentados. No fallaban en encontrar el camino óptimo entre dos lugares si seguían el criterio anterior.

Así pues, según Einstein, la forma del Universo depende de su contenido energético. Es decir, si supiéramos la cantidad de materia que tiene (la de luz la conocemos bastante bien) tendríamos una idea muy precisa de su geometría y eso es decisivo, como veremos inmediatamente, para su futuro.

Que el Universo se esté expandiendo desde el Big Bang significa que las galaxias se alejan unas de otras a una velocidad proporcional a la distancia que hay entre ellas. Piénsese en el manido símil del globo que se hincha con puntos pintados en su superficie. Dos puntos alejados (el caso extremo es si uno está en las antípodas del otro) se separan a mayor velocidad que dos vecinos. Pero, al igual que la tensión del plástico del globo se opone a la expansión, la atracción gravitatoria entre galaxias frena la del Universo. El destino del Universo vendrá marcado por el balance entre el agrandamiento paulatino consecuencia de la Gran Explosión inicial y el frenazo que provoca la fuerza atractiva de la gravedad entre la materia que contiene. Sólo hay tres posibilidades: o se expandirá indefinidamente porque la «inercia» de la explosión supere a la intensidad de la gravedad; lo contrario, es decir, que llegue cierto momento en que triunfe la gravedad y todo empiece a encogerse (y a calentarse de nuevo) llegando un momento en que quizá se produzca otra Gran Explosión y la cosa empiece de nuevo, en cuyo caso estaríamos ante un Universo «pulsante»; o que ambas tendencias se igualen exactamente y se llegue a un Universo en equilibrio que se expandiría mucho más pausadamente que en el primer caso y por tiempo indefinido.

¿Por qué no sabemos con certeza en qué caso estamos? Porque, en parte debido a la desconocida materia oscura, no sabemos con precisión cuál es el contenido material del Universo. Además, tampoco está claro a qué velocidad se alejan las galaxias y objetos más remotos que podemos observar.

Si relacionamos de nuevo el contenido de materia y energía con la geometría como indica Einstein, los tres casos anteriores se pueden ejemplificar de la manera siguiente. Llamemos con la letra Ω el cociente entre la densidad de materia del Universo (en buena parte desconocida) y la densidad crítica que definiría cada uno de los tres casos apuntados. No es tan complicado como parece. Si la densidad fuera menor que la crítica (es decir, $\Omega < 1$), el Universo se expandiría a buen ritmo eternamente; si $\Omega = 1$, se llegaría al equilibrio antedicho; y si $\Omega > 1$, llegará un momento en que comience el encogimiento. Estos tres casos se pueden visualizar desde el punto de vista geométrico, siempre que el lector tome consciencia de que en su imaginación no caben las imágenes que vamos a comentar porque tendrían que ser «figuras» en cuatro dimensiones. Si lo desea, en lugar de emplear la imaginación puede emplear la lógica y pensar en los tres casos basándose en el teorema de Pitágoras: en un Universo «abierto» (expansión indefinida y eterna) la suma de los *cuatro* ángulos de un «triángulo» sería mayor que 270°, e igual o menor en los casos de Universo en equilibrio o «cerrado». En tres dimensiones (la suma ahora tendría como referencia los 180°) las tres posibilidades son las de las figuras.

Si juntamos todos los datos, teorías, observaciones y demás conocimientos que tenemos al día de hoy, resulta que Ω está en un intervalo comprendido entre 0,3 y casi 2. Todo apunta a que Ω pueda valer exactamente 1, o sea, que estaríamos en un Universo «plano» de futuro eterno y apacible cuya velocidad de expansión tiende sempiternamente a cero.

Siguiendo a Dyson y a muchos autores más modernos, hagamos un siniestro calendario de lo que va a ocurrir en nuestro Universo con el tiempo, con mucho, mucho tiempo. Recordemos que el Big Bang ocurrió hace (en orden de magnitud, es decir, contando sólo el número de ceros) 10^{10} años.

10^{14} *años.* Todas las estrellas habrán agotado su combustible nuclear. Puesto que las que más viven son las que terminan en una configuración de enanas blancas, las galaxias brillarán muy mortecinas y se irán enfriando lentamente con una sobreabundancia de estos cadáveres estelares.

10^{15} *años.* Los planetas de todas las estrellas se habrán desgajado de ellas a causa de los encuentros cercanos, incluso colisiones, de unas contra otras.

10^{19} *años*. Las regiones centrales de las galaxias se habrán derrumbado hacia el centro tragadas por el agujero negro central que parecen tener todas ellas. Y si no, tal agujero negro se originaría en tal colapso estelar. Este cataclismo paulatino conllevaría la «evaporación» simultánea de las estrellas más lejanas del centro. En resumen, las galaxias como conjuntos de estrellas desaparecerían.

10^{24} *años*. Al igual que una carga eléctrica irradia energía en forma de luz cuando se acelera, por ejemplo al cambiar la dirección de su trayectoria, una masa también emite ondas gravitatorias. Naturalmente, debido a que la gravedad es muchas veces más débil que la fuerza electromagnética, este proceso es mucho más lento y menos energético. En el tiempo indicado, todas las órbitas gravitatorias habrán desaparecido. Significa esto que muy pocos objetos estelares permanecerán ligados entre sí. Todo el Universo estará lleno de cuerpos celestes errantes.

Entre 10^{64} *y* 10^{100} *años*. Debido a la emisión de la radiación de Hawking, los agujeros negros se evaporarán. Los primeros serán los estelares (etapa final de una estrella masiva) y los últimos los galácticos (los del centro de las galaxias). Esta evaporación conllevará un brillo efímero pero portentoso, por lo que el Universo se verá de vez en cuando iluminado por emisiones de radiación a alta temperatura.

10^{65} *años*. Por efectos cuánticos, en particular el efecto túnel, toda la materia (incluidas las rocas) se condensará en un estado llamado Bose-Einstein, que es una especie de líquido con átomos y moléculas poco diferenciados a temperaturas muy próximas al cero absoluto, formando esferas a causa de la gravedad.

$10^{1.500}$ *años*. Al ser el núcleo de hierro el más estable, todos los elementos tenderán a transformarse por desintegración nuclear (especialmente fisión y emisión de partículas alfa) en él.

$10^{10\,(76)}$ *años*. Por procesos similares a muchos de los apuntados en el texto, todas las enanas blancas, convertidas ya en estrellas de hierro, se irán transformando a su vez en estrellas de neutrones. Esto provocará oleadas de neutrinos pero también emisiones brillantes de rayos X. Finalmente, de manera paulatina pero finita, toda la materia adquirirá la forma de agujeros negros estables de una masa tan modesta como de varios millones de toneladas.

Conclusión: no es un futuro halagüeño, pero al menos nos lo fían largo.

12

Epílogo

¿Qué sé yo? *(Que sais-je?)*

Respuesta emblemática de Montaigne ante preguntas sesudas o graves.

Decir tonterías por azar o por debilidad es un mal
ordinario; pero decirlas a propósito (como Montaigne), eso ya no es soportable.

BLAS PASCAL

El lector que haya llegado hasta aquí en la lectura de este libro puede preguntarse ciertas cosas inquietantes. Se han mostrado, bien que
rudimentariamente, muchas cosas del Universo y de la estructura de
la materia. Seguramente ha quedado convencido de que la materia
esencial de la que estamos hechos proviene de las estrellas. Muy bien,
pero ¿para qué sirve todo esto? ¿Merece la pena gastar ingentes cantidades de dinero y esfuerzo humano para aprender estas cosas? ¿No
tienen y han tenido los dirigentes y sabios de la humanidad otras
prioridades para aumentar el bienestar general de las personas, de
todas las personas?

Fig. 30. *Tablilla babilonia de, aproximadamente, 1700 a.C.*

Obsérvese el trozo de arcilla de la siguiente página que parece tener ciertas inscripciones grabadas.

La tablilla anterior procede de Babilonia y data, aproximadamente, de 1700 a.C. El escriba que la grabó usó una técnica curiosa. Al clavar su estilete por la punta en la arcilla blanda, quería indicar un 1. Al hacer la muesca con el instrumento inclinado, dejaba grabado un 10. Así, la interpretación de la inscripción sería la siguiente:

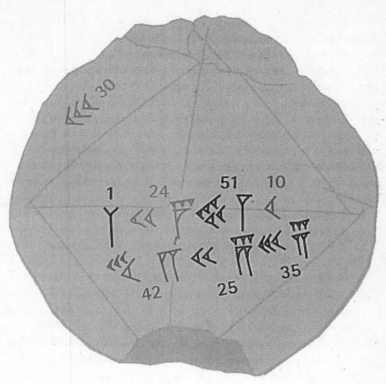

Fig. 31. *Descifrado de la tablilla anterior.*

Sabemos, y así lo hemos indicado alguna que otra vez, que los babilonios calculaban en base 60, no en base 10 como nosotros hacemos usualmente (en el tiempo —minutos y segundos—, en los ángulos y algunas cosas más aún usamos el sistema sexagesimal inventado por ellos). Entonces ¿a qué viene eso del 1 y el 10 de la tablilla? Observemos atentamente. Arriba, a la izquierda, hay escrito un 30. La línea inferior muestra la secuencia 42, 25 y 35. Si queremos pasar de la base 60 babilonia a la nuestra decimal, deberemos hacer la siguiente operación:

373

$42 + 25/60 + 35/60^2$. Cojamos nuestra calculadora de bolsillo y dividamos cada uno de estos tres sumandos por el número indicado anteriormente: el 30. Nos sale: $1,4 + 0,0138888 + 0,0003241$. El lector puede comprobar trivialmente que estos tres números se pueden expresar también de esta forma: $1 + 24/60 + 51/60^2 + 10/60^3$. ¡La serie de numeradores $1, 24, 51$ y 10 es la grabada en la tablilla en la línea superior! Sumemos todo a ver qué sale. Resulta $1,414213$. Calcule el lector con su calculadora la raíz cuadrada de dos y verá que coincide con el número anterior con una precisión pasmosa. Si además nos fijamos en las líneas que da fondo a las inscripciones, vemos que dibujan triángulos. Si el lado de estos triángulos es de longitud la unidad (un metro, una vara, un lo que sea) para calcular la hipotenusa hemos de aplicar el teorema de Pitágoras que nos lleva a la raíz de dos. Muy bien, los caldeos o por lo menos algunos pocos habitantes de la capital del reino, Babilonia, sabían el teorema de Pitágoras (antes de Pitágoras) y calcular la raíz de dos; ¿y qué?

Por lo pronto, hemos de concluir dos cosas. Hace decenas de siglos había sociedades que permitían, de una manera u otra, que hubiera personas dedicadas al estudio de cosas cuya aplicación ni se entreveía ni les preocupaba, por ejemplo, el cálculo de la raíz de dos. Por otro lado, en nuestros tiempos ocurre lo mismo, también hay personas dedicadas al saber por el saber, por ejemplo, a buscar una tablilla de la antigua Babilonia y dilucidar después de encontrarla qué diablos habría grabado un escriba en ella. Así pues, podemos concluir que la actividad científica es inherente a las civilizaciones desarrolladas, porque Babilonia era una ciudad próspera y bullanguera y las universidades de los países desarrollados son las que tienen buenos departamentos de ciencia básica además de historia antigua o arqueología. Se podría especular incluso sobre la posibilidad inversa: ¿no serían aquellas civilizaciones prósperas y estos países los desarrollados justo porque dedicaban esfuerzo y dinero a la ciencia básica? En la antigua Edad Media, las poblaciones medias europea, asiática e incluso americana vivían más o menos igual: pasaban hambre cuando había buenas cosechas y hambruna en tiempos de sequía. Europa, poco a poco pero de manera inexorable, se fue abriendo camino y distinguiéndose nítidamente en el mundo. Sin duda, la prosperidad y el desarrollo se debieron a varias causas (no muchas) pero la manera con que afrontó la ciencia y el provecho que supo sacarle a sus resultados es una de ellas. Hay quien sostiene apoyado en argumentos formidables que fue justo esto lo decisivo en esa diferenciación. ¿Qué sé yo?

Pero para que no me traten como a Montaigne por salir con esta frase ante una cuestión tan compleja como la del papel de la ciencia en las sociedades antiguas y modernas, manifiesto la simple esperanza de que el lector, al aprender algo de todo lo expuesto más o menos torpemente en este libro, se sienta un poquito más dichoso porque la ciencia, al menos, ha de producir placer.

Bibliografía

La docena de libros referidos a continuación los ha utilizado el autor profusamente y, por ello, los recomienda a los lectores que deseen profundizar en algunos aspectos astrofísicos presentados. De física general y nuclear en particular no se cita porque no se ha utilizado ninguno concreto. El número de asteriscos después de cada título indica su grado de dificultad: uno es del nivel de este libro y tres de nivel profesional. Más concretamente, los primeros pueden entenderse con una formación básica no universitaria; los textos con dos asteriscos pueden seguirlos estudiantes de carreras científicas o técnicas y con tres los licenciados en ciencias físicas o matemáticas. Recientemente se ha publicado un libro excelente: *Astronomía general teórica y práctica* de David Galadí-Enríquez y Jordi Gutiérrez Cabello, Ediciones Omega, 2001. No lo menciono en la relación porque apenas lo he utilizado (salvo la cita del verso de Vicente Aleixandre extraída de él), pero este es el libro en español que recomiendo a quien sin ser especialista desee ampliar mucho de lo tratado aquí.

Arrol, Bradley W., y Ostlie, Dale A., *An Introduction to Modern Astrophysics*, Addison Wesley Publishing Company, Inc., 1996. (**)

Böhner, Gerhard, *The Early Universe*, Springer Verlag, 1988. (***)

Cambridge Illustrate History of Astronomy, editado por Michael Hosking, Cambridge University Press, 1997. (*)

Encyclopedia of the Solar System, editado por Paul R. Weissman, Lucy-Ann McFadden y Torrence V. Johnson, Academy Press, 1999. (**)

Harwit, Martin, *Astrophysical Concepts*, Springer Verlag, 1988. (**)

Hoyle, Fred, y Freeman, W. H., *Astronomy and Cosmology, a Modern Course*, 1975. (*)

Nuclear Astrophysics, editado por Manuel Lozano, María Isabel Gallardo y José Miguel Arias, Springer Verlag, 1989. (***)

Rolf, Claus E., y Rodney, William S., *Cauldrons in the Cosmos; Nuclear Astrophysics*, The University of Chicago Press, 1988. (***)

Shapiro, Stuart L., y Teukolsky, Saul A., *Black Holes, White Dwarf and Neutron Stars, the Physics of Compact Objects*, John Wiley and Sons, 1983. (***)

Snow, Theodore P., *The Dynamic Universe*, West Publishing Company, 1998. (*)

The Universe at Large, editado por Guido Münch, Antonio Mampaso y Francisco Sánchez, Cambridge University Press, 1997. (***)

Unsöld, Albrecht, y Baschek, Bodo, *The New Cosmos*, Springer Verlag, 1991. (**)

Direcciones de internet

A continuación se ofrecen, comentadas sucintamente, algunas direcciones de internet a las que el lector puede acudir para ampliar e ilustrar la mayoría de los aspectos tratados en el libro. El muestrario no es exhaustivo, ni mucho menos, ni las direcciones son necesariamente las mejores para cada lector, pero es un conjunto básico que puede ser un buen puerto para iniciar la navegación por la Red. Ésta es tan viva que seguramente algunos sitios habrán desaparecido cuando se visiten y habrán aparecido otros excelentes, le pido al lector paciencia y comprensión por ello. He tratado de elegir muchas páginas en español pero hay demasiadas en inglés de gran calidad como para evitarlas. En lugar de agruparlas por los capítulos del libro se dividirán por temas, aunque en las que no son generales se hará mención del capítulo al que corresponden.

ASTRONOMÍA, FÍSICA Y ASTROFÍSICA EN GENERAL

http://astronomia.deamerica.net/
Este sitio, de Luis Gil, presenta un buen abanico de enlaces astronómicos.

http://www.telepolis.com/monografico/mono058/default.htm
Igual que el anterior pero, quizá, más completo y profesional. Conduce a los buscadores y directorios más relevantes de astronomía.

http://www.montevideo.gub.uy/planetario/curso/Libro/index.htm

Es un curso completo escrito en español por los profesores Kepler de Souza y María de Fátima Oliveira de la Universidad Federal de Río Grande del Sur, Brasil. Se dirige a personas sin ningún conocimiento previo de astronomía y escasos de matemáticas. De éstas se hace poco uso y si se evitan los temas correspondientes, no se pierde la visión general.

http://casswww.ucsd.edu/public/astroed.html#TUTORIAL

Curso de astronomía del profesor Gene Smith, del Centro de Astrofísica y Ciencias Espaciales de la Universidad de California para público general.

http://www.astronomynotes.com/

Curso más avanzado que los anteriores de Nick Strobel. Se presentan las nociones básicas de física aplicada a la astronomía. Es interesante el conjunto de actividades astronómicas que se proponen sin usar telescopios. Como los otros dos cursos propuestos, éste también cubre prácticamente todos los aspectos presentados en el libro.

http://www.nasa.gov/gallery/photo/index.html

Galería de fotos de la NASA.

http://oposite.stsci.edu/pubinfo/pictures.html

Galería de fotos del telescopio espacial Hubble.

http://laeff.esa.es/cosmocaixa/mm.html

Curso CosmoCaixa elaborado por el Laboratorio de Astrofísica Espacial y Física Fundamental. La parte de estrellas y galaxias por un lado y cosmología por otro, se presentan tanto en formato PDF como en formato Power Point.

http://www.sc.ehu.es/sbweb/fisica/default.htm

Hay varios cursos excelentes de física elemental en español, éste, de Ángel Franco García, de la Escuela Universitaria de Ingeniería Técnica Industrial de Eibar, es uno de ellos.

http://www.unidata.ucar.edu/staff/blynds/acerca.html

Traducción al español de Carmen Riverol del artículo «About Temperature» del proyecto Skymath, de Beverly Lynds. Es un buen curso sencillo de termodinámica que culmina en una explicación de la temperatura del Universo.

http://lectura.ilce.edu.mx:3000/sites/ciencia/volumen1/ciencia2/42/htm/radiacti.htm

La radiactividad (cap. 4) se puede estudiar a nivel elemental en esta página del curso de Silvia Bulbulian del Fondo de Cultura Económica de México.

CENTROS

http://www.iaa.es/

Instituto de Astrofísica de Andalucía.

http://www.iac.es/

Instituto de Astrofísica de Canarias.

http://www.mpia-hd.mpg.de/

Observatorio Hispano-Alemán de Calar Alto.

http://www.vilspa.esa.es/astroweb/yp_telescope.html

Direcciones de los grandes telescopios en la página de la Agencia Espacial Europea.

HISTORIA DE LA ASTRONOMÍA

http://www.cv.nrao.edu/fits/www/yp_history.html

Lugar de direcciones de historia de la astronomía.

http://www.astro.uni-bonn.de/~pbrosche/astoria.html

Curso de historia de la astronomía de la Universidad de Bonn.

http://www.ummah.net/astronomy/
Página con direcciones y software relacionado con la astronomía islámica.

http://www.ub.es/geocrit/tcingen.html
Contiene el curso de cosmografía de don Pedro de Lucuce en las academias de matemáticas militares y se expone el problema de los textos científicos y el desarrollo de la ciencia española del siglo XVIII. Por Rafael Alcaide González y Horacio Capel Sáez.

http://www-gap.dcs.st-and.ac.uk/~history/Mathematicians/Laplace.html
Página muy completa de la vida y obra de Pierre-Simon Laplace.

http://www.hkbu.edu.hk/~ppp/Kant.html
Mapa que sirve de excelente guía para navegar por internet en la obra y vida de Kant.

EL SISTEMA SOLAR (CAPÍTULOS 2 Y 10)

http://pds.jpl.nasa.gov/planets/
WELCOME TO THE PLANETS
Colección de las mejores imágenes del programa de exploración planetaria de la NASA.

http://www.seds.org/billa/tnp/
THE NINE PLANETS
Conjunto de páginas de Bill Arnett con textos, tablas de datos, imágenes e incluso sonidos y animación.

http://www.soest.hawaii.edu/SPACEGRANT/class_acts/
Curso sobre el sistema solar del Instituto de Geofísica y Planetología de Hawai. Contiene una lista explícita y muy apropiada de conexiones a multitud de páginas educativas.

http://www.bbc.co.uk/planets/
Página planetaria de la BBC inglesa.

http://ftp.seds.org/pub/images/venus/globe.gif
Esta es, personalmente, la mejor imagen de Venus.

http://www.rog.nmm.ac.uk/leflets/solar_system/
El sistema solar según el Real Observatorio de Greenwich y el Museo
Nacional Marítimo del Reino Unido.

MAREAS (CAPÍTULO 2)

http://www1.pactide.noaa.gov/tide-explanation.htm
Contiene una explicación, breve pero casi profesional, de los factores astronómicos que producen las mareas.

http://www.proteccioncivil.org/mareas.htm
Previsiones y tablas de mareas en diversos puertos y puntos de España. También contiene una explicación del fenómeno.

GALAXIAS (CAPÍTULO 3)

http://www.astr.ua.edu/keel/galaxies/index.html
El material de este curso de las universidades de Leiden y Alabama es un
poco avanzado para el público general, pero bastante completo.

http://ar.geocities.com/epsiloncrucis/galaxias/vialactea.htm
Propiedades y fotografías de la Vía Láctea. Presta atención especial a los
brazos espirales de la galaxia. En español.

AURORAS BOREALES (CAPÍTULO 3)

http://www.geo.mtu.edu/weather/aurora/images/aurora/jan.curtis/
Fotografías de auroras boreales realizadas por Jan Curtis.

EL MODELO DEL BIG BANG (CAPÍTULO 3)

http://www.geocities.com/CapeCanaveral/Launchpad/2921/cosmolog.htm

Curso en español de cosmología y astrofísica centrado en el modelo estándar del Big Bang desde el principio cosmológico y la ley de Hubble hasta la radiación de fondo de microondas pasando por la materia oscura y dando nociones de relatividad general. También da buenas direcciones web sobre el tema.

http://hepwww.rl.ac.uk/pub/bigbang/part1.html

Explicación del modelo del Big Bang en relación estrecha con la física de partículas. Se explican los rudimentos de esta rama de la física tanto desde un punto de vista teórico como experimental.

http://www.geocities.com/angelto.geo/bhole/micowav.html

Describe muy bien el fondo de microondas y su anisotropía.

TABLA PERIÓDICA DE LOS ELEMENTOS (CAPÍTULO 4)

http://site.ifrance.com/okapi/tabla_periodica1.htm

Tabla interactiva en español. Además de dar las principales propiedades, muestra fotografías de la mayoría de los elementos.

EL SOL (CAPÍTULO 5)

http://members.aol.com/gca7sky/sun.htm

Da las direcciones web más importantes sobre el Sol.

http://www.hao.ucar.edu/public/slides/slides.html

Ofrece, seguramente, las mejores imágenes del Sol.

http://fusedweb.pppl.gov/

Explica la energía de fusión desde un punto de vista educativo y hace especial énfasis en los procesos que tienen lugar en el Sol.

http://www.cpepweb.org/
Explica la energía de fusión nuclear y el estado de plasma.

http://www.exploratorium.edu/sunspots/
Quizá la mejor dirección para manchas solares.

http://www.sunspotcycle.com/
El ciclo de las manchas solares. Da el número de manchas solares que hay en cada momento. Desde este sitio se puede dirigir uno a páginas donde se explican los principales fenómenos de la actividad solar.

http://web.ngdc.noaa.gov/stp/SOLAR/SSN/ssn.html
Explica cómo se contaban las manchas solares antes y cómo se cuentan hoy.

http://www.inter-sol.org/
Programa internacional INTERSOL creado en 1977 para la observación diaria del Sol en el que colaboran astrónomos profesionales y aficionados.

http://www.maths.qmw.ac.uk/~lms/research/neutrino.html
El problema de los neutrinos solares.

http://www.sns.ias.edu/~jnb/
Artículos de John Bahcall, del Instituto de Estudios Avanzados de Princeton, sobre el problema de los neutrinos solares.

http://helios.tuc.noao.edu/gonghome.html
Página del proyecto GONG (Global Oscillation Network Group), donde se puede encontrar también las bases de la heliosismología.

Estrellas y constelaciones (capítulo 6)

http://www.enchantedlearning.com/subjects/astronomy/stars/
Página muy completa sobre las propiedades de las estrellas.

http://zebu.uoregon.edu/textbook/energygen.html
La síntesis de los núcleos atómicos en el interior de las estrellas.

http://www.astro.wisc.edu/~dolan/constellations/
Tabla abreviada de las constelaciones con fotos de algunas de ellas. También
se presentan mitos griegos y romanos sobre las estrellas.

http://www.geocities.com/SummerDale33/Mnemonic.html
Se dan algunas reglas mnemotécnicas para la clasificación espectral distintas a la machista criticada en el texto.

DIAGRAMA HERTZSPRUNG–RUSSELL (CAPÍTULO 6)

http://freespace.virgin.net/gareth.james/3 objects/HR Diagram/hrdiagram.
html
Introducción al diagrama de Hertzsprung-Russell.

http://www.telescope.org/btl/lc4.html
El diagrama de Hertzprung-Russell explicado a un nivel superior que el
de la dirección anterior.

AGUJEROS NEGROS (CAPÍTULO 8)

http://www.damtp.cam.ac.uk/user/gr/public/bh home.html
Curso de Cambridge sobre relatividad con especial énfasis en los agujeros
negros. Muestra también los indicios experimentales que se tienen en
la actualidad de su existencia.

http://www.phy.syr.edu/courses/modules/LIGHTCONE/schwarzschild.
html
El concepto de Schwarzschild sobre el espacio-tiempo con una introducción a los agujeros negros.

Supernovas (capítulo 8)

http://www.mpa-garching.mpg.de/HIGHLIGHT/2000/highlight0005
e.html
Supernovas históricas.

http://www.chapman.edu/oca/benet/intro_sn.htm
Curso introductorio a las explosiones supernovas.

http://astron.berkeley.edu/~bait/discovery/sn.html
Galeria de supernovas.

Condritas carbonáceas (capítulo 10)

http://www.alaska.net/~meteor/AMinfo.htm
El meteorito Allende como una de las condritas carbonáceas más famosas.

Fórmula de Drake (capítulo 11)

http://www.seti-inst.edu/
Página del Instituto SETI dedicado a explorar la comunicación con otros
seres extraterrestres, así como al estudio de la distribución de vida en
el Universo.

http://setiathome.ssl.berkeley.edu/
SETI@home es un experimento del instituto anterior que hace uso de
ordenadores conectados vía internet para la búsqueda de inteligencia
extraterrestre. Se puede participar (gratuitamente) en el análisis de los
datos obtenidos por radiotelescopios dedicados al asunto.

http://www.fellowship.net/jerrynixon/documents/theDrakeEquation.htm
Se puede calcular con la fórmula de Drake variando a gusto cada uno de
sus factores.

http://muse.jhu.edu/demo/pbm/43.2sullivan.html

Página de exobiología de Richard Sullivan donde, además de la fórmula de
Drake, se presta atención a la teoría de la panspermia.

ORIGEN DE LA VIDA (CAPÍTULO 11)

http://www.astro.washington.edu/bbeck/201/

Página que introduce en el curso del Departamento de Astronomía de la
Universidad de Washington «El Universo y el origen de la vida». Contiene además muchos enlaces interesantes.

http://www.oan.es/servicios/divulga/vida/

Artículos de divulgación en los Anuarios del Observatorio Astronómico de
Madrid. En particular es interesante el artículo «El origen de la vida»,
de J. Martín-Pintado Martín.

http://fai.unne.edu.ar/biologia/introduccion/origen.htm

Traducción al español de Jorge S. Raisman y Ana María González de la
página original http://www.140.198.160.119/bio/bio181/BIOBK/
BioBookCELL1.html, donde se explican los orígenes de la Tierra y la
vida.

Índice alfabético

El cosmos en la palma de la mano, de Manuel Lozano Leyva
se terminó de imprimir en enero de 2010 en
Worldcolor Querétaro, S.A. de C.V.
Fracc. Agro Industrial La Cruz
El Marqués, Querétaro
México